FRIEDRICH DÜRRENMATT
KOMÖDIEN II

Dürrenmatt

FRIEDRICH DÜRRENMATT

KOMÖDIEN II

UND FRÜHE STÜCKE

IM VERLAG DER ARCHE ZÜRICH

Umschlag von Hans Bächer nach einer Zeichnung
von Friedrich Dürrenmatt zum Stück «Es steht geschrieben»
Neue Auflage 1970

Sämtliche Verlags-, Aufführungs-, Nachdrucks-, Verfilmungs- und Über-
setzungsrechte sowie die Rechte der Verbreitung durch Radio und
Television sind nur durch die nachstehenden Verlage zu erwerben:

Weltvertrieb
Theaterverlag Reiß AG, Basel, Steinentorstraße 13

Vertrieb für Deutschland
Felix Bloch Erben, Verlag für Bühne, Film und Funk, Berlin-Charlotten-
burg 2, Hardenbergstraße 6, und München, Theatinerstraße 37

Vertrieb für Österreich
Universal-Edition AG, Wien 1, Karlsplatz 6

INHALT

Frühe Stücke

  9   ES STEHT GESCHRIEBEN
117   DER BLINDE

Komödien II

195   FRANK DER FÜNFTE
283   DIE PHYSIKER
357   HERKULES UND DER STALL DES AUGIAS

FRÜHE STÜCKE

ES STEHT GESCHRIEBEN

EIN DRAMA

PERSONEN

Drei Wiedertäufer
Der Mönch Maximilian Bleibeganz
Zwei Straßenkehrer
Eine Wache, später Nachtwächter
Johann Bockelson von Leyden
Bernhard Knipperdollinck
Judith
Katherina
Mollenhöck
Ein Mann
Der Bischof Franz von Waldeck
Gemüsefrau
Zwei Bürger
Weib mit Tochter
Ansager
Zwei Soldaten
Jan Matthisson
Rottmann
Krechting
Johann von Büren
Hermann von Mengerssen
Wächter
Trommler
Diener
Kaiser Karl der Fünfte
Zeremonienmeister
Chronometrischer Türke
Landgraf von Hessen
Seine beiden Frauen
Wirt
Ein Weib
Ein Kind
Landsknecht
Koch
Scharfrichter

VIELLEICHT WÄRE NOCH ZU SAGEN, ES SEI NICHT MEINE *Absicht gewesen, Geschichte zu schreiben, wie ich denn auch Dokumenten nicht nachgegangen bin, kaum daß ich einige wenige Bücher gelesen habe über das, was sich in jener Stadt zugetragen. In diesem Sinne mag die Handlung frei erfunden sein. Was mich rührte, war die Melodie, die ich aufgenommen habe, wie bisweilen neuere Instrumente alte Volksweisen übernehmen und weitergeben. Inwieweit sich heutiges Geschehen in ihr spiegelt, sei dahingestellt. Es wäre jedoch der Absicht des Verfassers entsprechender, die mehr zufälligen Parallelen vorsichtig zu ziehen.*

ZU BEGINN KNIEN DREI WIEDERTÄUFER AUF DER BÜHNE. *Sie sind hager, haben lange Bärte, ungekämmte Haare und unbeschreibliche Kleider am Leib, die Wangen hohl, die Augen schwarz umrandet, doch kann vom durchdringenden Zwiebelgeruch abgesehen werden. Man braucht diese sauberen Brüder nicht so wichtig zu nehmen, daß für sie eine eigene Szenerie gebaut würde – Gott bewahre – es genügt, sie vor dem bloßen Vorhang auftreten zu lassen, wie denn auch während des ganzen Spiels der Regisseur und die Schauspieler sich viele Einfälle erlauben dürfen, denn wir geben nicht mehr als einige dürftige Noten und Farben zu einer kunterbunten Welt, die gestern genau so war wie heute und morgen.*

DER MITTLERE WIEDERTÄUFER: Gott verhüllte sein Antlitz, da erlosch die Sonne im Meer und die Schiffe brannten über den Wassern.

Die Wale wurden ans Land geschwemmt.

Die Berge sanken, und die Wälder öffneten sich, aus der Tiefe brach Feuer.

Die Leichen der Menschen deckten die Ströme und hingen an den Ästen der Bäume.

Die Totenvögel mästeten sich.

Sie wurden feiß wie Säue, daß sie nicht mehr fliegen konnten.

Die Verdammten verließen die Höhle, welche sich zur Mitte der Erde hinabsenkt.

Ihre Leiber schoben sich vor die Gestirne der Nacht.

Sie glitten von den Felsen gleich Drachen der Mitternacht, vom Geklirr ihrer Schwingen erbebten Himmel und Erde.

DER WIEDERTÄUFER ZUR LINKEN: Sie erhoben sich, zu töten, und zogen aus wider die Täufer.

Diese aber sind reinen Leibes, und der Herr hat unter ihnen seinen Tempel errichtet.

Sie haben alle Sünden von sich geworfen, wie der Bräutigam

13

seine Kleider von sich wirft, wenn die Nacht der Hochzeit gekommen.

Sie sind die Heiligen, erwählt, zur Rechten des Herrn zu sitzen.

Sie sind getauft, wie Johannes es tat mit dem Gott.

Jedes Ding ist ihnen gemeinsam, und wenn der Bruder spricht zum Bruder: Gib mir dein Kleid, mich friert, so bekommt er das Kleid, und wenn er spricht: Gib mir dein Brot, mich hungert, so bekommt er das Brot, und wenn der Bruder zum Bruder also redet: Gib mir dein Weib, daß ich Kinder Gottes mit ihm zeuge, so wird ihm das Weib zuteil.

Aber Gott gefiel es, seine Knechte dem Bösen auszuliefern, denn so einer ein Schwert will, hält er das Eisen ins Feuer.

DER WIEDERTÄUFER ZUR RECHTEN: Die Verdammten warfen sich über die Täufer, wie Wölfe sich über die Schafe werfen in der Winternacht.

Sie wurden in Käfige gezwängt und ersäuft, in den Boden gegraben bis zum Hals und einen Kessel über den Kopf und zwei Ratten unter den Kessel.

Sie verbrannten an Pfähle genagelt und mit Pech bestrichen. Die Männer wurden entmannt, und den Weibern stießen sie glühendes Eisen in den Schoß.

Ihre Augen wurden gestochen, ihre Hände abgehauen und ihre Zungen herausgerissen.

Tausende und Abertausende sanken dahin, denn der Herr prüfte sie.

DER MITTLERE WIEDERTÄUFER: Die Täufer fanden Gnade vor Gott.

Sein Zorn wandte sich gegen die, welche sprechen: Es ist kein Gott, oder ihn lästern und falsche Lehren verbreiten und Götzen anbeten, welche sie Heilige nennen. Er hat sie in die Hände der Täufer gegeben, denn er will, daß seine Knechte das Unkraut verbrennen.

Die Täufer sollen die Verdammten austilgen und ihren Samen erwürgen.

Ihre schwangeren Weiber sollen sie an die Wände nageln und ihnen die Kinder aus dem Bauch schneiden und die Ungeborenen hineinpressen in die aufgeschlitzten Wänste der Pfaffen.

14

Den Töchtern der Hölle sollen sie die Kleider vom Leibe reißen und mit ihnen tun, wie man mit Huren tut, und sie den Hunden vorwerfen, daß die Hunde satt werden am Hurenfleisch.

Der Erdkreis in seiner Unermeßlichkeit wird in die Hände der Täufer fallen durch die Macht seiner Knechte, die unwiderstehlich ist, wie der Blitz, der vom Himmel fällt, und wie der Strom, der zum Meere fließt.

DER WIEDERTÄUFER ZUR LINKEN: Der Herr schmiedete sein Schwert und sah, daß es gut war.

Zum Zeichen des Bundes gab er seinen Knechten eine Stadt, von der sie die Erde bezwingen werden und wo ihnen ein neuer Salomo entstehen wird.

Also ziehen die Täufer aus allen Ländern gen Münster in Westfalen.

Gesegnet sei die Stadt, die vor uns liegt in der Abendsonne. Gesegnet ihre Türme und Dächer, vergoldet vom späten Strahl des Lichts.

Bald werden die letzten Ungläubigen aus ihr fliehen, und der Bischof wird mit seinen Kebsweibern und Lustknaben den Tempel seiner Götzen verlassen.

Die erbärmlichen Lutheraner werden ihr entweichen wie Schelme.

Aus der Stadt aber werden einst die Täufer brechen, tausend mal tausend und zehn mal hunderttausend, die Feinde mit dem Schwert zu überwinden und das Meer mit ihrem Blute zu färben.

DER WIEDERTÄUFER ZUR RECHTEN: Dann endlich wird der Tag kommen, der verheißen ist, wo er, allen sichtbar, in feuriger Wolke sitzen wird, Gericht zu halten über Gerechte und Ungerechte.

Er wird den ehernen Spruch fällen, der gelten wird von Ewigkeit zu Ewigkeit.

Die Ungläubigen und Irregeleiteten wird Er zu ewiger Qual verdammen, daß sie hinabsinken in die Nacht.

Die Täufer aber werden Gnade finden vor seinen Augen. Ein neuer Himmel wird sein und eine neue Erde. Eine neue Seele und ein neuer Leib.

Wir werden eins sein mit Ihm, der wiedergeboren ist in uns.
Ehre sei Gott in der Höhe!

*Die drei, welche gegen das Ende ziemlich ins Feuer geraten sind,
treten ab, doch wird es das Orchester nicht unterlassen können, ihnen
einige parodistische Töne nachzusenden. Darauf erscheint ein Mönch
vor dem noch geschlossenen Vorhang, der aber, während jener spricht,
sich öffnet, so daß eine Szene sichtbar wird, die dem Folgenden zu
entnehmen ist.*

DER MÖNCH: Ihr werdet mir zugeben, meine Damen und Herren, ihr werdet mir zugeben, daß jene drei, die eben noch an
dieser Stelle so entsetzlich geheult, ungehobelte und recht ungepflegte Kerle gewesen sind.

Daher wird es jedermann verstehen, wenn ihr euch über die
Täufer eine schlechte Meinung gebildet, und ihr habt im großen
und ganzen ja recht.

Es sind Tröpfe, ich weiß, arme Tröpfe,

Anhänger einer Sekte, die von Bäckermeistern, Goldschmieden,
Kürschnern und verworrenen Predigern erfunden wurde, deren
Dummheit euch nur insofern in Verlegenheit bringen kann, als
ihr nicht wißt, ob ihr lachen sollt oder weinen.

Doch müssen mir Kenner unter euch beistimmen – gesetzt, es
sitzen einige in diesem Saal –, daß mit solchen Schreihälsen
wunderbar Weltgeschichte gemacht werden kann.

Was mich nun selbst betrifft,

so heiße ich Maximilian Bleibeganz,

oder, wie man mich im Kloster zu nennen liebte, dem ich entlaufen: Bruder Maximus,

einerseits geboren am 31. Dezember 1499, anderseits am 1. Januar 1500,

in jener Mitternacht also, in der das alte Jahrhundert Gott sei
Dank ein Ende und das neue leider Gottes einen Anfang nahm.
Ich bin nicht historisch, ich habe nie gelebt und dies nie bereut,
im Gegenteil, ich bin überzeugt, daß jede Art von Existenz mit
Nachteilen verbunden ist, die nicht wieder wettzumachen sind.
Ich komme denn auch in diesem Spiel nur selten vor, vielleicht
zwei oder dreimal,

ja, es trifft bisweilen zu,

daß ich überhaupt nicht aufzutreten brauche, weil der Regisseur mich wegläßt, um das Stück zu kürzen, oder weil er gerade einen Schauspieler zu wenig hat:
Und auch jetzt, indem ich zu euch rede,
bin ich nicht viel anderes als eine Verlegenheitspause, da der Vorhang zwar hinter meinem Rücken in die Höhe gegangen ist, aller Augen auf die Bühne geheftet sind, aber niemand recht weiß, wie es weitergehen soll.

Doch hoffe ich ein wenig – und es könnte euch und uns viel helfen, wenn es zuträfe –, daß der Name der Wiedertäufer durch all die Jahrhunderte, die zwischen meiner Zeit und der eurigen als eine undurchdringliche Mauer liegen – denn wer könnte zurück in Vergangenes –, daß dieser Name also jenen gewissen Klang bewahrt haben möge,
der euch dafür Gewähr schenken könnte,
daß ihr genügend Blutbäder, Kriegsgeschrei, Folterszenen, erlaubte und unerlaubte Liebe für euer Geld zu sehen bekommt, und ich kann euch versichern,
daß ihr Karl den Fünften sogar, den Kaiser, höchst natürlich auf dem Thron werdet sitzen sehen.

Richtet also die Blicke, wenn ich bitten darf, auf diese Hauswand, euch in voller Breite gegenüber,
samt jener Ecke, mir zur Rechten, um die sich eine Straße krümmt.

Wir befinden uns in Münster,
einer Stadt in Westfalen,
nicht sehr groß, so an die fünfzehntausend Seelen,
die, leider unsichtbar, uns alle mit Kirchen, Palästen, Straßen und Brunnen umgibt.

Ganz links, in jener Beuge der Straße, bemerkt ihr einen Karren, und in ihm Johann Bockelson aus Leyden, der sehr vernehmbar schläft, in einem Kleide,
das bedenkliche Löcher und Risse an bedenklichen Stellen aufzuweisen hat.

Nun, er wird auch so den Damen gefallen, denn er ist ein schöner Mann und manche wird im stillen hoffen, einmal die erwähnten Löcher stopfen zu dürfen.

17

Von rechts kommen zwei Straßenkehrer,
eindrucksvoll vertrottelte Figuren,
davon der eine besonders pathetisch verarmt ist.
Gott sei seiner Armut gnädig.
Das Spiel beginnt.
Bewahrt das Gute, vergeßt das Mittelmäßige und lernt vom
Schlechten!

Ab.

ERSTER STRASSENKEHRER: Es ist ein frischer Morgen und ein
Haufen Dreck und Staub am Boden.

ZWEITER STRASSENKEHRER: Lutum und pulvis. Ihr wißt, ich
habe Philosophie studiert.

ERSTER STRASSENKEHRER: Je!

ZWEITER STRASSENKEHRER: Juristerei und Medizin.

ERSTER STRASSENKEHRER: Glaubs! Glaubs!

ZWEITER STRASSENKEHRER: Und Theologie!

ERSTER STRASSENKEHRER: Ihr gabt euch Mühe, Straßenkehrer zu werden.

ZWEITER STRASSENKEHRER: Seht, in meinem Kopf rappelts.
Ich bin auf den Hund gekommen, seht ihr! Ich höre Stimmen.

ERSTER STRASSENKEHRER: Stimmen?

ZWEITER STRASSENKEHRER: Da ist immer was im Kopf.
Wie ein Stern, versteht. Oder ein Baum, mit Ästen, Früchten
und Blättern, versteht ihr?

ERSTER STRASSENKEHRER: Wie ein Baum?

ZWEITER STRASSENKEHRER: Versteht, das macht das Rappeln.

ERSTER STRASSENKEHRER: Je!

ZWEITER STRASSENKEHRER *steht ganz unbeweglich, mit dem
Finger an der Nase*: Hört ihr?

ERSTER STRASSENKEHRER *neugierig forschend*: Rappelts?

ZWEITER STRASSENKEHRER: Hört ihr?

ERSTER STRASSENKEHRER: Das schnarcht.

Er sieht sich um und erblickt den schlafenden Bockelson.

ERSTER STRASSENKEHRER: Je, da liegt einer im Karren und
schläft.

Sie gehen zu Bockelson und betrachten ihn.

ERSTER STRASSENKEHRER: Er liegt im Staub.

ZWEITER STRASSENKEHRER: Wir sind aus Staub und werden zu Staub. Ex pulvere in pulverem. Versteht, das ist Latein.

ERSTER STRASSENKEHRER: Das ist nicht Latein, das ist Schnaps.

Von rechts kommt ein kleines, dickes Männlein mit einem langen Schnurrbart, das einen mächtigen Säbel am Gürtel hängen hat, der hinter ihm mit großem Gepolter über den Boden holpert.

DIE WACHE: Das Gesetz ist das Gesetz!

ERSTER STRASSENKEHRER, *mit einer großen Verbeugung*: In jedem Fall, euer Strengen.

DIE WACHE: Judico, ergo sum.

ERSTER STRASSENKEHRER: Sehr wohl, euer Strengen, ergo dumm.

DIE WACHE: Da liegt jemand im Karren. Er ist arretiert.

ERSTER STRASSENKEHRER: Er ist arretiert.

DIE WACHE: Der Mann ist vor dem Gesetz betrunken. Ich muß arretieren, wie der Befehl ist von den Täufern. Artikel 24: Gegen die Völlerei. Der Mann ist voll. Artikel 29: Gegen den Aufenthalt an unanständigen Orten. Ein Mistkarren ist ein unanständiger Ort.

ERSTER STRASSENKEHRER: Ein sehr unanständiger Ort, euer Strengen.

DIE WACHE: Rüttelt ihn.

ERSTER STRASSENKEHRER: Er schneuzt, euer Strengen!

ZWEITER STRASSENKEHRER: Sternuit! Versteht, studierte in Bologna, Ferrara, Sevilla, Salerno, Basilea.

ERSTER STRASSENKEHRER: Er erwacht!

Johann Bockelson brummt etwas Unverständliches und hebt ein wenig den Kopf in die Höhe.

DIE WACHE: Im Namen des Gesetzes. Ihr seid arretiert.

JOHANN BOCKELSON: Ehre sei Gott in der Höhe!

ERSTER STRASSENKEHRER: Je!

JOHANN BOCKELSON: Wo bin ich, ihr Leute?

DIE WACHE: Ihr seid zu Münster in Westfalen.

JOHANN BOCKELSON: Ihr sagt: Zu Münster in Westfalen?

ERSTER STRASSENKEHRER: Gerade so. In der Ägidiistraße.

JOHANN BOCKELSON *breitet die Arme gen Himmel*: Herr! Ich danke dir, daß du so an deinem Knecht getan!

ZWEITER STRASSENKEHRER: Unio mystica! Habe studiert Theologie. Cusanus, Paracelsus, Scotus, Augustinus, Plotinus!

DIE WACHE: Von wegen der Trunkenheit, mit welcher ihr in diesem Karren gelegen, seid ihr arretiert.

JOHANN BOCKELSON: Wißt ihr auch, wer ich bin?

DIE WACHE *unbeirrt*: Ihr seid dagelegen in Völlerei!

JOHANN BOCKELSON: Ich bin ein Täufer.

ERSTER STRASSENKEHRER: Je, ein Täufer!

JOHANN BOCKELSON: Einer der größten Propheten.

Die Wache schlägt verlegen die Hacken zusammen und verbeugt sich.

JOHANN BOCKELSON: Ich hoffe, daß auch ihr diesem Glauben angehört.

ERSTER STRASSENKEHRER *mit einer hilflosen Handbewegung*: Ich bin ein Straßenputzer.

ZWEITER STRASSENKEHRER: Ich habe das Rappeln.

DIE WACHE *verwirrt und außerordentlich höflich*: Ihro Gnaden waren betrunken – ich meine, Ihro Gnaden schliefen in diesem Karren. Ich muß Ihro Gnaden arretieren. *Er wischt sich den Schweiß von der Stirne.* Das Gesetz ist das Gesetz, Ihro Gnaden!

JOHANN BOCKELSON *nachlässig*: Ich war nicht betrunken, mein Freund: Ich war ohnmächtig!

DIE WACHE: Ohnmächtig?

ERSTER STRASSENKEHRER: Je!

ZWEITER STRASSENKEHRER: Animus eum reliquit! Das ist Medicin, Ihro Gnaden, ich habe studiert Medicin, ihr wißt!

DIE WACHE *zieht ein Büchlein und eine Kohle hervor*: Name, Herkunft, Beruf?

JOHANN BOCKELSON: Johann Bockelson, Schneidergesell, Mitglied eines dramatischen Vereins, Wanderprediger und Prophet der Wiedertäufer, gestorben auf eine grausame und gewalttätige Weise zu Münster in Westfalen am 22. Januar 1536.

DIE WACHE: Ihr sagt, ihr seid am 22. Januar 1536 gestorben?

JOHANN BOCKELSON: Gewiß, ich starb damals. Man folterte mich und warf die Leiche, nachdem ich am Rade gestorben, in ebendenselben Karren, worin ihr mich zur Stunde liegen seht.

DIE WACHE *starr*: Dies geschah am 22. Januar 1536?

JOHANN BOCKELSON: Am 22. Januar 1536.

DIE WACHE: Verzeiht, wir haben den 23. September 1533!

JOHANN BOCKELSON *überlegen*: Mein Freund, es mag uns Propheten hin und wieder unterlaufen, daß wir die Zukunft mit der Vergangenheit verwechseln.

DIE WACHE: Woher kommend?

JOHANN BOCKELSON: Vor einer halben Stunde lebte ich zu Leyden in den Niederlanden.

DIE WACHE *stutzend*: Zu Leyden? Vor einer halben Stunde?

JOHANN BOCKELSON: Wie ihr sagt.

DIE WACHE: Leyden ist vier Tagreisen von Münster.

JOHANN BOCKELSON: Was wollt ihr damit sagen?

DIE WACHE: Ihr seid in Münster.

JOHAN BOCKELSON: Ich zweifle nicht.

DIE WACHE: Ihr wäret in einer so kurzen Zeitspanne von wenigen Minuten von Leyden in den Niederlanden nach Münster in Westfalen gekommen?

JOHANN BOCKELSON: Versteht: Der Erzengel Gabriel trug mich durch die Lüfte.

Alle sind starr.

ERSTER STRASSENKEHRER: Je, durch die Lüfte!

ZWEITER STRASSENKEHRER: Das ist Magie, versteht. Faustus, Paracelsus, Agrippa!

DIE WACHE: Ihro Gnaden wären von dem Erzengel Gabriel durch die Lüfte getragen worden?

JOHANN BOCKELSON: Wir waren eben über Münster, das wir zu unseren Füßen ausgebreitet erblickten, als ihn die Sonne blendete. Er schneuzte und ließ mich in diesen Karren fallen, wo ihr mich ohnmächtig gefunden habt.

ERSTER STRASSENKEHRER: Je, schneuzt ein Erzengel auch, Euer Gnaden?

JOHANN BOCKELSON: Es ist dies ein sanftes und wohltönendes Getöse, einem Glockendreiklang ähnlich, von einer rhythmischen Erschütterung des Leibes begleitet, wobei der Engel die Arme auszubreiten liebt.

DIE WACHE: Wie kommt der Engel Gabriel dazu, euch nach Münster in Westfalen zu tragen?

JOHANN BOCKELSON: Ich lebte in Leyden in großer Sünde des Fleisches.

DIE WACHE *notierend*: Ihro Gnaden liebte die Weiber.

JOHANN BOCKELSON: Eines Morgens erschien mir der Erzengel Gabriel. Er war fürchterlich in seinem Zorn, und ich beschloß, mir das Leben zu nehmen, wozu ich in den Rhein sprang.

ERSTER STRASSENKEHRER: Je!

JOHANN BOCKELSON: Ein Blindgeborener rettete mich, der am ganzen Leibe gelähmt war und kein Glied rühren konnte.

DIE WACHE: Wie war dies möglich, Ihro Gnaden?

JOHANN BOCKELSON: Den Himmlischen ist alles möglich.

DIE WACHE: Ihr habt mich überzeugt.

JOHANN BOCKELSON: Ich stürzte mich darauf vom Rathausturm.

DIE WACHE: Ein sicheres Mittel.

JOHANN BOCKELSON: Ich fiel senkrecht auf einen Menschen, dem ich zweihundert Gulden schuldete.

DIE WACHE: Und?

JOHANN BOCKELSON: Er starb.

ERSTER STRASSENKEHRER: Der Himmel muß Großes mit euch vorhaben.

JOHANN BOCKELSON: Heute aber fand ich mich beim Erwachen zu meiner Überraschung in den Armen des Erzengels durch die Lüfte schwebend.

DIE WACHE: Was gedenken Ihro Gnaden zu unternehmen?

JOHANN BOCKELSON *mit gnädiger Handbewegung*: Wir gedenken uns so beiläufig zum Herrn der Erde zu erheben.

ERSTER STRASSENKEHRER: Je, so beiläufig?

DIE WACHE: Zum Herrn der Erde?

JOHANN BOCKELSON: Wie ihr sagt.

DIE WACHE: Ihro Gnaden müssen sich da außerordentlich anstrengen!

JOHANN BOCKELSON: Ich werde meine Absicht mit einer lächerlichen Leichtigkeit erreichen. Der Erzengel hat es mir in einer trauten Stunde versprochen.

DIE WACHE: Gegenwärtig befinden sich Königliche Hoheit noch in diesem Karren.

ERSTER SRASSENKEHRER: Der mit Staub angefüllt ist – mit sehr schmutzigem Staub, um die Wahrheit zu sagen.

ZWEITER STRASSENKEHRER: Mit luto und pulvere, wie es auf lateinisch heißt und viel stercus equorum ist darunter, ihr wißt.

JOHANN BOCKELSON: Was tut's, ihr Leute! Heute bin ich in diesem Karren, und morgen wird meine Leiche in diesem Karren sein. Es ist mir wenig Zeit gegeben. Ich werde als ein leuchtendes Meteor durch eure Nächte stürzen!

DIE WACHE: Wie denken Ihro Gnaden so hochgespannte Pläne zu verwirklichen?

JOHANN BOCKELSON: Ich werde mit den Menschen wie mit leichten Bällen spielen. Die Täufer werden mich zum König wählen, der Kaiser wird mir seine Krone anbieten, und der Papst – Seine Heiligkeit, wird von Rom nach Münster nackten Fußes wandeln, den Saum meines Mantels zu lecken.

DIE WACHE *steckt ihr Büchlein ein und macht eine Verbeugung*: Ich werde Ihro Gnaden nicht arretieren!

JOHANN BOCKELSON: Es ist noch früh am Morgen, meine Guten, ich muß euch bitten, mich noch ein wenig schlafen zu lassen.

ALLE DREI *mit einer großen Verbeugung*: Wie Eure Gnaden befehlen!

Die drei ziehen sich mit Bücklingen zurück. Doch nähert sich die Wache von neuem Bockelson.

DIE WACHE *leise*: Ihro Gnaden?

JOHANN BOCKELSON: Guter Freund?

DIE WACHE: Verzeiht, auch wir haben Täufer in der Stadt.

JOHANN BOCKELSON: Die Täufer sind überall.

DIE WACHE: Sie haben die Mehrheit inne, sie halten die Gewalt in den Händen, sie bilden die Regierung.

JOHANN BOCKELSON: Gott hat ihnen Münster übergeben.

DIE WACHE: Jan Matthisson ist ihr Führer.

JOHANN BOCKELSON: Jan Matthisson, mein Freund, hat einst zu Haarlem schlechtes Brot gebacken.

23

DIE WACHE: Von allen Seiten ziehen Täufer gen Münster und man sagt, daß die Katholiken und Lutheraner die Stadt verlassen müssen oder hingerichtet werden.

JOHANN BOCKELSON: Um Katholik zu sein, braucht es keinen Kopf, und ein Protestant hat den seinen schon lange verloren.

DIE WACHE: Gestern wurden die Fenster des bischöflichen Palastes zertrümmert und von der Menge zwei Diakone zertrampelt.

JOHANN BOCKELSON: Mit einem Wort, guter Freund, was wollt ihr von mir?

DIE WACHE: Trifft es sich zu, Ihro Gnaden, daß die Täufer Weibergemeinschaft haben?

JOHANN BOCKELSON: Ihr seid verheiratet?

DIE WACHE: Ich bin von etwas sinnlicher Natur.

JOHANN BOCKELSON: Das Fleisch ist unser aller Los und uns allen gemeinsam, was Fleisch ist.

DIE WACHE: Und Gütergemeinschaft?

JOHANN BOCKELSON: Ihr seid arm, guter Freund?

DIE WACHE: Ich lebe von der Hand in den Mund.

JOHANN BOCKELSON: Die Armen werden reich und die Reichen arm.

DIE WACHE: Ich lasse mich taufen!

JOHANN BOCKELSON: Ich selbst werde euch in unsere Gemeinschaft aufnehmen, mein Sohn.

Die Wache will sich entfernen.

JOHANN BOCKELSON: Eine Frage, mein Freund.

DIE WACHE: Ihro Gnaden?

JOHANN BOCKELSON: Wer ist der reichste Mann zu Münster in Westfalen?

DIE WACHE: Habt ihr nie von Bernhard Knipperdollinck gehört?

JOHANN BOCKELSON: Ich erinnere mich, in Amsterdam seine Lagerhäuser gesehen zu haben.

DIE WACHE: Er ist reicher als das übrige Münster zusammen.

JOHANN BOCKELSON: Sagt, ist Knipperdollinck den Täufern gewogen?

DIE WACHE: Neben Jan Matthisson und Bernhard Rottmann ist er unter den Täufern der Mächtigste.

JOHANN BOCKELSON: Ist er dick?

DIE WACHE: Er neigt zur Fülle.

JOHANN BOCKELSON: Hat er eine Tochter?

DIE WACHE: Er hat eine sehr schöne Frau und eine sehr schöne Tochter.

JOHANN BOCKELSON: Ich werde seine Frau heiraten.

DIE WACHE: Seine Frau?

JOHANN BOCKELSON: Oder seine Tochter.

DIE WACHE: Oder seine Tochter.

JOHANN BOCKELSON: Oder beide zusammen.

DIE WACHE: Ihro Gnaden denken großzügig.

JOHANN BOCKELSON: Ich werde gegen den Abend hin zu ihm gehen, wenn die Sonne hinunter ist und es dunkel geworden.

Es wird auf der Bühne bei seinen Worten dunkel, die Wache und Bockelson sind nur noch undeutlich ganz links zu erkennen. Die Hauswand rollt sich in die Höhe, und man erblickt das Innere eines niederdeutschen Zimmers. Vorne rechts an einem Tische Knipperdollinck, ein Mann von fünfzig Jahren, kostbar gekleidet, mit einer Kette am Hals. Er liest in einer schweren Bibel. In der Mitte des Hintergrundes eine Türe.

JOHANN BOCKELSON: So um die Zeit nach dem Abendessen herum, wenn die Straßen leer sind und hinter den Fensterscheiben die Kinder sitzen, denen alte Weiber Märchen erzählen, bevor sie ins Bett müssen.

Dann wird auch er am Tische sitzen, in seinem schönen Zimmer, voll Dämmerung und Schatten.

Er wird gerade Bohnen mit Speck gegessen haben und aus diesem Grunde die Bibel lesen.

Er wird etwas einer aufgeweichten Bohne gleichen und sehr sanft sein und sehr rührselig, denn sein Bauch ist voll.

Manchmal wird er tief und wirkungsvoll stöhnen, wie ein verwundetes Wildschwein.

Und dann –

DIE WACHE: Und dann, Ihro Gnaden?

JOHANN BOCKELSON: Und dann wird er seinen Kopf wenden und zu sprechen beginnen.

Bockelson und die Wache verschwinden vollständig im Dunkel. Knipperdollinck dreht seinen Kopf gegen das Publikum und beginnt zu sprechen.

BERNHARD KNIPPERDOLLINCK: Ich bin reich, und meine Schätze füllen die Truhen meines Hauses und die schweren Eichenschränke.

Auf den Meeren der Erde fahren meine Schiffe und bringen mir Gold, Perlen und duftende Öle.

Ich kleide mich in kostbare Seide und dunklen Sammet und hülle mich in die Pelze fremder Tiere.

Könige und Herzöge sind meine Schuldner.

Selbst der Kaiser, der stolze Karl, verschmähte es nicht, an meinem Tische zu speisen, und sein Maler Tizian machte ein Bild von mir, auf dem ich wie ein Apostel aussehe.

Mein Weib ist schön.

Ihre Haut ist wie der Schnee, der im Dezember auf den Dächern liegt.

Aber das reinste, was ich besitze, ist meine Tochter. Sie heißt Judith.

Ihr werdet sie sehen, wenn sie hereinkommt.

Ihr werdet ob der Leichtigkeit ihres Ganges staunen und die Klarheit ihrer Augen wird euch blenden.

Dies alles ist mein.

Aber vor mir liegt ein Buch auf diesem Tisch, das brennt stärker denn Feuer in meinem Gebein.

Da steht geschrieben:

Verkaufe was du hast und gib's den Armen, so wirst du einen Schatz im Himmel haben, und es steht geschrieben:

Es ist leichter, daß ein Kamel durch ein Nadelöhr gehe, denn daß ein Reicher ins Reich Gottes komme. Und es steht geschrieben in diesem Buch, das mich ärgert:

Weh euch, ihr Reichen, denn euer Trost ist dahin!

Seine Tochter Judith kommt herein, etwa durch eine Türe, die man ganz rechts vermuten könnte. Judith ist als zierliches Mädchen zu denken, Kind und Weib durcheinander. Sie trägt in den Händen einen schönen Pokal.

JUDITH: Euer Wein, Vater.

KNIPPERDOLLINCK: Du hast den Becher, meine Tochter, mit jener Sorgfalt auf den Tisch gestellt, die ich immer an dir lobe. Der Becher ist kostbar gearbeitet und es ziemt sich, ihm eine gute Behandlung angedeihen zu lassen. Die Steine, welche du an ihm siehst, haben Kaufleute aus Indien gebracht und das Gold stammt aus Afrika. Sanft strahlt es dein Bild zurück.

JUDITH: Erwartet ihr Besuch, Vater?

KNIPPERDOLLINCK: Ich erwarte keinen Besuch. Es sei denn einen Engel Gottes.

JUDITH: Ich würde mich ans Fenster setzen, wenn ihr's erlaubt. Ich würde euch nicht stören, Vater.

KNIPPERDOLLINCK: Wie könnte mich stören, was mich freut? Bleib bei mir, Kind. Es tut gut, so etwas wie eine Tochter in seinem Zimmer zu haben.

JUDITH: Ich will euch Licht bringen. Die Sonne ist hinter dem Dom und es wird Nacht.

KNIPPERDOLLINCK: Laß das! Laß das! Kannst du mir ein Licht in meiner Brust anzünden? Das kannst du nicht. Und meine Frau, deine Mutter, ist ein schwaches Weib und kann es auch nicht. Und Rottmann kann es auch nicht, und Jan Matthisson kann es nicht und er ist ein Prophet.

KNIPPERDOLLINCK *macht eine Pause, dann düster:* Herr, du schweigst, und ich brauche eine Antwort!

JUDITH *am Fenster:* Es müssen heilige Menschen sein, die Täufer, weil –

Sie schweigt, wie erschreckt, als hätte sie ihn gestört.

KNIPPERDOLLINCK: Sprich nur, mein Kind. Du störst mich nicht.

JUDITH: Weil auch ihr ein Täufer seid.

KNIPPERDOLLINCK *heftig:* Wer sagt das?

JUDITH *erschrocken:* Alle sagen es.

KNIPPERDOLLINCK *langsam*: Ich bin kein Täufer. Ich bin nicht heilig. Ich habe keinen Glauben, ich habe Gold.

JUDITH: Sie sagen, ihr hättet die Täufer mächtig gemacht in dieser Stadt.

KNIPPERDOLLINCK: Ich war es nicht, und mein Gold war es nicht. Was könnte ihnen solches helfen und meine Stimme im Rat, wenn sie nicht ihren Glauben hätten!

Von draußen wird an die Türe im Hintergrund der Mitte gepoltert. Gleichzeitig hört man eine Stimme.

DIE STIMME VON AUSSEN: Macht auf! Macht auf! Ehre sei Gott in der Höhe und seinem großen Statthalter Johann von Leyden.

JUDITH *erschrocken*: Mein Vater!

KNIPPERDOLLINCK: Öffne die Türe, Kind. Mein Haus steht jedem offen.

Katherina, Knipperdollincks Weib, tritt auf. In der Hand hält sie ein Licht.

KATHERINA: Es verlangt jemand Einlaß bei dir, Knipperdollinck.

DIE STIMME VON AUSSEN: Macht auf! Macht auf! Es ist die Hand Gottes, welche an diese Türe poltert.

JUDITH *leise*: Mein Vater!

Katherina blickt zögernd nach Knipperdollinck und Judith.

KNIPPERDOLLINCK: Schließ die Türe auf, Frau. Du hörst, es verlangt jemand Einlaß bei mir.

Katherina öffnet die Türe. Bockelson tritt mit leise tänzelnden Schritten und ausgebreiteten Armen über die Schwelle.

JOHANN BOCKELSON: Gold! Gold! Wie es strahlt! Wie der milde Bogen des Nordlichts über meinem Haupt. Ich ziehe es an meinen Leib mit den Händen! Ich atme es mit meinen Lungen! Ich schreite über das glatte Holz uralter Zedern! O Lavendelgeruch! O Schein des Lichts an der Wand!

Er fällt auf die Knie.

Herr! Herr! Vergib ihnen, denn sie wissen nicht, was sie tun!

Er erhebt sich wieder.

Ein Mann mit einer goldenen Kette um den Hals.

Er spielt mit der Kette, die Knipperdollinck um den Hals hängt.

Eine schwere Kette aus schwerem Gold. Ich sehe verhungerte Weiber und Kinder mit großen Augen! Voll Hunger!

Er klopft Knipperdollinck auf den Bauch.

Du hast einen Bauch. Einen runden Bauch mit einem großen Magen und gefüllten Därmen! Gesegnet sei dein Bauch, gesegnet sei dein Appetit!

Er sieht nach den Frauen.

Ein Weib mit einer festen Brust. Und eine Jungfrau! Wie Strahl der Sonne in Morgenwolken über Jerusalem!

Er wendet sich wieder zu Knipperdollinck.

Du bist Bernhard Knipperdollinck, der reiche Mann?

KNIPPERDOLLINCK: Du sagst es.

JOHANN BOCKELSON: Dies ist dein Weib?

KNIPPERDOLLINCK: Sie ist mein Weib.

JOHANN BOCKELSON: Und dies ist deine Tochter?

KNIPPERDOLLINCK: Sie ist meine Tochter.

JOHANN BOCKELSON: Wahrlich, du hast ein schönes Weib, und du hast eine schöne Tochter. Dich hat der Herr mit schönen Weibern gesegnet.

KNIPPERDOLLINCK: Wer bist du?

JOHANN BOCKELSON: Ich bin Niemand. Sieh die Fetzen an meinem Leib! Ich bin ein hungriger Magen, und ein hungriger Magen ist leer und leer ist nichts! Und wo nichts ist, ist niemand.

KNIPPERDOLLINCK: Was führst du für einen Namen?

JOHANN BOCKELSON: Bin ich nicht dein Bruder? Bin ich nicht der arme Lazarus?

KNIPPERDOLLINCK: Was willst du von mir?

JOHANN BOCKELSON: Ich will nichts von dir. Ich will von deinem Wein. Ich will von deinem Gold und deinem Geschmeide. Ich will ein Bett zum Schlafen und ein Kleid für meinen Leib.

KNIPPERDOLLINCK: Was willst du mir dafür geben?

JOHANN BOCKELSON: Was fragst du nach deinem Lohn? Könnte es nicht sein, daß ich dir die ewige Seligkeit verschaffe?

KNIPPERDOLLINCK: Was du bist, weiß ich nicht und nicht, von wo du kommst. Du bist nackt, ich will dich kleiden, du bist hungrig, du sollst an meinem Tische sitzen, dich dürstet, ich will dir von meinem Wein geben.

Er legt ihm seine Kette um den Hals.

KNIPPERDOLLINCK: Komm, ich will dich selbst auf dein Zimmer führen.

KATHERINA *ihnen nacheilend:* Ich will Braten herschaffen! Wein und Kuchen!

Judith macht einige Schritte und birgt dann ihr Antlitz in ihre Hände.

Zwei Männer begegnen sich in einer Gasse in Münster, aber am besten läßt man die beiden vor dem Vorhang ihre Sache erledigen. Der eine, Mollenhöck, würde dann die Beine ins Orchester baumeln lassen, und der andere käme mit einem schweren Sack auf dem Buckel von rechts.

MOLLENHÖCK, *ein schwarzhaariger, undurchdringlicher Mensch:* Nun, Protestant! Nun? Nun?

DER MANN: Was wollt ihr mit eurem Nun! Nun!?

MOLLENHÖCK: Was trägt ihr für Lasten auf euren Schultern?

DER MANN: Mein Hab und Gut.

MOLLENHÖCK: Wo geht ihr hin?

DER MANN: Ich weiß nicht. Zum Tor hinaus, das ist alles, was ich zu sagen wüßte.

MOLLENHÖCK: Ihr verlaßt das gastliche Münster zu ungünstiger Zeit. In einer halben Stunde haben wir Regen.

DER MANN: Wenn ich das gastliche Münster nicht verlasse, holt mich in einer halben Stunde der Teufel.

MOLLENHÖCK: Ihr sprecht sehr liebenswürdig von den Täufern. Aber wo ist euer Weib und wo habt ihr eure Kinder?

DER MANN: Die haben's mit dem Glauben wie wir mit den Hemden. Zuerst war katholisch die Mode. Gut, wir waren katholisch. Dann war Luther die Mode. Gut, wir waren lutherisch. Jetzt sitzen die Täufer im Rat, und meine Frau sagt: Ich werde täuferisch. Ich auch, sagt mein Sohn, ich auch, sagt meine Tochter. Da sag ich: Mir gefällt's in diesem Hemd, und bleibe lutherisch.

MOLLENHÖCK: Seht ihr! Jetzt müßt ihr die Stadt verlassen mit eurem Glauben und eurem Charakter.

DER MANN: Ihr seid der Schmied Mollenhöck, nicht wahr?

MOLLENHÖCK: Der bin ich.

DER MANN: Ihr habt sehr laut für den Bischof geschrieen, als katholisch die Mode war.

MOLLENHÖCK: Was meint ihr damit?

DER MANN: Ich meine damit, daß ihr einen kurzen Glauben habt. Ich habe viele gesehen, die mußten mit ihrem katholischen Glauben die Stadt verlassen, wie ich jetzt, und ich habe vor denen den Hut gezogen, denn sie hatten einen langen Glauben, wenn er auch katholisch war.

MOLLENHÖCK: Wißt ihr, Freund Protestant, was eine Kanone ist?

DER MANN: Nun, wir haben so einige auf dem Rathaus.

MOLLENHÖCK: Seht, ich bin der einzige, der mit solchen umgehen kann. Da müssen sie mich in Ruhe lassen.

DER MANN: Was brauchen die eine Kanone?

MOLLENHÖCK: Ich will euch einen Rat geben, Freund Protestant. Geht nach Köln. Oder nach Osnabrück.

DER MANN: Ich kenne niemand dort.

MOLLENHÖCK: Habt ihr nicht feste Beine und breite Schultern? Dort haben sie Landsknechte nötig.

DER MANN: Gegen die Franzosen?

MOLLENHÖCK: Ihr kennt die Mauern und Gräben um Münster?

DER MANN: Wie meine Hosentasche.

MOLLENHÖCK: Geht nach Köln! Solche Männer brauchen sie dort.

DER MANN: Ich verstehe.

MOLLENHÖCK: So schweigt, wenn ihr versteht. Aber geht, sonst wird euch morgen der Kopf fehlen.

DER MANN: Ich gehe nach Köln, Mollenhöck.

Zimmer des bischöflichen Palastes in Münster. Der Bischof wird in einem Fahrstuhl von zwei Pagen auf die Bühne gestoßen. In der Mitte der Bühne wenden sie ihn gegen das Publikum. Der Bischof ist in Violett, hat schneeweiße Haare, hager, schlanke Hände mit kostbaren Ringen an den Fingern.

DER BISCHOF: Fort! Fort!

Verlaßt mich, ihr Knäblein!

Spielt Ball oder tollt euch mit meinen Schäferhunden. Sie sind zahm, und einer ist darunter, Odin, den liebe ich von ganzem Herzen.

Tut, wie es eurer Jugend angemessen ist. Ich dagegen habe einiges mit den Menschen zu reden, die vor mir den Saal füllen und mit runden Augen nach mir die Hälse recken.

Auch wird sich gleich Knipperdollinck melden lassen.

Ich bin ihm Geld schuldig.

Ich möchte euch diese auch für einen Bischof peinliche Szene ersparen.

Geht, meine Knäblein, geht!

Die Pagen treten ab.

DER BISCHOF: Wie ihr dem Theaterzettel entnehmen könnt – gesetzt, daß ihr einen habt, er ist ja nicht zu teuer –, bin ich der Bischof von Minden, Osnabrück und Münster in Westfalen.

Franz von Waldeck,

99 Jahre 9 Monate und 9 Tage alt.

Ich bin an beiden Beinen gelähmt und dies seit einem Jahrzehnt, wie es bisweilen bei Leuten meines Alters vorkommt.

Der kunstreiche Wagen, auf dem mich meine Knäblein hergeführt haben, ist mir vom Sultan Soliman nebst einem weißen Elefanten geschenkt worden, den ich euch aber nicht vorführen kann, da er sich in meinen Stallungen zu Osnabrück befindet.

Dieses mit Farbe bestrichene Zeug, welches man um mich herumgestellt hat, soll einen Saal des bischöflichen Palastes zu Münster vortäuschen, aber ich versichere, daß er in Wahrheit viel schöner ausgesehen hat.

Leider muß ich diesen Saal und diesen Palast morgen in der Frühe verlassen, da mir der Rat von Münster befahl, das Weite zu suchen.

Was mich nun, ihr Guten, veranlaßt, an euch einige Worte zu verschwenden,

ist das Gefühl,

daß es einigen unter euch vorkommen könnte, als wäre es recht eigentlich unnützes Gerede, was ihr da oben zu hören bekommt, ja, daß euch so längst vergangene Zeiten und so vermoderte Menschen, wie wir es nun einmal sind, nicht mehr viel zu sagen vermöchten.

Ihr mögt recht haben, meine Guten, aber glaubt mir, dieses Spiel könnte euch – wenn ihr recht aufmerksam seid und mir nicht davonläuft – auf einige nicht so unwichtige Dinge hinweisen, die bei euch und bei uns ihre Gültigkeit haben.

Ich bin alt,

und es kommt mir bisweilen in schlaflosen Nächten vor, als ob Gott uns Menschen zwar viel Verstand und Witz, aber recht wenig Lebenskunst mit auf den Weg gegeben hätte.

Wenn ihr nun Dinge zu sehen bekommt, die euch vielleicht grausam und unsinnig vorkommen werden,

so erschreckt nicht allzusehr:

Glaubt mir, die Welt vermag jede Wunde zu ertragen, und es kommt im großen und ganzen nicht so darauf an, ob der Mensch glücklich ist oder nicht,

denn das Glück wurde ihm nicht gegeben, und wenn er es hat, ist dies eine große Gnade.

Notwendig vor allem ist, daß er überhaupt auf der Erde herumstolpert.

Ich weiß, es ist viel Elend hienieden und viel Verzweiflung und Verworrenheit ohne Ende,

doch wenn wir dies nicht so wichtig nehmen auf unserer Bühne, so geschieht es nicht eurem und unserem Unglück zum Spott, sondern nur, weil wir das Treiben der Menschen ein wenig losgelöst von der Schwere der Erde, im Lichte jener Regionen zeigen wollen, in denen die Linien deutlicher und unvermischter sind und die Formen sich rein vom Hintergrund abheben.

Wir leben, wenigstens wir auf dieser Bühne, alle vierhundert Jahre vor euch, und da ist es nun einmal so, daß wir in vielen Dingen törichter, unbeholfener und kindischer sind als ihr und in manchen Dingen tapferer, ehrlicher und gröber.

Ich weiß ganz genau, daß ich in manchem weniger weiß, als bei euch die Schuljungen mit den ungeputzten Nasen, wenn ich auch fließend Latein und Griechisch spreche und nichts so sehr liebe wie Homer und Lukian.

Aber ich höre Schritte hinter mir.

Es sind die Schritte Knipperdollincks, und ich bitte euch, der folgenden Unterredung möglichst aufmerksam beizuwohnen. Auch von schmalen Tischen liebt man Brosamen zu nehmen, wenn man hungrig ist.

Knipperdollinck tritt von links zum Bischof.

KNIPPERDOLLINCK: Eure Eminenz!

Der Bischof erhebt die Hand zum Zeichen des Grußes.

DER BISCHOF: Kommt ihr als Mitglied des Rates oder als Knipperdollinck?

KNIPPERDOLLINCK: Als Knipperdollinck.

DER BISCHOF: Ihr erlaubt, daß wir euch einen Stuhl holen lassen. Er wurde zur Verrammelung der Türen gegen vorwitzige Täufer gebraucht, nun ist er nicht zur Stelle.

KNIPPERDOLLINCK: Erlaubt, daß ich stehe.

DER BISCHOF: Wir sind euch Geld schuldig. Die Zeiten sind miserabel für einen Bischof, Knipperdollinck. Die Leute werden protestantisch oder noch Schlimmeres, und die Kirche ist knauserig geworden. Ihr seht: Schlechte Geschäfte.

KNIPPERDOLLINCK: Behaltet das Geld, Eminenz.

DER BISCHOF: Wir sehen mit Vergnügen einen vernünftigen Gläubiger. Möge euer Beispiel allgemein beherzigt werden. Auch die Kirche dankt, und für das Heil eurer Seele wird sie Messen lesen lassen.

KNIPPERDOLLINCK: Ich brauche das nicht.

DER BISCHOF: Ihr werdet die Kirche nicht hindern, das ihre zu tun.

KNIPPERDOLLINCK: Die Kirche ist gewalttätig.

DER BISCHOF: Die Kirche liebt es nicht, jemandem etwas schuldig zu bleiben. Sie wird das von euch geschenkte Gold verwenden, gegen die Täufer ein Heer aufzustellen.

KNIPPERDOLLINCK: Eminenz sind mir gegenüber sehr deutlich.

DER BISCHOF: In Zeiten der Not lieben wir die Klarheit. *Nach einer Pause*: Warum seid ihr gekommen, wenn ihr kein Gold wünscht? Was wollt ihr von mir, Knipperdollinck?

KNIPPERDOLLINCK: Die Wahrheit.

DER BISCHOF: Und die glaubt ihr von einem Knecht der Kirche zu erhalten?

KNIPPERDOLLINCK: Ich glaube sie von einem hundertjährigen Menschen zu erhalten.

DER BISCHOF: Der Rat in Münster hat mir befohlen, die Stadt zu verlassen.

KNIPPERDOLLINCK: Ihr müßt gehen. Ich selbst habe diesem Beschluß zugestimmt.

DER BISCHOF: Meine Landsknechte werden Münster besiegen.

KNIPPERDOLLINCK: Münster fürchtet eure Landsknechte nicht, Eminenz.

DER BISCHOF *düster*: Auch ihr werdet am Rad sterben müssen, Knipperdollinck.

KNIPPERDOLLINCK: Gott wird uns helfen.

DER BISCHOF *traurig*: Vielleicht wird Gott keinem von uns helfen in diesem Kampfe.

KNIPPERDOLLINCK: Warum bekämpft ihr uns, Bischof von Münster?

DER BISCHOF: Ihr liebt es, gerade hinaus zu fragen.

KNIPPERDOLLINCK: Ihr seht, auch ich liebe die Klarheit. Ihr kennt die Bibel, und ihr kennt unsere Schriften.

DER BISCHOF: Sie sind sehr schlecht geschrieben.

KNIPPERDOLLINCK: Ihr wißt, daß die Täufer nichts anderes wollen, als was Christus befahl.

DER BISCHOF: Wir haben nie gezweifelt, daß die Edleren eurer Sekte solches wollen.

KNIPPERDOLLINCK: Wer wider uns, ist wider Christus.

DER BISCHOF: Wir pflegen auf solche Worte nicht einzugehen. *Nach einer Pause*: Wir möchten sagen, was wir denken, denn wir sind euch, als euer Hirte, solches schuldig, aber sind wir weiter als ihr, und hat Gott die Zweifel in unserer Brust erstickt?

KNIPPERDOLLINCK: Ich bin nicht mehr in eurer Kirche.

DER BISCHOF: Ihr waret in ihr als Kind, und eure Eltern waren in ihr und eure Großeltern und so zurück, bis sich der Baum eures Lebens in das Dunkel der Nacht senkt. Dieser Baum ist uns anvertraut worden.

KNIPPERDOLLINCK: Ihr seid schlechte Gärtner gewesen.

DER BISCHOF: Wir wissen dies, und es mag geschehen, daß wir nun verworfen werden. Aber noch seid ihr uns anvertraut. Daß ihr nicht an die Heiligen glaubt, was tut das? Wir glauben vielleicht auch nicht daran. Aber daß ihr an euch selbst glaubt, Knipperdollinck, wird euer Untergang sein.

KNIPPERDOLLINCK: Ich verstehe euch nicht.

DER BISCHOF: Was tut's! Ihr könnt nicht zurück und sollt es auch nicht. Ihr werdet euren Weg selbst zu Ende gehen müssen.

KNIPPERDOLLINCK: Seid deutlicher.

DER BISCHOF: Was sollen wir auch sagen! Reden nützt so wenig! Es steht geschrieben, wer Ohren hat, der höre, und wer Augen hat, der sehe. Aber wer hat Augen und Ohren! Wenn sie endlich gewachsen sind, sehen wir nur ins offene Grab und hören die Totenglocken. Aber auch das tut nichts. Über den Gräbern wächst das beste Gras.

KNIPPERDOLLINCK: Was wollen Eure Eminenz mit all dem sagen?

DER BISCHOF: Mit all dem will ich mich ermutigen. Versteht, ich bin ein alter Mann, und ich weiß, wie schwer es ist, über diese Dinge zu reden! Unser Kleinmut ist unser Fluch! Daß wir die Lehre des Herrn mit dem Schwert verwirklichen wollen! Daß für die reinsten Ziele das Blut Unschuldiger vergossen wird!

KNIPPERDOLLINCK: Habt ihr das nicht seit jeher getan?

DER BISCHOF: Sind wir nicht daran zugrunde gegangen, weil unser Glaube zu schwach und weil wir nicht mit dem Wort, sondern nur mit dem Scheiterhaufen zu siegen wußten?

Er schweigt und dann düster:,

Betet, daß uns Gott einen größeren Glauben ins Herz senke.

KNIPPERDOLLINCK: Ihr seid Lutheraner, Eminenz.

DER BISCHOF: Was versteht ihr von Luther! Ich anerkenne nur, daß er uns den Streich versetzte, an dem wir sterben müssen!

KNIPPERDOLLINCK: Wenn ihr solches denkt, tretet auf unsere Seite.

DER BISCHOF: Es ist meine Aufgabe, zu verhüten, daß im zerstörten Tempel falsche Götzen aufgestellt werden.

KNIPPERDOLLINCK: Der Kampf zwischen uns läßt sich nicht vermeiden.

DER BISCHOF: Er ist notwendig.

KNIPPERDOLLINCK: Und doch habt ihr kein Recht, uns zu richten.

DER BISCHOF: Es geht nicht um die Gerechtigkeit, Knipperdollinck. Vor Gott sind wir beide im Unrecht, Täufer und Bischof.

KNIPPERDOLLINCK: Wir kämpfen für das Reich Gottes.

DER BISCHOF: Ihr kämpft für das Reich der Täufer, Knipperdollinck! Weil ihr euch nicht besiegen könnt, wollt ihr die Welt besiegen.

KNIPPERDOLLINCK: Wir wollen das Große, ihr trachtet nach dem Geringen!

DER BISCHOF: Der Mensch vermag nicht das Große, er vermag nur das Kleine. Und das Kleine ist wichtiger als das Große. Wir können viel Gutes tun auf der Welt, wenn wir bescheiden sind.

KNIPPERDOLLINCK: Gott wird uns helfen, das Große zu vollenden.

DER BISCHOF: Vor Gott ist klein, was wir Groß nennen.

KNIPPERDOLLINCK *umklammert plötzlich die Schultern des Bischofs*: Was soll ich tun?

DER BISCHOF *düster, nach einigem Zögern*: Halte, was für Täufer und Bischof gilt: Liebe deine Feinde, wie dich selbst, verkaufe, was du hast und gibs den Armen, und widerstehe nicht dem Übel.

KNIPPERDOLLINCK, *indem er den Bischof wieder frei läßt*: Steht das nicht auch in den Schriften der Täufer?

DER BISCHOF: Es steht geschrieben.

KNIPPERDOLLINCK: Sind Täufer und Christus nicht eins, wenn sie das Gleiche sagen?

DER BISCHOF: Nichts ist eins mit ihm. Er ist das Schwert, und wir sind der Leib, der getötet wird.

KNIPPERDOLLINCK *langsam, als wäre er in einen Abgrund gestoßen worden*: Gebt mir den Segen, ehrwürdiger Vater, bevor ich gehe.

DER BISCHOF: Ihr seid ein Täufer, Knipperdollinck. Wir können euch den Segen nicht geben.

KNIPPERDOLLINCK: Kann ich so sündig werden, daß ich nicht mehr Mensch bin?

DER BISCHOF *nach langem Schweigen*: Habe ich seine Gebote erfüllt? Schließen sich nicht goldene Ringe um die Finger meiner Hände? Bekämpfe ich nicht meine Feinde? Bin ich nicht mehr als du, daß ich dich segnen könnte?

KNIPPERDOLLINCK: Der Wille des Herrn möge geschehen.

Sofort bricht darauf, bei geöffnetem Vorhang, Dunkelheit in den Bühnenraum hinein; unmittelbar aber an die Worte des Knipperdollinck schließen sich diejenigen der Gemüsefrau an, welche ganz rechts, grell beleuchtet vom Scheinwerfer, am Proszenium sitzt, mit einem riesigen Korb, den sie neben sich gestellt hat.

DIE GEMÜSEFRAU: Ihr Leute von Münster! Männer, Weiber und Jungfrauen! Seht diese Salatköpfe!

Seht diese Wunder der Natur! Kugelrund und grün! Zart wie Säuglingshinterchen! Frisch wie junge Mädchen!

Wer seinen Mann liebt, kauft Salatköpfe!

Nun wird die Bühne wieder hell, Männer und Weiber des münsterischen Pöbels bringen das Blutgerüst auf die Mitte der Bühne. Über alle die Pracht der mittelalterlichen Kostüme wie ein farbiger Teppich gegossen.

ERSTER BÜRGER: Es ist eine schlechte Zeit heute! Kein Festchen, keine Hinrichtung! Vor einer Woche war's anders! Mein Söhnchen hat die Masern und schläft nur, wenn ich ihm was zu erzählen habe.

Ein Trompetenstoß hinter der Bühne.

ZWEITER BÜRGER: Seht her, Nachbar! Euer Söhnlein wird heute schlafen können!

In einer fanatischen und feierlichen Prozession kommen ein Ansager, ein Scharfrichter und einige Henkerknechte auf die Bühne und besteigen das Blutgerüst. Alle in bizarren mittelalterlichen Uniformen.

EIN WEIB ZU IHRER TOCHTER: Da kommt der Ansager und der Scharfrichter! Es ist ein neuer Scharfrichter. Der alte wurde von seiner Frau die Treppe hinuntergeworfen und hat ein Bein gebrochen.

DIE GEMÜSEFRAU: Äpfel! Äpfel! Direkt aus dem Paradies! Direkt vom Baum der Erkenntnis! Sie rutschen in den Magen und scheuern die Därme! Ganz billig, extra billig!

DIE TOCHTER: Das ist ein schöner Scharfrichter!

Der Ansager tritt mit feierlicher Trauermiene vor die Leute und klopft mit seinem langen Stock dreimal auf den Boden.

ERSTER BÜRGER: Achtung, ihr Leut! Das Gesetz will sprechen!

ZWEITER BÜRGER: Es ist die Gerechtigkeit selber, welche vor uns auf den Boden klopft.

ERSTER BÜRGER: Es ist eine traurige Gerechtigkeit mit einer traurigen Miene.

DER ANSAGER: Der Rat zu Münster in Westfalen dem Volk zu Münster in Westfalen. Wir haben für gut und billig befunden, den lotterhaften Buben und entlaufenen Mönch, Maximilian Bleibeganz, die Bürger zu schrecken und zu mahnen, durch das Schwert vom Leben zum Tode zu bringen, da er bei einem Weibe lag.

Die Worte «die Bürger zu schrecken und zu mahnen, durch das Schwert vom Leben zum Tode zu bringen» sind von der Menge mit lauter Stimme mitgesprochen worden, da es sich um eine ihnen offenbar wohlbekannte Formel handelt.

ZWEITER BÜRGER: Hört, Ausbund der Gerechtigkeit und der Tugend, was will der Rat dem Volk zu Münster in Westfalen damit sagen? Ist es verboten, bei einem Weibe zu liegen?

DER ANSAGER *mit Würde*: Es ist Amtspersonen untersagt, Anfragen anders als auf dem Amtswege entgegenzunehmen und zu beantworten. Das Amt ersucht die betreffenden Bürger, Anfragen in Hinsicht der vom Rate erlassenen Dekrete an diesen zu stellen.

Ab.

DIE GEMÜSEFRAU: Rüben! Wer kauft Rüben! Das ist Philosophie, das ist Gelehrsamkeit, das ist Liebe, die durch den Magen geht! Kauft Rüben! Kauft Rüben!

Unterdessen ist auf dem Blutgerüst der Scharfrichter hin und her gegangen und hat ungefähr nach der Weise unserer Boxer die Muskeln spielen lassen. Jetzt hantiert er mit dem Richtschwert wie etwa ein Fahnenschwinger.

ERSTER BÜRGER: Er hat eine ausgezeichnete Rechte, unser neuer Scharfrichter.

ZWEITER BÜRGER: Wir dürfen ihm eine große Zukunft voraussagen.

ERSTER BÜRGER: Wir wollen hoffen, daß er immer viel Arbeit haben wird. Nur die praktische Beschäftigung am Mann züchtet den vollendeten Scharfrichter.

DIE TOCHTER: Kolossal! Diese Ärmer und Beiner! Und eine frische Haut! Und was für einen Wald auf der Brust!

Zwei Soldaten führen den Mönch Maximilian Bleibeganz herein.

DER MÖNCH: Das ist ungerecht! Das ist ungerecht!

ERSTER SOLDAT: Ihr schreit, daß der Himmel herunterkommt. Schämt euch! Ihr seid ein alter Knochen von einem Sünder und keinen Heller wert.

DER MÖNCH: Das ist ungerecht! Ich gehöre vor ein geistliches Gericht und nicht vor ein Ketzergericht.

ERSTER SOLDAT: Ihr gehört vor allen Dingen vor das Jüngste Gericht!

DER MÖNCH: Und wenn die Erde auseinanderbricht, ich schreie: Das ist ungerecht!

ZWEITER SOLDAT: Haltung, mein Herr! Haltung! Nur so imponieren sie den Weibern.

DER MÖNCH: Ihr könnt mir die Zunge herausreißen, mich millionenfach erwürgen, ihr könnt mir den Kopf abschlagen und ihn tausend Klafter in die Erde graben, er wird bis in alle Ewigkeit schreien: Das ist ungerecht!

ZWEITER SOLDAT: Zum Teufel! Laßt euch den Kopf abschlagen. Ist ja nur eine Kleinigkeit, nichts als ein bißchen Stillhalten.

DER MÖNCH: Ich will nicht sterben!

ERSTER SOLDAT: Aber ich will zu Mittag essen! Ich habe keine Zeit, euch schreien zu lassen!

Die Soldaten reißen ihn auf die Bühne und auf das Blutgerüst.

ERSTER BÜRGER: Was gilt's, nun wird der Mönch eine Rede halten.

ZWEITER BÜRGER: Man sollte den Leuten das Maul verbinden. Letzthin hat ein Lutherischer zwei Stunden geredet, bevor er den Kopf hinstreckte. Es hat dann aber auch eine schlechte Hinrichtung gegeben, so schläfrig ist der Scharfrichter geworden.

Der Mönch tritt auf dem Blutgerüst ein wenig vor.

DER MÖNCH: Leute! Bürger von Münster in Westfalen!
DIE GEMÜSEFRAU: Rettich! Schöner roter Rettich! Wer kauft Rettich! Billig! Billig! Wundervoller roter Rettich!
DER MÖNCH: Weib, sei still! Ich will meine letzte Ansprache halten.
DIE GEMÜSEFRAU: Mönchlein schweig, und laß dir den Kopf abschlagen! Ich habe sechzehn Kinder und siebzehn Väter zu ernähren! Rettich! Rettich! Rot wie Blut und gut wie'ne Zeugung!
DER MÖNCH: Hör an, Volk!
DIE GEMÜSEFRAU *mit riesenhafter Stimme*: Zwiebeln! Schöne frische Zwiebeln! Wer seine Nachkommen liebt, kauft Zwiebeln! Da werden die Weiber von selbst schwanger, da gibt es Kinder, da gibt es Familie! Eßt Zwiebeln! Wir stehen erst in der Mitte der Weltgeschichte! Eben ist das dunkle Mittelalter zu Ende gegangen! Bedenkt, was wir noch zu schuften haben! Vor uns, in der neblichten Zukunft, liegt der ganze Dreißigjährige Krieg, der Erbfolgekrieg, der Siebenjährige Krieg, die Revolution, Napoleon, der Deutsch-Französische Krieg, der Erste Weltkrieg, Hitler, der Zweite Weltkrieg, die Atombombe, der dritte, vierte, fünfte, sechste, siebente, achte, neunte, zehnte, elfte, zwölfte Weltkrieg! Da sind Kinder nötig, meine Damen und Herren, da sind Leichen nötig! Darum: Wer den Fortschritt liebt, ißt Zwiebeln, da hilft er der Weltgeschichte! Eßt Zwiebeln! Denkt an die Zukunft! Auf etwas mehr oder weniger Gestank kommt es dabei nicht an!

Während dieser weitsichtigen Ansprache hat man auf dem Blutgerüst den Mönch überwältigt. Nun hält er sich die Ohren zu und kniet ergeben nieder.
DER MÖNCH: Bei allen Heiligen! Schlagt zu! Es ist nicht zum Aushalten!
Die Henkersknechte treffen die letzten Vorbereitungen.
DAS WEIB: Der ist ein magerer Bursche!
ERSTER BÜRGER: Er hat einen langen Hals. Das ist günstig. Der Scharfrichter wird flach schlagen können.
ZWEITER BÜRGER: Jetzt wird es sich zeigen, ob der Scharfrichter das Zuschlagen im letzten beherrscht.

Der Scharfrichter tritt an den Mönch heran, die Henkersknechte treten auf die Seite.

ERSTER BÜRGER: Wie steht denn der Scharfrichter da! Das ist ja wider die Regel.

ZWEITER BÜRGER: Das ist der neue spanische Stil, Nachbar! Das ist das Neuste jetzt! Wartet nur ab, es wird euch gefallen.

DIE TOCHTER: Wie ein Gott ist so ein Scharfrichter!

Eben, wie der Scharfrichter zuschlagen will, springt Knipperdollinck auf die Bühne, Asche auf dem Kopf und wie ein Büßer gekleidet. Auf den Schultern trägt er einen großen Sack.

KNIPPERDOLLINCK: Buße, Buße, Buße! Wehe, wehe, wehe! Tut Buße und bekehret euch, damit ihr nicht die Rache des himmlischen Vaters über euch reizet!

Er wirft aus dem Sack Gold unter die Leute.

KNIPPERDOLLINCK: Nehmt! Nehmt! Da und da! Gold, das rollt, das klirrt, das tanzt, das springt über die Steine und liegt auf dem Boden wie kleine Sonnen! Fort damit! Fort, Fort!

Die Leute, der Scharfrichter, die Soldaten und die Henkersknechte werfen sich auf das Gold.

KNIPPERDOLLINCK: Gold! Rotes Gold! Dich fressen die Motten! Was willst du mich hindern, die ewige Seligkeit zu erlangen?

Er stürzt weg.

DER ERSTE MANN: Er hat noch mehr im Sack! Er hat noch mehr im Sack!

Alle ihm nach in wildem Durcheinander und Übereinander, samt dem Scharfrichter. Außer dem Mönch, welcher auf dem Blutgerüst sitzt, und der Gemüsefrau ist die Bühne leer. Katherina Knipperdollinck erscheint in reicher Kleidung auf der Bühne.

KATHERINA: Knipperdollinck! Knipperdollinck!

Sie geht eilig in der Richtung ab, in welcher Knipperdollinck verschwunden ist.

DER MÖNCH: Ihr wollt kein Gold, Gemüsefrau?

DIE GEMÜSEFRAU: Ich nehme kein geschenktes. Ich bin eine klassenbewußte Proletarierin.

DER MÖNCH: Seht da, Gemüsefrau, einen Gulden! Und seht meinen Kopf auf meinen Schultern, wie er gerade sitzt, weil mich die Heiligen lieben und die Jungfrau Maria! Was gebt ihr mir für diesen Gulden, der mir in den Schoß gefallen ist?

DIE GEMÜSEFRAU: Ich hätte lieber euren Kopf in meinem Schoß gehabt. Der neue Scharfrichter ist ein Lümmel. Das soll spanischer Stil sein? Beim alten Scharfrichter sprang mir bei jeder Hinrichtung ein Kopf in den Schoß. Ich legte ihn zwischen meine Kohlköpfe, und das war deutscher Stil. Gebt her, ich will euch Zwiebeln geben.

DER MÖNCH: Ich will machen, daß ich aus dieser Stadt komme.

Man sieht ein großes und breites Himmelbett im Hintergrund links,
welches durch einen Vorhang den neugierigen Blicken des Publikums
Widerstand leistet. Rechts sitzt Bockelson auf einem sehr bequemen
Stuhl.
Eine Magd wäscht ihm den linken Fuß – Bockelson befindet sich nur
in einem Morgenrock – eine zweite den rechten Fuß. Zwei weitere
pflegen ihm je eine Hand und eine fünfte kämmt und frisiert ihm das
Haar.
Ganz links Judith, ihr Antlitz im Schoße vergraben.

JOHANN BOCKELSON: Recht so, meine Töchter, recht so!
Salbt mir die Locken mit duftendem Öl, ihr Mägde. Pflegt meine
Hände mit Kölnischwasser und feilt aufs zierlichste meine Nägel.
Ich liebe sie nicht allzu kurz und kunstreich zugespitzt. Gießt
warmes Wasser über meine Füße und dann kühles Wasser; ich
liebe die Abwechslung.
Und du, meine Tochter, die du an meinem linken Fuß jede Zehe
einzeln mit zartem Tüchlein abtrocknest, schlage mir dein Kleid
mehr auseinander, damit mein Blick tiefer in deinen Busen tau-
che.
Auch liebe ich es, wenn weiße Fingerchen an den Härchen zup-
fen, die aus meinen Nasenlöchern leicht hervortreten.
Dies alles liebe ich, und mein Leib dehnt sich wohlig im weichen
Morgenrock.
Schon freut es mich, das Bett wieder aufzusuchen, das weiche
Bett des Knipperdollinck, des reichen Mannes, der nun in den
Gossen schläft und die Dirnen sogar zur Täuferei zu bekehren
sucht, die bei seinem Gerede sehr gähnen und sich langweilen.
Sein Weib aber hat einen kühlen Leib,
sie wartet meiner hinter dem Vorhange des mächtigen Bettes,
das sich vor euch wie ein Dom erhebt.

Es ist herrlich, in den Köstlichkeiten des Knipperdollinck zu schwelgen.

Mag er auch einige Säcke neugeprägten Goldes unter die Säue der Straße geworfen haben,

neun Zehntel seines Vermögens habe ich seinem Weibe überschreiben lassen.

Auch Propheten geziemt es, sich in der hohen und subtilen Kunst der Advokaten auszukennen.

Ich bin nicht wie andere Propheten, die nur von Blut zu sprechen wissen, von Jüngsten Gerichten und zerschnittenen Leibern der Ungläubigen,

wie zum Beispiel der schäbige Bäckermeister Jan Matthisson.

Dies mag zuweilen pikant sein, und hin und wieder ergehe ich mich in solchen Fantasien.

Aber vor allem pflege ich meine Anhänger auf die Freuden vorzubereiten,

die ihrer warten, wenn ich König der Wiedertäufer geworden.

Ich werde sein wie Salomo und die Zahl meiner Weiber wie der Sand am Meer.

Schon habe ich eines meiner Augen auf die schöne Divara geworfen, das Weib des Matthisson.

Während das andere noch gnädig auf Katherina Knipperdollinck ruht.

Wie ich gewiß weiß, wird mir der Himmel gewogen sein auch in diesem Falle.

Knipperdollincks Weib werde ich zur Erzherzogin vom Sinai erheben und Matthissons Weib zur Großfürstin zum Karmel und beide werden meine Hauptfrauen sein.

O Divara, ich liebe dich.

Ich liebe dich, gazellenartige Divara!

Ich werde dir hunderttausend Gazellengedichte schreiben.

Aber es wird viele Erzherzoginnen und Großfürstinnen geben; denn das Heilige Land hat viele Berge, Täler und Flüsse und viele Städte, die wir zu Titeln werden verarbeiten müssen.

Das Nächste aber, welches mir im Sinne liegt, ist, mich zum König der Täufer gewaltig zu erheben.

Noch stehe ich im Schatten Jan Matthissons, des Bäckermeisters, doch will ich mich nicht allzusehr anstrengen, denn ich liebe es, auf die beste Gelegenheit geduldig zu warten. Die Himmlischen schenken um so mehr, je weniger sie durch Bitten bestürmt werden.

Nun aber, meine Töchter, will ich mich erheben.

Wandelt in Frieden und laßt mir die Riegel offen zu euren Kammern.

Die Nacht ist lang, meine Töchter.

Bockelson und die Mägde versinken im Dunkel. Nur das Bett bleibt erhellt und Judith. Katherina Knipperdollinck steckt den Kopf durch den Vorhang des Himmelbettes.

KATHERINA: Ich weiß, ihr werdet mich nicht verstehen, daß ich nun mit einem anderen Manne mein Bett teile,

daß Johann Bockelson von Leyden nun die Rechte einnimmt, die sonst Bernhard Knipperdollinck zukamen, dem reichen Mann.

Ich bin nur ein schwaches Weib, und was vermögen wir gegen unser Blut?

Was sind Mann und Weib?

Kennen sie einander und wissen sie, was hinter des andern Auge ruht?

Es kam ein Fremder in dieses Haus.

Er ging in zerfetztem Kleid, halb nackt, daß ich seinen Leib sah und seine Haut über den Muskeln.

Knipperdollinck gab ihm die goldene Kette.

Er überließ ihm die Truhen voll Edelsteine und Geschmeide, ging dann fort aus dem Haus, welches er gebaut, und ließ zurück das Weib und die Tochter,

die nun durch die leeren Säle geht und weint.

Ich aber wurde das Weib des Fremden und weiß nicht, wie solches gekommen.

Er liegt in meinem Schoß und sein Leib deckt den meinen. Seine Hand ruht auf meiner Brust und seine Finger spielen in meinem Haar.

Kann ich solches ändern?

Ich höre die Stunden schlagen von allen Türmen und höre Leute gehen tief unten auf der Straße.

46

Er hat von mir Besitz genommen, und ich kann nichts anderes denken denn ihn.

Nur oft in der Nacht, wenn er an meiner Seite schläft, nackt die riesigen Glieder gebreitet und den Mund wie zum Lachen verzogen,

sitze ich auf und starre in das Zimmer und sehe die Fensterrahmen vor mir, in denen die Nacht ihr leeres Gesicht zeigt, und dann weine ich.

Denn ich weiß, daß viel Unglück sein wird und viele Tränen, daß für jede Lust uns Verzweiflung wartet

und daß der Leib, den wir lieben, entstellt sein wird vom Rade des Henkers und sein Blut die Hunde lecken, die jetzt fröhlich vor den Toren spielen.

Sie zieht sich wieder hinter den Vorhang zurück, und auch das Bett verliert sich im Dunkel. Nun ist Judith allein.

JUDITH: Mein Vater zog hinaus vor die Türe seines Hauses.

Er verließ, was er besaß, um durch die Gassen zu gehn, die im Mondlicht schweigen.

Arm ist er geworden und nackt und teilt mit den Hunden der Straße sein letztes Brot,

und die Leute, die ihn sehen, zeigen mit den Fingern auf ihn und lachen.

Auch sein Weib verließ er, und sie schläft mit einem anderen Manne.

Ich aber gehöre zu ihm, auch wenn ich ihn nicht verstehe.

Es ist nicht an mir zu fragen, ich bin da, ihm zu dienen. Darum muß ich dieses Haus verlassen, denn seine Schritte gehen nicht mehr über den Flur, und die Mägde gehorchen einem Fremden.

Ich will ihn aufsuchen und mit ihm seine Not teilen, in zerrissenen Kleidern gehn, wie er, und mein Antlitz verhüllen.

Bei sinkendem Vorhang taucht im Vordergrund, gerade in der Mitte, der Prophet Jan Matthisson aus dem Boden wie ein Geist auf und so ungefähr muß er auch aussehen. Wenn es möglich ist, wäre hier ein sehr hagerer und langer Schauspieler am Platze. Er hat sich einen erstaunlichen Bart ans Kinn geklebt und könnte an gewisse neuere Bildnisse des Niklaus von der Flüe erinnern. Er hält ein Schwert in den Händen, das so lang ist wie er selber.

JAN MATTHISSON: Ich, Jan Matthisson, entsteige dem Boden dieser Bühne, durch eine sinnreiche Vorrichtung emporgehoben, das Schwert der Gerechtigkeit in den Händen und Worte der Weisheit auf den Lippen.

Um die heilige Sache zu verteidigen, die hier – wie ich zornerfüllten Gesichts bemerke – auf eine gemeine Weise entwürdigt und der öffentlichen Spottlust preisgegeben wird,

sei es,

daß vor allem Täufer zur Darstellung gelangen, denen entweder eine gewisse Narrheit innewohnt oder jener großsprecherische Zug, der uns an Bockelson so bitter beleidigt.

Oder sei es,

daß an sich tiefe, aber beschränkte Naturen, wie jene drei zu Beginn, als lächerliche und borniert Dummköpfe angeprangert werden,

unterstrichen noch durch heimtückische Einfälle des Regisseurs. Um aber die letzten Wurzeln dieser Mißstände bloßzulegen, halten wir es für unsere Pflicht, darauf hinzuweisen, daß der Schreiber dieser zweifelhaften und in historischer Hinsicht geradezu frechen Parodie des Täufertums nichts anderes ist

als ein im weitesten Sinne entwurzelter Protestant, behaftet mit der Beule des Zweifels, mißtrauisch gegen den Glauben, den er bewundert, weil er ihn verloren,

eine Art Mischung trauriger Phrasen mit einer skurrilen Freude am Unanständigen,

der sich nicht scheut, vor dem Papst selbst den Schwanz einzuziehen, diesem Todfeind der Religion, nur um auch von dieser Seite seine maßlosen Angriffe gegen uns zu erneuern.

Ich brauche hier nur – um meinen Worten die nötige Unterstützung zu leihen – auf jenen Bischof zu weisen, der, ein wäßriger Onkel und Weihnachtsmann, vor euch die Bretter dieser Bühne besudelt,

welcher in Wahrheit einer der vertrocknetsten Lebemänner gewesen ist, die je über die Erde gewandelt, und eine Konkubine hatte,

die Anna Poelmann hieß;

der Überzeugung nach ein Protestant, durch seinen Ehrgeiz aber Katholik,

welcher sich nun anschickt, gegen mich, den Propheten, ein Heer zu sammeln und mit ihm vor die Tore unserer Stadt zu ziehen.

Ich hatte –

um eure Neugierde über meine Person endlich zu stillen – bis zu meinem fünfzigsten Lebensjahr in Haarlem Brot und Kuchen gebacken,

als mich in einer sternklaren Sommernacht der Herr mit lautem Donner ansprach, da ich ob meiner Schwerhörigkeit das sanfte Säuseln überhört hätte.

Also wurde aus dem Bäckermeister Jan Matthisson der Prophet des Herrn.

In diesem Augenblick, da ich vor euch stehe, bin ich im Begriffe, mich zum Rate der Wiedertäufer zu begeben, nachdem ich eben die Arme der wunderschönen Divara verlassen,

der ehemaligen Kellnerin meiner Confiserie zu Haarlem.

Es wäre nun sicherlich ein schöner Anblick gewesen, mich über den Prinzipalmarkt wandeln zu sehen, wie ich es eben tat.

Links und rechts, vorne und hinten grüßten die Leute und schwenkten die breiten Hüte,

küßten wohl auch den Saum meines schwarzen Mantels.

Ich berührte die Lenden eines zwanzigjährigen Mädchens, welches gelähmt war seit seinem dritten Lebensjahre. Siehe, es wandelte und das Volk sang: Ehre sei Gott in der Höhe.

Dies wäre ohne Zweifel eine der eindrücklichsten Szenen gewesen, doch wurde sie vom protestantischen Schreiber unterdrückt, da er mit Wundern nichts zu tun haben will.

So fiel dem ödesten Rationalismus einer der erhabensten Augenblicke der Geschichte zum Opfer.

Der Vorhang hebt sich. Im weiten Halbkreis sind fünf schwere Sessel zu erblicken, deren mittlerer und der links außen unbesetzt sind. Links vom mittleren Sessel sitzt Rottmann, rechts Krechting, ganz rechts Bockelson, dieser aber dem Publikum zugewandt. Matthisson wendet sich von den Zuschauern ab und schreitet auf den mittleren kostbaren Sessel zu, der auch etwas erhöht ist.

JAN MATTHISSON *der sich gesetzt hat*: Ihr Väter der Täufer, ihr, die ihr sitzt zu meiner Rechten und Linken auf den Stühlen der Gerechtigkeit und der Rache!

ROTTMANN *ein kleiner und wendiger Mann*: Verzeiht, wir sind nicht vollzählig!

JAN MATTHISSON: Der Sessel unseres Bruders Knipperdollinck ist leer.

ROTTMANN: Das vierte Mal, Bruder Matthisson.

JAN MATTHISSON: Weiß unser Bruder Bockelson Näheres über Bruder Knipperdollinck?

Bockelson schüttelt nachlässig den Kopf.

ROTTMANN: Unser Bruder Knipperdollinck schläft samt seiner Tochter unter freiem Himmel und predigt am Tage an allen Hausecken.

JAN MATTHISSON: Ist die Lehre Bruder Knipperdollincks wider die Lehre der Täufer?

JOHANN BOCKELSON *ohne sich umzuwenden*: So wenig als die eurige, Bruder Matthisson.

JAN MATTHISSON: Bruder Knipperdollinck scheint sich nicht um sein Amt zu kümmern. Ich werde Bruder Dusentschur, den Goldschmied, an Stelle Bruder Knipperdollincks zum Mitglied der obersten Behörde ernennen.

ROTTMANN *sofort*: Ich stimme dem Entscheid Bruder Matthissons bei.

JOHANN BOCKELSON *langsam, aber mit leiser Eindringlichkeit*: Wir verdanken Bruder Knipperdollinck vieles. Wir dürfen ihn nicht aus dem Rat der Väter ohne seine Einwilligung entlassen. Wir können zu viert beraten, wenn er keine Lust verspürt, dem Rate beizuwohnen.

KRECHTING *eine schwere und knappe Person, einen Blick auf Bockelson werfend*: Wir dürfen Bruder Knipperdollinck nicht verletzen, er hat großen Anhang im Volk. Wir mögen mit ihm reden. Bruder Knipperdollinck wird von selbst seine Entlassung wünschen.

JAN MATTHISSON *ungeduldig zu Rottmann:* Ihr habt meinem Entscheid zugestimmt, Bruder Rottmann?

ROTTMANN *vorsichtig:* Es scheint mir die Ansicht Bruder Krechtings viel Richtiges in sich zu bergen.

JAN MATTHISSON *lauernd:* Ich kann meine Entschlüsse auch gegen die Mehrheit der Stimmen ausführen.

JOHANN BOCKELSON: Ich bin gegen den Entscheid Bruder Matthissons.

KRECHTING: Ich halte an meinem Vorschlag fest.

JAN MATTHISSON *mit undurchsichtiger Stimme:* Ich will diesem Vorschlag beistimmen. Bruder Krechting mag mit Bruder Knipperdollinck reden.

Nach einer Pause:

Was melden die Brüder außerhalb der Stadt?

ROTTMANN: Es bestätigt sich, daß der Bischof ein Heer sammelt. Die Landsknechte werden in Köln und Osnabrück zusammengezogen. Auch in Dortmund deuten Anzeichen auf Ähnliches. Es wird von achttausend Mann gesprochen, die der Bischof gegen uns rüstet.

JAN MATTHISSON: Was gedenkt Bruder Krechting zu unternehmen?

KRECHTING: An der Stadtmauer sind Verbesserungen vorzunehmen, und die Bürger müssen aufgeboten werden. Wir können ein Heer von viertausend Mann stellen.

JAN MATTHISSON: Seht die Lilien auf dem Feld, Bruder Krechting, und die Tauben auf dem Dach.

KRECHTING: Was meint Bruder Matthisson?

JAN MATTHISSON *undurchdringlich:* Die Stadtmauer wird nicht ausgebessert, und die Bürger werden nicht aufgeboten.

Es entsteht bei diesen Worten eine verwunderte Stille.

ROTTMANN *zögernd und vorsichtig:* Gedenkt Bruder Matthisson Verhandlungen mit dem Bischof aufzunehmen und sich seinen Forderungen zu unterziehen?

JAN MATTHISSON: Bruder Rottmann weiß, daß ich jede Forderung des Bischofs zurückweise, ohne sie zu prüfen.

JOHANN BOCKELSON *bestimmt*: Ich stimme dem Vorschlag Bruder Krechtings zu.

JAN MATTHISSON *fest*: Der Vorschlag Bruder Krechtings wird verworfen. Wir überlassen die Verteidigung dieser Stadt dem, dessen Sache sie ist.

KRECHTING: Wessen Sache ist sie nach Bruder Matthissons Meinung?

JAN MATTHISSON: Sie ist Gottes Sache.

Jetzt entsteht eine peinliche Stille.

ROTTMANN: Amen.

KRECHTING: Bruder Matthisson trägt die Verantwortung.

JOHANN BOCKELSON *nachlässig*: Wenn Bruder Matthisson glaubt, daß sich der alte Herr persönlich bemüht –

JAN MATTHISSON *steht auf*: Wer mit der Absicht handelt, die Stadt wider den Feind zu verteidigen, soll durch das Schwert umkommen.

Er geht langsam nach links ab, gefolgt von Rottmann.

ROTTMANN: Ehre sei Gott in der Höhe!

Matthisson wendet sich gegen Krechting und Bockelson, die in den Sesseln verharren.

JAN MATTHISSON: Er soll durch das Schwert getötet werden und wäre es einer unter euch!

Er geht ab, gefolgt von Rottmann, der noch eine halbverlegene und höfliche Verbeugung vor den beiden macht.

JOHANN BOCKELSON: Narrenpack!

KRECHTING *starr und schwer*: Rottmann wäre mit uns einverstanden, aber er wagt nicht, gegen Matthisson aufzutreten.

JOHANN BOCKELSON *sich vom Publikum zu Krechting wendend*: Rottmann ist mit jedem einverstanden. Er ist ein Hund, der die münsterischen Seelen packt und sie in die Kirchen der Täufer schleppt.

KRECHTING: Dusentschur darf nicht in den Rat.

JOHANN BOCKELSON: Dusentschur wäre nichts als ein Esel mehr, mit dem Matthisson seinen Karren aus dem Dreck ziehen möchte.

KRECHTING: Wir müssen Münster verteidigen!

JOHANN BOCKELSON: Durch Matthissons Dummheit ist der Krieg mit dem Bischof zu früh möglich geworden. Wir hätten mehr Truppen zusammenziehen sollen. Wir haben einen alten Büffel zum Diplomaten gemacht ...

KRECHTING: Was sollen wir tun? Die Stadtmauer muß verbessert werden.

JOHANN BOCKELSON: Wißt ihr nicht von der schönen Divara, dem Weibe Matthissons?

KRECHTING: Wie bringt ihr die mit der zerfallenen Stadtmauer zusammen?

JAN MATTHISSON: Der eine bewundert in den Nächten den Busen seiner Frau und der andere füllt Löcher in der Stadtmauer aus.

KRECHTING: Es bleibt nichts anderes als solches zu wagen.

JOHANN BOCKELSON: Verlassen wir uns auf die schöne Divara, Bruder Krechting.

Vor den zwei unbeweglich sitzenden Täufern senkt sich von der Decke das auf Packpapier gemalte Lager der Landsknechte herab. Der Himmel darauf ist dunkelblau, mit einem gelben Dreiviertelmond, einigen Klecksen in allen Farben, welche Sterne darstellen und einem mittelmäßigen, nicht zu teuren Kometen. Auch der Planet Saturn ist mit seinem Ring zu erkennen und der Mars mit einigen Kanälen, auf denen Segelschiffe fahren. Vor dieses Packpapier treten zwei sehr prächtig und kriegerisch gekleidete Männer, mit Helm, Küraß und sonstigem Zubehör, die langen Stiefel nicht zu vergessen. Einer von ihnen hält einen Feldherrenstab in den Händen. Ihre Visiere sind geschlossen und müssen bei jedem Satz, der gesprochen wird, in die Höhe gehoben werden, worauf sie wieder hinunterfallen und das Gesicht zudecken, das nur während des Sprechens sichtbar geworden ist.

JOHANN VON BÜREN: Morgen, beim Aufgang der Sonne, brechen wir von unserem Lager in Köln auf und wenden uns mit dem Heer nach Münster.

Ritter von Mengerssen, ihr seid vom Bischof zu meinem Unterfeldherrn bestimmt worden: Ich setze euch davon in Kenntnis.

HERMANN VON MENGERSSEN: Laß uns den Zweikampf vergessen, den wir, es waren eben neun Jahre her, vor Pavia, im Anblick der versammelten Heere, ausgefochten haben.

JOHANN VON BÜREN: Er kostete euch das rechte Ohr.

HERMANN VON MENGERSSEN: Euch drei Finger der linken Hand.

JOHANN VON BÜREN: Ich schwor, euch das nächste Mal in Grund und Boden zu hauen.

HERMANN VON MENGERSSEN: Ihr seid Protestant und ich Katholik, ich diente damals einem welschen König und ihr heute einem Bischof.

JOHANN VON BÜREN: Es kommt nicht darauf an, wem wir dienen, es kommt darauf an, daß wir verdienen. Ich denke, euer Franzosenabenteuer brachte euch nicht viel ein.

HERMANN VON MENGERSSEN: Zwanzig Dukaten, Feldherr.

JOHANN VON BÜREN: Wenig, wenig!

HERMANN VON MENGERSSEN: Und neun Kinder daheim, Ritter von Büren.

JOHANN VON BÜREN: Wir hatten reiche Beute in Italien. Aber ihr wißt, wie in der dortigen Gegend die Sonne vom Himmel brennt und wie man dabei wird. Ich fiel einer paduanischen Signorina in die Arme, Verehrtester!

HERMANN VON MENGERSSEN: Ich hörte, die italienischen Weiber seien teuer.

JOHANN VON BÜREN: Erinnert mich nicht an die aus dieser Liebe entstandene Leere meines Beutels.

HERMANN VON MENGERSSEN: Einige sagen, es sei viel Gold in Münster, andere sprechen von magerer Beute.

JOHANN VON BÜREN: Ich habe lange gezögert, das Geschäft zu übernehmen. Bedenkt den Zug Karls gegen Tunis! Ich will hoffen, daß sich gewisse Bedenken nicht erfüllen.

HERMANN VON MENGERSSEN: Wie hoch beläuft sich die Zahl unserer Truppen, wenn wir die von Osnabrück und Dortmund einschließen?

JOHANN VON BÜREN: Rechnet mit siebentausend Mann. Der Feind könnte dreitausend stellen, die Weiber nicht gezählt, die bei der Verteidigung wohl zu gebrauchen sind.

HERMANN VON MENGERSSEN: Wir werden Ausfälle der Besatzung zu erwarten haben.

JOHANN VON BÜREN: Die Befestigungen der Stadt sind mächtig. Sie sollen aber beschädigt sein.

HERMANN VON MENGERSSEN *mit großer Gebärde*: Meine Geschütze werden sie zerschmettern.

JOHANN VON BÜREN: Es könnte uns zustoßen, daß wir uns auf eine lange Belagerung gefaßt machen müssen, daß die Stadt nur durch Hunger zu nehmen ist.

HERMANN VON MENGERSSEN: Gott sei uns gnädig, Feldherr!

JOHANN VON BÜREN: Habt ihr die Landsknechte inspiziert?

HERMANN VON MENGERSSEN: Gewiß, Ritter von Büren.

JOHANN VON BÜREN: Was denkt ihr, Ritter von Mengerssen?

HERMANN VON MENGERSSEN: Sie sehen schäbig aus.

JOHANN VON BÜREN: Viele haben die Franzosenkrankheit.

HERMANN VON MENGERSSEN: Es ist ein entsetzlicher Fehlgriff des Himmels, die höchste Freude mit einer so kläglichen Krankheit zu behaften!

JOHANN VON BÜREN: Wir werden mit verrostetem Schwert zu kämpfen wissen!

HERMANN VON MENGERSSEN: Bis in den Tod mit euch, Ritter, für unsere gute Sache!

JOHANN VON BÜREN: Nun aber kommt. Jupiter steigt empor und in meinem Zelt wartet jener Wein, den ihr liebt.

Man erblickt das Ägidiitor zu Münster und die Stadtmauer, auf welcher ein Bürger steht und angestrengt nach außen schaut, dem Publikum, da er sich geduckt hält, die nicht sehr edlen Teile seines Leibes zuwendend. Von rechts kommt Bockelson auf die Bühne.

JOHANN BOCKELSON: Von drei Seiten rückt das Heer der Landsknechte gegen Münster.
Dem Rhein folgend bis zur Lippe, ziehen von Köln viertausend und bewegen sich über Haltern unseren Toren entgegen, mühsam sich schleppend unter dem Gestirn, welches in der Glut des Sommers steht.

Fünfhundert Reiter brechen aus Dortmund hervor und nähern sich im Süden der Stadt auf der Straße, die Hamm durchzieht. Von Osnabrück eilen tausend Landsknechte heran unter Ritter von Steding. Sie werden in wenigen Minuten die Aa von Nordosten erreichen,

und bald wird der Wächter die Stimmen hören auf dem Wall und die Helme ihrer Vorhuten sehen, grell in der Sonne, die sich gegen den Abend neigt.

Noch hat Jan Matthisson, der Prophet, jeden Kampf gegen den Feind untersagt,

doch haben wir im geheimen nach unserer Klugheit gehandelt und seine Stellung untergraben.

Schon beginnt das Volk an seinem Propheten zu zweifeln.

Der Tag ist gekommen, den mir der Erzengel geweissagt hat, an dem die Saat die Scholle bricht und die Frucht zur Erde strebt.

Zeichen und Wunder geschehen in der Stadt.

Ein Mädchen erhob sich, gewaltig in der Rede, eine Schneiderstochter, noch Jungfrau vor wenigen Tagen, deren Schönheit mich erquickt,

welche Gesichte sieht und mich selbst erblickt, sitzend auf dem Throne Salomos.

Also bereitet sich das Volk, den neuen Propheten zu empfangen.

Dein Los aber, Matthisson, ist, hinunterzusinken in die Nacht.

Allzulange warst du die Sonne dieser Stadt, und nun will der Mond leuchten!

Unter deiner Glut verdorrte das Leben, unter meinem Schein wird sich der milde Zauber der Nacht über die Stätten der Menschen breiten,

und alle Dinge werden sich in heiliges Gold und gleißendes Silber unter meinen Händen verwandeln.

Ihr aber,

vor mir hingegossen in diesem Saal,

seht nun den Tod des alten Propheten Matthisson, seht nun, wie sich die Sonne ins Meer der Ewigkeit senkt!

Richtet eure Blicke auf die Mauer hinauf,

wo der Wächter, die Hände an beide Seiten des Mundes gelegt, sich gegen euch wendet

und jetzo mit mächtiger Stimme
zu schreien beginnt:

DER WÄCHTER: Herbei, ihr Männer und Weiber zu Münster
in Westfalen! Herbei! Herbei!

Stürzt euch wie Wildbäche auf diese Wälle! Die Stadt zu schützen, die euch mit festen Mauern gewaltig umgibt.

Der Feind ist sichtbar geworden und steht breitbeinig am jenseitigen Ufer der Aa! Schon sind die Fahnen des Bischofs entbreitet, und von den Sturmhelmen weht die Feder im Wind, der uns giftig entgegenbläst.

Hört, wie die Schreie der Landsknechte von den Mauern zurückgeworfen werden.

Endlos ergießt sich der Troß über die Ebene und frech tummeln die Ritter die Rosse.

Seht, wie sich der Himmel verfinstert und die Unzahl der Feinde den Boden wie schwarzer Schnee deckt!

Ergreift die Waffen, ihr Bürger von Münster in Westfalen, eilt der bedrohten Stadt zur Hilfe!

Herbei! Herbei!

Heiß wird die Schlacht sein, denn der Feind ist mächtig! Doch schön ist es, das warme Blut des Widersachers zu trinken! Und prächtig wird sich die siegreiche Stadt in den weißen Leibern ihrer Feinde spiegeln,

die still auf der Erde liegen, ein bleicher Teppich des Todes.

Mit allen möglichen und hauptsächlich unmöglichen Waffen kommen die Bürger herangestürzt, allen voran die Gemüsefrau.

DIE GEMÜSEFRAU: Der Feind! Der Feind! Wo ist der Feind! Ich will ihn erwürgen! Ich will ihn ermorden! Ich will ihn erstechen! Ich will ihn an meinen Leib pressen und ihn zerquetschen!

DER ERSTE BÜRGER *während sie den Wall ersteigen*: In diesem Weibe hat uns Gott sichtbar mit einer schrecklichen Waffe gesegnet!

DER ZWEITE BÜRGER: Ich möchte sie mit einem zweischneidigen Schwerte vergleichen, so grausam wird sie innerhalb und außerhalb der Mauer wüten.

Sie stehen auf dem Wall.

DER ERSTE BÜRGER: Wie Sand am Meer breitet sich das Heer unserer Feinde zu unseren Füßen!

DER ZWEITE BÜRGER: Von Süden kommen die Reiter als schwarze Wolken, in denen sich Blitze bereiten.

DER ERSTE BÜRGER *klopft auf die Mauer*: He! He! Sie ist stark! Da schlagen die sich den Schädel ein!

DER ZWEITE BÜRGER: Ho! Ho! Die Sonne wird auf rote Rosen scheinen und der Mond auf gelben Knochen liegen!

DIE GEMÜSEFRAU: Hi! Hi! Viel Männlein! Mit weißen und blauen Beinkleidern! Ganz eng! Stramme Beiner, stramme Muskeln!

DER ERSTE BÜRGER: Vernagelt das Tor! Sonst läuft uns das zweischneidige Schwert davon!

DER ZWEITE BÜRGER: Sie kann es nicht abwarten, das ganze feindliche Heer auf sich zu nehmen.

DER ERSTE BÜRGER: Sie brennt darauf, unter die Feinde zu geraten, weil sie hofft, einen Achill zu werfen.

Jan Matthisson, Rottmann und Krechting betreten die Bühne. Rottmann trägt das Schwert Matthissons, welcher in einen schwarzen Mantel gehüllt ist.

JAN MATTHISSON *drohend*: Die Waffen nieder!

Die Bürger lassen die Waffen erschreckt sinken und starren Matthisson an.

JAN MATTHISSON: Was habt ihr auf den Wällen zu suchen?

DER ZWEITE BÜRGER: Es ist der Feind, Jan Matthisson, der uns mit seiner Macht tödlich umfängt.

JAN MATTHISSON: Was bist du von Beruf?

DER ZWEITE BÜRGER: Ein Töpfer, Jan Matthisson.

JAN MATTHISSON: Geh zu deinen Töpfen! Geht in eure Häuser! Ihr habt Arbeit, tut eure Pflicht. Der Feind ist nicht eure Sache, ihr sollt euch nicht darum kümmern.

Die Bürger verlassen die Bühne. Matthisson, Bockelson, Krechting und Rottmann sind allein.

JAN MATTHISSON: Durch den Schrei des Wächters, der von fernher mächtig uns zu Ohren drang, haben wir vernommen, daß die Heerscharen der Abtrünnigen und Heiden vor den Toren Zions eingetroffen, um dieses Kleinod, die heilige Stadt, mit Krieg zu überziehen und den Tempel Gottes zu vernichten. Ich aber, der Prophet, habe mich alsogleich vom Lager erhoben und stehe hier vor dem Ägidiitor mit den Ältesten der Täufer, daß sich an mir die Kraft des Herrn offenbare.

ROTTMANN: Was wollt ihr tun, Bruder Matthisson?

JAN MATTHISSON: Man liebt es, Bruder Bockelson, euch gewaltige Körperkräfte nachzurühmen. Ihr werdet das Tor öffnen.

Bockelson schreitet auf das Tor zu und schiebt die Balken weg. Dann öffnet er die riesigen Flügel.

JAN MATTHISSON: Mein Schwert, Bruder Rottmann!

Rottmann reicht ihm das Schwert.

JAN MATTHISSON: Es ist der Tag gekommen, daß Gott uns seine Gnade offenbare. Mit diesem Schwert, Vater, will ich allein dem Feind entgegenziehen und ihn bezwingen!

Er läßt den Mantel fallen und steht in schwarzer Rüstung da. Unterdessen schleicht, von keinem bemerkt, die Gemüsefrau über die Bühne und verläßt durch den offenen Torbogen die Stadt.

JAN MATTHISSON: Herr! Herr! Sieh auf deinen Knecht, welcher dir dient!

Ich stehe vor dir im Angesicht deiner Feinde!

Du ließest Simson mit einer Eselsbacke tausend erschlagen und Simon Petrus über die Wasser wandeln!

Herr! Herr! Hast du nicht denen geholfen, die an dich glaubten? Hast du zu den Blinden nicht also gesprochen: Euch geschehe nach eurem Glauben?

Verleihe mir, Herr, jenes Senfkorn, damit ich Berge versetze und sie auf deine Feinde häufe, sie zu begraben.

Ich bete zu dir, Herr! Laß mich aus deinen Händen den Sieg empfangen! Laß dieses Schwert das Blut deiner Widersacher trinken! Laß mich das heilige Zion befreien und deine Macht über die Erde breiten!

Er schreitet, das Schwert wie ein Kreuz vor sich tragend, aus dem Tor und verschwindet im Hintergrund der Bühne.

ROTTMANN: Es ist ein feierlicher Augenblick, Bruder Matthisson in den Tod schreiten zu sehen. Ich werde für seine Seele beten.

KRECHTING: Was wollt ihr tun, Bruder Bockelson?

JOHANN BOCKELSON *schreitet auf das Tor zu und schließt es wieder*: Ruft die Leute zusammen und meldet, Jan Matthisson, der Prophet, sei nach tapferem Kampfe dem Feinde erlegen.

Der Vorhang schließt sich und eine Trommel beginnt irgendwo zu schlagen, dann erscheint, tief hinten in der Bühne, aus dem Finstern grell leuchtend, die Front des feindlichen Heeres, vor ihr Ritter Johann von Büren [den man aber auch ganz gut allein, ohne Landsknechte hinstellen könnte].

JOHANN VON BÜREN: Vor uns erheben sich, wie dunkle Zauberberge, die Wälle und Türme der Stadt Münster in Westfalen, nur durch das Wasser der Aa von unseren Waffen getrennt.

Doch ist uns und dem Heere Fortuna gnädig gesinnt, denn eben
– es ist noch keine Stunde verflossen – wie unsere Vorhut den Graben kaum erreicht,

schritt aus dem Tor, welches sich uns gegenüber in den abendlichen Himmel hinaufschwingt,

ein einzelner Mann, ein Schwert in den Händen.

Dieser wurde von den Landsknechten getötet und sein Leib in Stücke gehauen,

nachdem er allerdings, der Wütende, vier der unsrigen erschlagen.

Doch haben wir in dem guterhaltenen Kopf sogleich die Züge Jan Matthissons erkannt, des falschen Propheten, wie sie getreulich im Sendschreiben abgebildet, das der gelehrte Melanchthon wider ihn verfaßte. Sein zerfleischter Leib wird, den Vorschriften getreu, verbrannt und die Asche in die vier Richtungen des Himmels zerstreut,

damit,

wenn er am jüngsten Tag zu seiner Verdammnis am Throne des Höchsten sich einstellt,

er tausendfachen Leibes die ewigen Qualen wird auf sich nehmen müssen.

Nur seinen Kopf werden wir als Zeichen unseres Sieges dem Bischof überreichen,

aufs sorgfältigste vom Feldscher präpariert.

Nun aber, da Rufe des Entsetzens und der Verzweiflung aus der

Stadt zu unseren Ohren dringen,

befehlen wir,

als Feldherr dieses Heeres,

kraft unserer Weisheit und gemäß den Regeln der Kriegskunst,

den Sturm auf Wall und Stadt sofort zu wagen;

um so mehr, als auch unsere übrigen Truppen sich mit der Armee vereinigt haben.

Euch aber,

die ihr den welschen König gefangen, die Schweizer so furchtbar zerschmettert, Rom selbst, das stolze, unterjocht und die heidnischen Türken besiegt,

euch fordere ich auf, im Angesicht dieser verruchten Stadt, dieser Eiterbeule des Alls,

daß ihr die Abtrünnigen unserer protestantischen Religion erwürgt – die den Katholiken selbst ein Greuel – und euch auf sie wie Panther und Leoparden werft, ihre Mauern zertrümmert, als wären sie Glas und ihre Häuser mit jener Raserei heimsucht, mit der ihr italienische Bordelle gestürmt.

Ich selber aber, euer Feldherr, werde mich, die gepanzerte Rechte gen Himmel schwingend, zum Riesen erheben und den Mars ergreifen, um sie, die trotzige, die Stadt, in Staub zu wandeln, den ein Wind verweht!

Ohne daß sich der Vorhang senkt, so daß von Büren sichtbar bleibt, springt Bockelson aus dem Orchester etwa dorthin, wo sich der Dirigent befinden würde, nur ganz sichtbar und hoch erhoben ins Publikum hineinragend und von ihm umgeben. Sein Schwert hält er gegen von Büren gerichtet, sein Antlitz den Zuschauern zugewandt.

JOHANN BOCKELSON: Der Feind, ihr Täufer, ein Tiger, hat sich zu gewaltigem Sprunge geduckt!

Schon schlägt uns das Feuer seiner Nüstern entgegen, das Licht selbst, das blutige, der sinkenden Sonne überstrahlend!

Gleich wird sein roter Leib, ein Pfeil der Hölle, uns anspringen!

Ihr aber, die Auserwählten Gottes, seid in Verzweiflung gesunken, da Matthisson starb, der Prophet, den Gott segnete, aber am Ende seiner Tage verwarf, denn er vertraute auf sich und seine Macht.

In dieser Stunde der Not nun hat der Herr mich zu eurem König erhoben, dem Antichrist zu widerstehen.

Seht mich in gleißender Rüstung auf den Mauern dieser Stadt, des neuen Zion, umgeben von den drei Erzengeln und dem Cherubin,

während die Sonne sich rot unter die Erde senkt, hinabgezogen von ihrer Schwere,

im Osten aber, ihr, der scheidenden gegenüber, der Mond sich erhebt.

Laßt mich siegen im Zeichen des Monds, an ihn kette ich mein Geschick und das Eure!

Würgt die Verzweiflung hinab und schaut mein Antlitz! Ergreift die Waffen, Mann und Weib, an euch ist es, diesen heiligen Streit zu bestehen.

Reißt die Bänke aus den Kathedralen und die bunten Heiligenbilder und schleppt sie auf die Wälle!

Allzulange standen sie unnütz, nun mögen sie jene zerschmettern, die an sie glauben!

Seht, der Feind freut sich, zu triumphieren, gierig nach dem Blut der Knäblein und dem Leib eurer Weiber. Erhebt euch, Rächer des Herrn, in welchen sich sein Zorn offenbart!

Seht wie sich der Himmel teilt und *Er* selbst, zornentflammten Gesichts, auf eure Feinde blickt, um jetzt, Sonnen und Welten zu seinen Füßen, grimmig wegstoßend, seine Blitze zu schleudern!

Euch aber segnet er, und *Ihn* vor Augen,

werdet ihr das Tier vernichten, das sich nun im tödlichen Sprung dem Wall entgegenwirft!

Alles versinkt in ungewisser Finsternis: Nur das Orchester bemüht sich, so etwas wie eine Schlachtenmusik zu bieten, was sich immerhin besser ausmachen wird, als wenn der Autor es unternähme, einige Schauspieler mit Stecken und Kartonschwertern aufeinander losrennen zu lassen. Nach dieser Schlachtenmusik geht das Orchester unmittelbar zu einer sehr drastischen Musik über. Dann ziehen verschiedene sichtbar erschöpfte Landsknechte über die Bühne, mit sehr demolierten Sturmleitern, endlich kommen welche, die den Ritter von Büren über die Bühne tragen, gefolgt von einem Trommler.

JOHANN VON BÜREN: Wir sind zusammengeschlagen! Wir sind zerstochen! Wir sind jämmerlich in Stücke gehauen!

DER TROMMLER: Das ist eine kapitale Niederlage, Feldherr!

JOHANN VON BÜREN: Steding tot, Westerholt tot, alles tot!

DER TROMMLER: Und meine Trommel entzwei!

JOHANN VON BÜREN: Mein armer geschundener Leib schmerzt bei jedem Schritt, den ihr auf dieser staubigen Straße macht, welche zum Lager führt.

DER TROMMLER: Euer Bein ist radikal zerschmettert!

JOHANN VON BÜREN *stöhnend*: Nur zu! Der Feldscher wird es abhacken!

DER TROMMLER: Bum! Bum! Dahin euer Bein, dahin euer Heer, dahin meine Trommel!

JOHANN VON BÜREN: Ruft nach Mengerssen!

DER TROMMLER: Dahin Mengerssen! Von der Stadtmauer fiel ihm der heilige Augustin prasselnd auf den Helm, daß er, alles mit sich reißend, schwer von der Leiter zur Erde sank.

JOHANN VON BÜREN: Tot!

DER TROMMLER: Er sagte: «Gott sei mir gnädig! Ich war ein Mann und liebte die Weiber.» Bum! Bum! Er starb in meinen Armen.

JOHANN VON BÜREN: Mit dieser meiner Hand, ihr Landsknechte, werde ich Münster wie eine hohle Nuß zertrümmern!

DER TROMMLER: Bum! Bum! Wie eine hohle Nuß!

JOHANN VON BÜREN: Mein Bein, mein armes Bein! Du wirst von meinem Leibe schwinden, wie der Schnee von den Feldern, wenn der Frühling kommt.

DER TROMMLER: Mit Mann und Roß und Wagen, hat uns der Herr geschlagen! Bum! Bum! Bum!

Sie gehen ab und im klaren Licht der Scheinwerfer sieht man den Bischof auf einem Sessel sitzen. Rechts ein Tischchen.

DER BISCHOF: Mir ist es so gegangen, wie es das Los aller Menschen: Wir hoffen und unsere Hoffnung zerfällt.

Ein Drittel der Landsknechte sank dahin und der Rest lungert vor den Toren der Stadt.

Ich aber, ein alter Bettler, werde von einem Hof zum andern ziehen, ruhelos, von diesem Fürsten zu jenem, den Krieg zu vollenden, der auf meinen Schultern lastet als ein Kreuz, das mir zu tragen bestimmt ist.

Der Diener kommt mit einem verhüllten Gegenstand.

DER DIENER: Herr, dies wurde von Münster euch geschickt.

DER BISCHOF: Was ist dies für ein Gegenstand?

DER DIENER: Es ist der Kopf Jan Matthissons, des falschen Propheten, sehr wohl präpariert.

DER BISCHOF: Auf das Tischchen dort.

DER DIENER: Soll ich ihn enthüllen, eure Eminenz?

DER BISCHOF: Enthüll ihn.

DER DIENER: Sehr wohl, Herr.

Er enthüllt ihn.

DER BISCHOF: Du kannst gehen.

DER BISCHOF *zum Kopf des Jan Matthisson*: Das bist du also, Jan Matthisson, und ich gestehe, daß ich dich mir so ungefähr vorgestellt habe:

Das sind deine Augen und das ist dein weißer Bart, länger noch als der meinige, nur nicht mit der gleichen Sorgfalt gepflegt.

Ich weiss, du hast mich gehaßt, aber ich habe ein größeres Unrecht an dir begangen: Ich habe dich verachtet.

Nun bist du tot, Jan Matthisson, und ich bitte dich, diese meine Sünde zu verzeihen.

Ich habe von deinem Tode erfahren, und ich weiß, daß der Herr dich gesegnet hat, denn du fandest ihn in der Stunde deines Todes.

Du hattest dich ganz seiner Macht übergeben und er hat dich zu deinem Tode geführt.

Siehe, so wurden deine Augen geöffnet.

Was ist unser Leben, Jan Matthisson? Irrtum auf Irrtum und ein Fehler nach dem andern,

aber laß uns darüber nicht traurig sein.

Auf irgendeine Weise lernt jeder das Seine und gelangt zu seinem Ziel, auch wenn er es nicht erkennt in seiner Verworrenheit.

Denn Gott ist gerecht und gibt jedem, was ihm zukommt, und nicht mehr und nicht weniger.

Auch du hast dein Ziel gefunden, Jan Matthisson, und deinen Sinn.

Du hast dein Ziel gefunden, als die Schwerter der Landsknechte deinen Leib durchschnitten.

Aber was sage ich dir von diesen Dingen, du wirst dich nun besser in ihnen auskennen, als ich es vermag. Du zogest aus zu siegen im Namen Gottes und wurdest besiegt in seinem Namen.

So ließ dich Gott den größten Sieg erringen: den Sieg über dich selber,

denn der wahre Sieg kommt nur dem Besiegten zu.

Du wolltest Unmögliches in der Endlichkeit, nun ist dir die Ewigkeit anheimgefallen, in der alles möglich ist.

Lacht nicht über ihn, ihr Leute!

Er starb wie ein Kind, aber es steht geschrieben, daß wir wie die Kinder sein sollen.

Er war ein Grobian, das stimmt, aber an uns liegt es nicht, zu richten über seine Grobheit.

Sein Tod war lächerlich, aber nur das bleibt bestehen vor Gott, was uns ärgert und über welches wir lachen.

Tief oben im Hintergrund der Bühne die Stadtmauer, welche sich als unwirklich schwarze Fläche vor einen helleren Nachthimmel schiebt. Auf ihr, an einen Pfahl gebunden, Mollenhöck, nackt und blutig. Von rechts kommt Bockelson mit Krone und Königsmantel. Beide nur Schattenbilder in der Dunkelheit. Über alles ist ein ungewisses Licht ausgegossen und oft werfen jagende Wolken tiefe Nacht auf Mensch und Wall.

JOHANN BOCKELSON: Nacht! Nacht! Kühle, unendliche Nacht! Voll von pfeifendem Sturm, fallendem Stern und jagender Wolke! Meine Stirne ist heiter und meine Seele leicht wie sanfter Wind über Tau und Laub!

MOLLENHÖCK *stöhnt.*

JOHANN BOCKELSON: Wer stöhnt?

MOLLENHÖCK: Einer, der zum Tode verurteilt ist.

JOHANN BOCKELSON: Ich bin der König Bockelson. Ich bin heute zu Münster in Westfalen in mein Amt eingesetzt worden.

MOLLENHÖCK: Ich bin der Schmied Mollenhöck. Ich bin heute zu Münster in Westfalen an diesen Pfahl gebunden worden.

JOHANN BOCKELSON: Du wolltest im geheimen das Lampertitor dem Feinde öffnen.

MOLLENHÖCK: Ich versuchte zu tun, was einmal getan wird.

JOHANN BOCKELSON: Ich werde dich hängen lassen, wenn der Morgen kommt.

MOLLENHÖCK: Es ist Mitternacht.

JOHANN BOCKELSON: Du fürchtest dich?

MOLLENHÖCK: Kann ich der Todesfurcht entgehen?

JOHANN BOCKELSON: Sieh in den Himmel!

MOLLENHÖCK: Er ist leer.

JOHANN BOCKELSON: Daran glaube ich.

MOLLENHÖCK: Woran, König Bockelson?

JOHANN BOCKELSON: An den leeren Himmel, an diesen Wall, an Beine und Arme, Gesicht und Hände und an die Erde, unter alles hingelagert wie ein Frauenleib! Es gibt nichts anderes!

JOHANN BOCKELSON *umfaßt Mollenhöck*: Spürst du, wie die Zeit heranweht und versinkt, wie uralte Gestirne in fernen Meeren verlöschen, wie Blut zum Herzen strömt und die Lungen sich füllen?

MOLLENHÖCK: Spürst du den Pfahl an meinem Fleisch und den Strick um meinen Hals?

JOHANN BOCKELSON: Nun tritt der Mond aus den Wolken.

MOLLENHÖCK: Nur zu, ich liebe den Mond!

JOHANN BOCKELSON: Eine schmale Sichel, die Krone für mein Haupt.

MOLLENHÖCK: Ein Schwert durch mein Herz.

JOHANN BOCKELSON: Ihr alten Länder unter rotem Mond! Ihr bunten Völker, hingesät wie reifes Korn auf Feld und Hügel! Die Stadt mit deinen Türmen und Wällen, du weite Ebene und dunkler Wald, du einzelne Linde am fernen Weg, ich halte euch!

MOLLENHÖCK: Die Dinge entfließen wie Wasser den Händen!

JOHANN BOCKELSON *mit mächtiger Stimme*: Ich werde Erde und Himmel beherrschen!

MOLLENHÖCK: In dein Rad geflochten, wirst du weder dem Himmel noch der Erde gehören.

JOHANN BOCKELSON: Das ist mein Gefälle, daß ich ohne Hoffnung bin, das ist meine Wucht, daß ich ins Bodenlose falle. Durch meinen Sturz wird die Erde auseinanderbrechen.

MOLLENHÖCK: Wie ein Stein im Meer wirst du versinken.

JOHANN BOCKELSON: Morgen hängst du im Wind und Krähen umflattern dein Haupt ...

MOLLENHÖCK: Ich muß an meinem Galgen finden, was ich in meinem Leben gesucht habe.

JOHANN BOCKELSON: Wie bist du mir nicht übergeben, wie bist du meiner Macht nicht verfallen!

Er zieht das Schwert.

JOHANN BOCKELSON: Ich kann dich töten, ich kann dich von diesem Pfahl erlösen.

MOLLENHÖCK: Kannst du mich segnen?

JOHANN BOCKELSON: So stirb!

Er schlägt zu.

MOLLENHÖCK *unter dem Todesstreich*: O Macht der Hände, in denen Barmherzigkeit wohnt!

Man erblickt Kaiser Karl den Fünften auf einem Sessel sitzen, in einem Raum strengster Ordnung.

DER KAISER: Ich bin Kaiser Karl der Fünfte.

Ihr habt mich ohne Zweifel an meinem Barte erkannt, an der spanischen Kopfbedeckung und am reinen weißen Kragen, den ich trage.

Sowie am feierlich dunklen Mantel und den schwarzen Strümpfen,

die sich vorteilhaft vom roten Teppich abheben, der unter dem Lehnstuhl ausgebreitet ist, auf welchem ich sitze.

Ich sehe immer ein wenig aus, als käme ich von einem Begräbnis.

Der Schminkkünstler des Theaters hat mich mit außerordentlicher Geschicklichkeit dem Bilde ähnlich gemacht, das Tizian von mir gemalt, und welches in der alten Pinakothek zu Münster hängt.

Beachtet, ich bitte euch, wie sanft und herrisch zugleich ich den

Handschuh in meiner Rechten halte, und nur aus dieser klug berechneten Pose werdet ihr erkennen, daß ich über ein sehr großes Gebiet regiere. Ich darf sagen, daß über meinem Land die Sonne nicht untergeht, und die Zahl meiner Ländereien ist so groß, daß ich sie nicht einmal auswendig aufsagen kann, obschon man solches bei euch von jedem Schuljungen verlangt.

Ich habe viel zu regieren, aber ich liebe die Eintönigkeit, die allein meinem Herzen angemessen ist, welches tief unter diesem Mantel schlägt, von keinem der Menschen erkannt noch gewußt,

denn Gott hat in seiner Weisheit eine Mauer aufgerichtet zwischen mir und den Menschen und der Welt, welche mir übergeben wurde als meine Qual und als Stachel, gegen den zu löcken mir bestimmt ist. Gott schuf die Menschen nach seinem Bilde, und viele sind, in denen sich seine Güte offenbart, und manche, die von seiner Gerechtigkeit zeugen oder von seinem Zorn.

In mir aber grub der Herr das Denkmal seiner Ferne und seiner Verborgenheit.

Ich liebe nicht das planlose Spiel des Zufalls, ich bewundere die regelmäßigen Bahnen der Gestirne.

Mein Wunsch ist es, einmal in ein Kloster zu gehn, wenn Don Felipe groß geworden ist.

Es muß ein Kloster sein, abgelegen in kahlen Bergen, mit einem kreisrunden Hof in der Mitte,

umgeben von einem Laubengang spätantiker Säulen, überspannt vom tiefblauen Bogen des Himmels.

In der Mitte des Hofes aber muß ein Standbild der Gerechtigkeit stehen, mit verbundenen Augen und einer Waage sowie einem Schwert:

Eine Gerechtigkeit, wie man sie überall sieht, bunt bemalt, in den Gerichtshöfen über den Sitzen der Richter, gar nicht besonders gut dargestellt.

Es muß eine gewöhnliche Gerechtigkeit sein.

Um diese nun will ich kreisen zehn Stunden am Tage innerhalb des Laubengangs, in immergleichem Abstand, wie um eine Sonne, jahrelang, und nichts anderes, als etwa noch, hin und wieder in einer verdämmerten Stunde, ein leises Gespräch mit dem letzten der Mönche, sicherlich etwas vertrottelt, über einen Kirchenvater oder über so eine Legende. Dann wird der Abend meines Lebens leicht sein, wie das Spiel eines sanften Windes, und der Tod wird kommen als ein Gast, spät noch in einer lauen Sommernacht.

Noch aber ist es dumpfer Mittag und noch bin ich die Sonne, um die sich alles dreht.

Der Zeremonienmeister tritt durch eine Türe links im Hintergrund herein und verbeugt sich tief.

DER ZEREMONIENMEISTER *sehr feierlich*: O Du meine Majestät!

DER KAISER: Das ist mein Zeremonienmeister. Ich habe Respekt vor ihm, mag er euch vielleicht auch lächerlich vorkommen, ist er doch der einzige Mensch, den ich fürchte.

DER ZEREMONIENMEISTER *welcher in seiner halsbrecherischen Verbeugung verharrt ist, indem er sich aufrichtet*: O Du meine Majestät!

DER KAISER: Wir sehen an der geschwächten Kraft der Sonne, deren Strahl schräg durch die Fenster dieses Saales fällt, in dem wir uns zur Ruhe begeben haben, daß der Tag sich dem Abend entgegen neigt.

DER ZEREMONIENMEISTER *mit einer neuen sehr erstaunlichen Verbeugung*: O Du meine Majestät befinden sich in Deutschland!

DER KAISER: In Deutschland? Wir vergaßen, wir vergaßen. Wir glaubten uns im Palast zu Madrid. Dann wird die Mitte des Tages noch nicht vorüber sein.

DER ZEREMONIENMEISTER: O Du meine Majestät halten sich in Worms auf.

DER KAISER: In Worms. Unser Gedächtnis, Zeremonienmeister, unser Gedächtnis! Es ist ein zerbrechliches Geschöpf, der Mensch. Was machen wir in Worms?

DER ZEREMONIENMEISTER: Der Reichstag, o Du meine Majestät! Der Reichstag ist einberufen!

DER KAISER: Scheußlich, der Reichstag! Wir lieben diese deutschen Angelegenheiten nicht, sie sind unplastisch.

DER ZEREMONIENMEISTER *wie ein Echo*: Unplastisch, o Du meine Majestät!

DER KAISER: Wir haben Durst.

DER ZEREMONIENMEISTER *mit einer Verbeugung, die alle bisherigen übertrifft*: Geruhen o Du meine Majestät sich an die Mißbilligung zu erinnern, die arabischer Leibarzt in Hinsicht auf das Einnehmen von Flüssigkeit vor dem Essen unterbreitet hat?

DER KAISER: Der Arzt? Ihr habt recht, der Arzt! Wir haben nicht Durst.

DER ZEREMONIENMEISTER: O Du meine Majestät pflegten gestern dem Bischof von Minden, Osnabrück und Münster in Westfalen gegenüber zu erwähnen, daß o Du meine Majestät denselben heute um eineinviertel Uhr zu empfangen die Gnade haben würden.

DER KAISER: Um was handelt es sich, Zeremonienmeister?

DER ZEREMONIENMEISTER: Es handelt sich um die Wiedertäufer, o Du meine Majestät.

DER KAISER: Es ist peinlich, uns über Gegenstände unterhalten zu müssen, an die zu denken wir nur mit größtem Abscheu fähig sind. Wieviel Uhr ist es?

DER ZEREMONIENMEISTER: Ich will am türkischen Chronometer nachsehen, den o Du meine Majestät im Kriege wider die Heiden erbeutet hast.

Er öffnet eine sargähnliche, reichverzierte und aufrechtstehende Kiste, in der ein Türke mit einem Stock steht, mit dem der arme Kerl in regelmäßigen Abständen auf den Boden der Kiste klopfen muß.

DER CHRONOMETRISCHE TÜRKE: Es ist beim Schlag des reichverzierten Stockes genau: dreizehn Uhr, 14 Minuten und zehn Sekunden.

DER KAISER: Führt den Bischof herein.

DER ZEREMONIENMEISTER *der den chronometrischen Türken wieder eingeschlossen hat*: O Du meine Majestät gestatten!

Er nimmt so etwas wie einen Staubwedel, den er die ganze Zeit unter dem Arm getragen, und staubt damit seine Majestät ein wenig ab, wie ungefähr ein Antiquar ein kostbares Möbelstück abstauben würde, rückt dann dem Kaiser das Barett zurecht.

DER ZEREMONIENMEISTER *mit einer wunderschönen Verbeugung*:
O Du meine Majestät, wir führen vor!
*Er geht zur Türe links und öffnet diese, klopft mit dem Staubwedel
dreimal auf den Boden, während seine Majestät starr wie eine
Statue auf dem Throne sitzt. Die zwei Pagen stoßen den Bischof
herein.*
DER ZEREMONIENMEISTER: Der Bischof von Osnabrück,
Minden und Münster in Westfalen!
*Der Bischof macht mit seiner Rechten das Zeichen des Kreuzes, die
Pagen sinken auf die Knie.*
DER BISCHOF: Eure Majestät!
DER KAISER: Eminenz!
Es entsteht eine lange Pause.
DER KAISER: Wir haben Eure Eminenz mit der Absicht emp-
fangen, das Gespräch, welches wir gestern beim Frühstück vor-
sichtig und andeutungsweise miteinander geführt haben, deut-
licher und bestimmter fortzusetzen.
DER BISCHOF: Das Gespräch über die Bedrohung, die unserer
heiligen Religion von Seiten der Täufer erwachsen ist, berührte
die Möglichkeit einer gemeinsamen Aktion.
DER KAISER: Ihr habt uns um Hilfe gebeten, Eminenz?
DER BISCHOF: Dies war unsere Absicht, Majestät.
DER KAISER: Wir möchten nicht in die Verwirrung der Deutschen einwirken, wir möchten nicht in ein Wespennest greifen.
DER BISCHOF: Es ist Sache des Kaisers, die Ruhestörer zu vernichten.
DER KAISER: Ihr kennt dieses Land. Es ist dies Sache der Fürsten.
DER BISCHOF: Ihr kennt die Fürsten, Majestät. Sie belauern
einander. Sie haben Truppen versprochen und **halten** nicht, was
sie zugestanden haben. Ein jeder fürchtet, sich **vor dem** andern
zu schwächen.
DER KAISER: Noch ist unsere Zeit nicht gekommen, den zweifelhaften Versuch zu wagen, Ordnung aus Unordnung, Einheit
aus Vielheit zu schaffen.
DER BISCHOF: Es geht um den Ast, auf welchem wir sitzen,
Majestät.

DER KAISER: Wir selbst haben den Willen, jede Art der Ketzerei zu vernichten, doch sind unsere Hände gebunden. Wir müssen die Fundamente des Gebäudes sichern, bevor wir den Ratten zu Leibe rücken. Auch möge Eminenz die unglückliche Rolle seiner Heiligkeit in Rom nicht vergessen, die er uns gegenüber, seinem treuen Diener, zu übernehmen für richtig fand.

DER BISCHOF: Wir erlauben uns nicht, über diese Dinge höchster Politik ein Urteil zu bilden. Es kommt uns nur zu, Eure Majestät auf die Gefahr hinzuweisen. Die Menge wendet sich zu jenen, die am meisten versprechen und am wenigsten halten. Der Aufstand der Bauern und die Ketzerei der Täufer sind Flammen desselben unterirdischen Feuers, das wir höchstens noch einzudämmen vermögen.

DER KAISER: Wir sind uns dieser Zusammenhänge bewußt, doch sind wir außerstande, einzugreifen. Nicht unsere Person zügelt die Geschichte, sie ist es, die uns durch die Zeiten schleppt. Wir versuchen, gewisse Strecken abzumessen und uns nach dem zu halten, was wir vorauszusehen hoffen. Doch erhöhen unsere Taten die Verwirrung. Wir können die Köpfe nicht bessern und wir dürfen Experimenten nicht nachgehen, um das bißchen festen Boden nicht zu verlieren, welches wir noch unter den Füßen haben.

DER BISCHOF: Wir verstehen die Sorgen, welche Eurer Majestät Herz bewegen, doch ist in eure Hände die Welt gelegt, denn die Kirche ist erschüttert und ihre Macht zerfallen. Mögen das Eure Majestät nicht vergessen. Die Zeit drängt. Die Täufer fassen sich zusammen. Ihre Aufstände waren schwach und ungeordnet, nun handeln sie gemeinsam und nach festen Plänen. Unser kleines Heer, gemindert durch die Niederlage und gelockert durch Mangel, vermag die Stadt nicht abzuschließen. Ihre Macht wächst, die unsrige schwindet. Münster haben sie gewonnen, und schon entfachen ihre Boten in allen Ländern neues Unheil.

DER KAISER: Wir bekämpfen sie, indem wir sie verachten.

DER BISCHOF: Johann Bockelson aus Leyden hat öffentlich das Bildnis Eurer Majestät und des heiligen Vaters zu Rom verbrennen lassen.

DER KAISER: Wir haben von ihm mit großem Ärger und Abscheu gehört, wie wir uns zu erinnern glauben, Zeremonienmeister!

DER ZEREMONIENMEISTER: Es handelt sich um den Brief, o Du meine Majestät.

DER KAISER: Um welchen Brief?

DER ZEREMONIENMEISTER *sehr verlegen sich räuspernd, unter unendlichen Bücklingen*: Um den Brief, den dieser gewisse Johann Bockelson aus Leyden o Du meiner Majestät geschrieben, worin *flüsternd*:

o Du meine Majestät mit Bruder angeredet werden, und von ganz ungebührlichen Dingen geredet wird.

DER KAISER *nach einer langen Pause außerordentlich würdig*: Wir erinnern uns mit Verachtung dieser Person, dieses Ketzers an unserer heiligen Religion, eines Kerls, der in früheren Jahren ein Schneidergeselle gewesen ist.

Nach einer zweiten Pause:

Ich erwarte von Euch, Eminenz, als seinem Landesherrn, daß ihr diesen Frevler an Unserer Majestät vor Gericht stellt und ihn, den Verruchten, wie es das Gesetz verlangt, nach endlosen Folterungen, zum Tode durch das Rad verurteilt, um seinen Leichnam dann, eingeschlossen in einen Käfig aus Eisen, an die höchste Spitze der Kathedrale in Münster aufzuhängen.

Ein Kind beginnt hinter der Bühne ganz gewaltig zu schreien, so daß man kein Wort mehr auf der Bühne versteht. Dann wird es ganz plötzlich wieder still.

DER KAISER: O Du mein Gott, was hat der erst zwei Monate alte Don Philipp, der im Zimmer nebenan in einer goldenen Wiege schläft?

DER ZEREMONIENMEISTER: O Du meine Majestät, Don Philipp pflegt immer zu schreien, sobald von Aufhängen die Rede, Rädern oder anderen Todesarten.

DER KAISER *wieder zum Bischof*: Damit aber Eure Eminenz imstande sind, unseren Willen gegen die Rebellen voll durchzusetzen, sind wir gewillt, euch hundert Landsknechte abzutreten.

DER BISCHOF *mit einer müden Handbewegung*: Der Verdurstende ist für jeden Tropfen dankbar und zu schwach, zurückzuweisen, was nicht helfen kann.

DER KAISER: Dagegen erbitten wir von der Kirche dreizehn Kardinäle, Don Philipp zu erziehen.

DER BISCHOF: Eure Majestät können von der Kirche Kardinäle in jeder beliebigen Menge erhalten.

DER KAISER: Und hundert Messen für unsere arme Seele.

DER BISCHOF: Hätten Eure Majestät an einem weißen Elefanten Interesse, der sich in meinen Stallungen zu Osnabrück befindet?

DER KAISER: Don Philipp wird über ein solches Wesen erfreut sein. Wir sind bereit, für dieses Tier fünfzig weitere Landsknechte zu liefern. Dagegen muß die Zahl der Messen um weitere fünfzig erhöht werden.

DER BISCHOF: Wir sind Eurer Majestät zu großem Dank verpflichtet.

DER KAISER: Wir entlassen Eure Eminenz in höchster Gnade!
Der Bischof macht das Zeichen des Kreuzes und die Pagen stoßen ihn hinaus.

DER KAISER: Zeremonienmeister!

DER ZEREMONIENMEISTER: O Du meine Majestät!

DER KAISER: Laßt hundertfünfzig Landsknechte aussuchen, jämmerliche Kerle, Dummköpfe, mit allen Krankheiten behaftet, mit Beulen und Gebresten, die zum Himmel stinken, denen bald ein Arm fehlt und bald ein Bein. Schickt sie nach Münster: Sie werden diese Stadt des Unsinns zerschmettern, und wäre sie an den Himmel geschmiedet!

Eine unmittelbar herniedersinkende Dunkelheit wischt den Kaiser
weg, als wäre dieser nie gewesen, und schon steht ganz im Vorder-
grund in der Mitte der Bühne ein Nachtwächter da, mit Helm und
Hellebarde und einer Laterne vorne am Bauch, dem seine Trunken-
heit deutlich anzusehen ist. Er ist vielleicht, wie Jan Matthisson, in
der ersten Hälfte des Spiels, aus dem Boden aufgetaucht.

DER NACHTWÄCHTER: Ich bin betrunken. Vollständig, rundherum und quer durch den Bauch betrunken.

An allen Vorsprüngen, Erkern, Winkeln und Nischen meines
Leibes nistet der Schnaps wie ein Drache. Meine Beine wackeln,
meine Ohren wackeln, meine Haare wackeln und die Zähne:
Alles wackelt an mir, wie ihr seht!

Ich befinde mich im Mittelpunkt der Stadt Münster, des heiligen
Zion.

Hup!

Ich gehe nicht zu nahe an die Mauer, welche dieses Städtchen
umgibt,

denn es könnte geschehen, daß mir eine Kugel auf den Kopf fiele,
vom Feinde geschleudert, der das heilige Zion umlagert,

oder ein Mann, der, von einer solchen getroffen, vom Wall her-
unterrasselte, zentnerschwer in seiner Rüstung,

sondern vorsichtig,

wie nur je ein wackeres Nachtwächterchen,

bleibe ich an diesem Plätzchen vor der Kathedrale haften, wo im
Schatten des Turms,

– den ihr da irgendwo zu eurer Rechten zu denken habt – ein
grüngestrichenes Bänkchen meiner wartet. O Mond, halb am
Himmel und noch einmal zur Hälfte vom Wirtshaus verdeckt,
von welchem ich meine wankelmütigen Schritte gelenkt,

erbarme dich meiner! [Wenn du nicht etwa gar die Sonne bist]

Denn der Schlaf ist ein gewaltiger Heide!

Ihm widerstehen nicht Könige denn Kaiser, geschweige ein
ganz winziges und ganz besoffenes Nachtwächterchen, mit einem Helm auf dem Kopf und einem Spieß in der Hand und einem Lämpchen auf dem Bäuchlein!

Er setzt sich auf eine Bank, die sich rechts befindet.

Ihr müßt wissen, daß ich der Vicomte von Gê-Hinnom bin, dem

Tale der stinkenden Kadaver, welches in der Nähe Jerusalems liegt.

Noch vor wenigen Tagen war ich Großherzog von Bethsaida am See Genezareth.

Aber anläßlich einer Ohrfeige,

welche ich dem Erzbischof von Kapernaum und Nain verabreichte,

weil ich vergaß, daß meine Frau, die Freiin von Endor, auch seine Frau ist nach dem Gesetz – denn wir haben Weibergemeinschaft in Zion –

wurde ich zum Vicomte von Gê-Hinnom degradiert und versehe nun den Dienst eines Nachtwächters in dieser Stadt. O Stadt, o Häuser mit den Lauben und Fenstern in den Mauern und farbigen Scheiben in den Fenstern!

O Leute um mich herum in weichen Sesseln,

mit meistens guten Abendessen in den Mägen!

O herrliche Zeit der Täufer!

O Nachthimmel über mir!

O Malvasier in mir und Bier!

O Weib daheim, das gerade mit dem Baron von Sichem schläft!

O Schlaf, der mich überwältigt wie ein Löwe!

Er schläft ein, Knipperdollinck, nur in einem Hemd, und Judith treten auf. Knipperdollinck hält ein großes Schwert in Händen.

KNIPPERDOLLINCK: Meine Tochter!

JUDITH: Mein Vater?

KNIPPERDOLLINCK: Du siehst mich, Töchterchen, in einer etwas lächerlichen Verfassung: Nur mit einem Hemd bekleidet, stehe ich nach Mitternacht vor diesem Dom, das Schwert in den Händen, das mir von seiner Majestät überreicht wurde, als er mich am Tage seiner Krönung vor allem Volke zum Statthalter von Zion ernannte und zum Vierfürsten von Galiläa, bei welchem Anlaß du, meine Tochter, zur Gräfin von Gilgal erhoben worden bist.

JUDITH: Mein Vater ist nie in einer lächerlichen Verfassung.

KNIPPERDOLLINCK: Doch, Gräfin Gilgal, ich bin es. Ein Mann im Hemd ist immer eine lächerliche Erscheinung. Du siehst, meine Tochter, der Vierfürst von Galiläa übt sich in Armut!

O, es ist eine große und herrliche Kunst, die Armut, nicht wahr, meine Tochter?

JUDITH: Sie ist es, mein Vater.

KNIPPERDOLLINCK: Die Armut, Gräfin Gilgal, ist das unendliche Meer, in welches sich meine Seele gestürzt hat! Ich möchte dieses Meer austrinken, daß ich ganz eins mit ihm wäre. Alle Menschen müssen einmal arm sein wie ich, mit nur einem Hemd zum Schlafen und zum Wachen.

JUDITH: Sie werden alle so reich werden wie ihr, Vater.

KNIPPERDOLLINCK: Mit diesem Hemd voller Löcher und Schmutzflecken wird man mich ins Grab legen. Ist es nicht so, Gräfin?

JUDITH: Es ist so, Vater.

KNIPPERDOLLINCK: Und das Schwert in meinen Händen, was ist das für ein Schwert?

JUDITH: Es ist das Schwert der Gerechtigkeit.

KNIPPERDOLLINCK: Es ist das Schwert der Gerechtigkeit! Ich küsse dich, Schwert! Ich küsse dich, Gerechtigkeit! Es ist ein heiliges Schwert, nicht wahr, meine Tochter?

JUDITH: Ja, Vater.

KNIPPERDOLLINCK: Wie kommt es in meine Hände, Gräfin Gilgal?

JUDITH: Der König gab es euch, Vater. Es ist das Zeichen des Richters.

KNIPPERDOLLINCK: Richtig! Sehr richtig! Ich soll das Schwert der Gerechtigkeit wider die Menschen brauchen! Aber was ist Gerechtigkeit, Gräfin, wer ist gerecht auf dieser runden Erde?

JUDITH: Es kommt den Menschen nicht zu, gerecht zu sein.

KNIPPERDOLLINCK: Weise! Sehr weise! Hört ihr Menschen, hört, was meine Tochter, Gräfin Gilgal, sagt: Es kommt euch nicht zu! Ungerechtigkeit ist euer Los, ihr Menschen, und Irrtum!

Der Nachtwächter erwacht.

DER NACHTWÄCHTER: Heda! Schrei nicht so! Stör den Schlaf des Nachtwächters nicht! Man soll nicht schreien, wenn andere schlafen!

Er kommt herangewankt.

Hup! Was bist du für ein Mensch? Hup! Was hast du für ein Gesicht?

Er hält die Laterne gegen Knipperdollinck und sinkt in die Knie: Der Statthalter! Gnade, Majestät, Gnade, Vierfürst von Galiläa!

KNIPPERDOLLINCK: Bist du nicht der Großherzog von Bethsaida am See Genezareth, den ich vor achtundvierzig Stunden erst zum Vicomte von Gê-Hinnom degradierte?

DER NACHTWÄCHTER: Ich bin es, o Sonne der Gerechtigkeit, Mond der Gnade und Blitz der Rache!

KNIPPERDOLLINCK: Euer schwankender Gang, Vicomte, und der stechende Atem eures Mundes verraten eure verderblichen Eigenschaften!

DER NACHTWÄCHTER: Vierfürst von Galiläa! Laßt mich nicht meine Sünden büßen! Gnade! Gnade! Greift nicht zum Schwert, welches wie der Zorn des Herrn vor mir aufragt! Degradiert mich nur lustig drauflos, so bin ich zufrieden.

KNIPPERDOLLINCK: Weiter hinab kann ich euch nicht degradieren, Vicomte! Den natürlichen Adel kann ich euch nicht vom Leibe degradieren.

DER NACHTWÄCHTER: Ernennt mich zum Marquis vom Abtritt oder zum Chevalier zum Misthaufen, nur nicht das Schwert, o Sonne der Gerechtigkeit.

KNIPPERDOLLINCK: Vicomte, ihr seid auf der Leiter der Würden so tief hinuntergerutscht, daß ihr die erbärmlichste Figur der Täufer darstellt.

DER NACHTWÄCHTER: Ich weiß es, o Vierfürst.

KNIPPERDOLLINCK: Es steht geschrieben: Die Ersten sollen die Letzten sein und die Letzten die Ersten! Hier, nehmt das Schwert! Ich will es nicht mehr, mein Hemd genügt mir, meine Armut und meine Tochter, die Gräfin Gilgal. Ich ernenne euch, Vicomte von Gê-Hinnom, zum Vierfürsten von Galiläa und zum obersten Richter der Täufer.

DER NACHTWÄCHTER *starr:* Ihr wollt mich verlausten Vicomte zum Tale der stinkenden Kadaver zum obersten Richter ernennen? Denkt an meinen Schnaps, denkt an meine rote Nase, an den stechenden Atem meines Mundes, an meinen schwankenden Wandel!

78

KNIPPERDOLLINCK: Wer kann gerecht sein? Der erste und der letzte, Gott oder ihr, Vicomte!
Er küßt ihn auf die Stirne:
Ich werde den König bitten, mich an eurer Stelle zum Vicomte von Gê-Hinnom zu degradieren.
Er reicht Judith die Hand.
Kommt, Gräfin Gilgal!

Man erkennt im Hintergrund bei immer hellerem Licht, das sich später zu vollstem Glanze steigert, Johann Bockelson auf einem Throne sitzend, und zwar an der genau gleichen Stelle der Bühne, wo vorher Kaiser Karl gesessen. Johann Bockelson ist im Königsmantel, sitzt nachlässig da und hält in der Hand ein halbgeleertes Maß Bier.
JOHANN BOCKELSON: Ich habe ausgezeichnet gegessen.
Zwar war es ein bescheidenes Mal, wie es angemessen ist in schwerer Zeit,
doch wurde ich satt mit Gottes Hilfe und ein wohliges Gefühl breitet sich über meine Glieder,
Ich denke mit innerstem Behagen an die Muränensuppe zurück,
mit den Einsiedlerkrebsen und frischen Meerschnecken, die mir zu Beginn serviert wurde.
Siehe, es war köstlich!
Auch liegt mir noch der Riesenhecht zärtlich im Sinn, wie eine ferne Geliebte, in rotem Landwein gekocht und mit Forelle gefüllt, Röteln, Blaufelchen und sauren Oliven, Essigreizkern, Perlzwiebeln und Gurken. Dies alles schmeichelte meinem Magen wie eine Frauenhand.
Wie brünstig war ich nach Froschschenkeln, Walliser Blindschleichen und Burgunderschnecken mit leichtgekochten Schwalbeneiern,
die meiner königlichen Majestät auf silbernem Teller gereicht worden waren.
Gepriesen sei die Güte des Herrn, der solche Wunderwerke dem dunklen Schoß der Natur entlockt!

Er ließ die köstlichen Reben wachsen, deren Wein ich genoß.
Gepriesen seien Nacktarsch und Liebfrauenmilch!
Gepriesen sei auch der Schweinebauch im Gelee und Kaviar,
Austern mit Champagner, am Spieß gebratenes Osterlamm,
gefüllt mit kleinen Straßburgerwürstchen, gebackenen Lerchen
und dem Bries vorzeitig geborener Kälber, samt dem schweren
Burgunderwein,
der herrliche Fasan von Krammetsvögeln umgeben, Rapunzel
und Rosenkohl, der göttliche Pommard, die Biersuppe mit Leber-
klößen und das Glas Wasser, welches ich dazu getrunken,
die Schokoladecreme, die niedersächsische Blutwurst, der Kar-
toffelsalat und die weißen Bohnen mit Speck, der saure Most und
die Pastete von Champignon, Trüffeln, Morcheln, Kaiserpilz,
der Reis, die Madeirasauce mit Kapern, der Zizerser in kostba-
rem Kristall!
Gesegnet und gebenedeit sei, was ich eben genossen!
O Russischer Salat mit Thunfisch!
O Steinhäger, o Sauerkraut!
O junger Kopfsalat mit gekochten Zwiebeln!
O Glas Stutenmilch mit Schwarzbrot!
Soll ich euer nicht gedenken, wie man zärtlicher Stunden ge-
denkt?
Soll ich den Chambertin mißachten und den Gemsrücken, den
gespickten Hasen, die Rehkeule?
Liebte mein Gaumen sie nicht?
Du Bärentatze, köstlich gewurmt, ihr grünen Bohnen mit Wod-
ka, ihr sauren Zwetschgen mit Spargelspitzen, du Haferbrei
mit Lindenblütentee, du Emmentaler, o Lambrusco und rote
Kirschen in Rum, ich preise euch! Ihr tatet mir wohl, ihr tatet
einem König wohl, ich preise euch!
Ihr syrischen Heuschrecken mit wildem sibirischem Honig, euch
gilt mein Gruß, mein begeisterter Gruß! Ich genoß euer Johannes
zu Ehren, meinem erlauchten Vorgänger Johannes dem Täufer zu
Ehren!
Liegt mir nicht der Geschmack der Erdbeeren wie Frauenkuß
auf den Lippen?

Rot waren sie und reif, in Quittenmark mit Schlagsahne, Kirsch dazu, Marc und Pflümliwasser. O Tränen der Freude!

Laßt mich weinen im Andenken der Coupe Christiane mit Cherry-Brandy!

Laßt mich weinen, es sind königliche Tränen, welche auf diesen Teppich aus Belutschistan rollen.

Nun aber,

gnädig gestimmt durch solche Mahlzeit,

da ich auch einige Maß Bier zum Nachtisch geleert, deren letztes ich eben beende,

will ich mich daran machen, meine Weiber zu empfangen, denn ich liebe es, allein zu speisen,

höchstens, daß ich Stallknechte holen lasse, die mich, von der Ecke des Saales aus, mit ihren Witzen unterhalten.

Er klatscht in die Hände. Drei Mohren erscheinen. Der erste trägt die Krone, der zweite das Szepter und der dritte den Reichsapfel herein. In einer komplizierten Zeremonie und vielen würdigen Lächerlichkeiten wird die Krone auf Bockelsons Haupt gestülpt [sie ist ihm ein wenig zu groß] und Szepter und Reichsapfel übergeben. Dann verlassen die drei unter den kompliziertesten Bücklingen den Saal.

JOHANN BOCKELSON: Ich klatsche jetzt noch einmal in die Hände und ihr werdet meine Weiber kommen sehen. Ich habe fünfzehn Weiber, alles auserlesene Stücke. Sie sind sehr neugierig und lieben es, meinen Staatsverhandlungen beizuwohnen.

Er klatscht zum zweiten Male in die Hände. Die Weiber kommen im Gänsemarsch herein, zuerst Katherina, dann Divara und alle die andern. Jede verbeugt sich vor dem Thron, macht einen Kniefall oder ähnliches, was der Regisseur gerade für richtig findet.

JOHANN BOCKELSON: Da seid ihr, meine Täubchen!

Alle frisch gebadet und mit duftendem Leib, wie ich es liebe, und man sieht,

daß ihr unser gemeinsames Ehebett noch nicht sehr lange verlassen.

Das Décolleté sehr tief und weit: Ich schätze das blendende Weiß der Brüste.

Allerliebst auch das leise Klappern der Pantöffelchen, wenn ihr hereinkommt.

Eine nach der andern sinkt vor mir nieder und ich streichle hier ein Kinn und dort einen festen Oberarm und dieser oder jener kneife ich wohl auch die Wange.

Setzt euch hinter mir die Wand entlang, meine Engel, wie es euch geziemt, jede auf ein schöngewundenes Sesselchen;

zu meiner Rechten und Linken aber liebe ich meine zwei Hauptfrauen zu sehen,

abgehoben von den andern,

Katherina, Erzherzogin vom Sinai und Divara, Großfürstin vom Karmel.

Nun treten nach der Zeremonienordnung der Kanzler und Feldmarschall, Fürst von Jericho und Joppe und der Erzherzog, Bischof von Kapernaum und Nain in den Saal,

dieser in weitem, rotem Gewande mit silbernem Kreuz und jener in schwarzer Rüstung.

Ihr werdet Mühe haben, in ihnen die Täufer Krechting und Rottmann wiederzuerkennen.

Hört gut zu, meine Lieben, es steht eine wichtige Sitzung des Kabinetts bevor.

Betet, daß mir der Herr seine Weisheit verleihe.

Krechting und Rottmann sinken auf die Knie, Bockelson macht eine gnädige Handbewegung. Sie treten an den Thron und küssen die dargebotenen Hände Bockelsons. Dann setzen sie sich auf zwei Stühle im Vordergrund links. Der Hintergrund füllt sich mit Soldaten und Würdenträgern.

JOHANN BOCKELSON: Wir, König Bockelson Johann von Leyden,

gewappnet mit der Gnade des Himmels und erleuchtet durch den Blitz des Geistes,

gedenken der Weissagung unseres Triumphes, die,

von Gott offenbart,

den ersten Täufern ins Herz als ein glühender Stachel gesenkt wurde und sich weiterpflanzte von Geschlecht zu Geschlecht, um sich nun an uns so herrlich zu erfüllen.

Kraft unseres Amtes und unserer Geburt – wir wollen nur flüch-

tig an unsere Verwandtschaft mit dem Erzengel Gabriel erinnern –
haben wir die Herrschaft dieser Stadt übernommen, euch, meine
Getreuen und Lieben, mit Gesetzen wohl versorgt,
die alten Vorurteile der Moden gebrochen [sie ersticken wie
Asche die wahre Gemeinschaft der Gläubigen]
und jedem von euch das volle Recht seiner Stellung gesichert.
Nun aber kommt es uns zu, die Herrschaft der Täufer auszubreiten,
um das Reich Gottes in seiner Herrlichkeit auf Erden zu errichten
und so den Lauf der Geschichte zu krönen, damit er, wenn er
heranschwebt am Tage, der uns verheißen, aus unseren Händen
die Macht zurückerhält, die ihm, dem Schöpfer sowohl der Erde
als auch der Planeten, Kometen und Fixsterne, gebührt,
die Meteore nicht zu vergessen, die, wie Böcke der Nacht, unser
Auge ergötzen.
*Er klatscht in die Hände, die drei Mohren bringen eine riesige Papier-
rolle, die sie ihm zu Füßen ausbreiten.*
JOHANN BOCKELSON: Ihr seht hier, meine Getreuen und Lieben, auf diesem Pergament, welches sich zu unseren Füßen entfaltet, die alte und die neue Welt vortrefflich dargestellt.
In der Mitte mit seinen Ländern und Inseln Europa – dahinten
sich irgendwo im unförmigen Rußland verlierend – und dort,
nicht weit von der breiten Linie des Rheins, von mir selbst mit
roter Tinte angestrichen: Münster in Westfalen,
woselbst ihr mich, kunstvoll gezeichnet,
auf einem Throne erblicken könnt, von meinen Weibern und
Getreuen umgeben,
als wäre der jetzige Augenblick gleichsam zehnfach verkleinert.
Im Osten Asia, das alte, und Afrika liegt im Süden über dem
Meer, das mit blauer Farbe bemalt ist. Ganz links im Westen aber,
jenseits der ungeheuren Fläche des Ozeans – nur einige Wale und
gekenterte Schiffe sind dort zu sehen – entrollt sich die neue Welt,
eben erst entdeckt, noch primitiv, mit wuchtigen Büffeln und
menschenfressenden Wilden. Euch nun, Fürst von Jericho und
Joppa, teilen wir Asia zu.

Und euch, Bischof von Kapernaum und Nain, Afrika, das heilige, verseucht von Götzen und erschüttert von trompetenden Elefanten,

während Amerika, das Land der Zukunft, meinem Sohne gebührt, der, wie ich hoffe, sanft im Schoße Divaras ruht, leider noch inwendig.

Europen aber gedenken wir dem Vierfürsten von Galiläa zu übergeben.

Es entsteht eine tiefe Stille.

ROTTMANN *mit einer Verbeugung*: Der Vierfürst von Galiläa befindet sich in tiefer Ungnade.

JOHANN BOCKELSON: Wir kennen die Tiefe seiner Schuld und die Vermessenheit seines Frevels. Wir wünschen aber vor euch, ihr Getreuen und Nächsten unseres Thrones, jenen Mann zu ermahnen, der unser Vertrauen und unser Wohlwollen so schändlich hintergangen, um ihn, wenn er den Fall sieht, den er getan, wieder an jenen Platz zu stellen, der ihm durch unsere Gnade gebührt.

Bockelson macht ein Zeichen.

EIN SOLDAT *im Hintergrund*: Der Vierfürst von Galiläa!

Soldaten führen Knipperdollinck herein, der noch erbärmlicher und zerlumpter aussieht als vorher. Knipperdollinck verbeugt sich tief.

JOHANN BOCKELSON *langsam*: Wir sind bestürzt, Vierfürst von Galiläa, euch so vor uns erblicken zu müssen. Wir haben euch im Angesicht des ganzen Volkes zum Statthalter Zions ernannt, ihr aber seid immer tiefer einem unwürdigen und lächerlichen Treiben verfallen, so daß wir gezwungen waren, euch den Anblick des Thrones zu versagen.

KNIPPERDOLLINCK: Ich sehne mich nach Armut, Majestät, und nach Frieden.

JOHANN BOCKELSON: Ihr seid nicht gekämmt und nicht gewaschen, Vierfürst. Ihr erscheint im bloßen Hemd vor unseren Augen.

KNIPPERDOLLINCK: Mein Hemd ist die Fahne meiner Armut.

JOHANN BOCKELSON: Diese Fahne reizt die Unvernunft und trübt den klaren Sinn der Täufer. Weh dem, der Verwirrung stiftet!

84

KNIPPERDOLLINCK: Die Armut ist mein Los um Christi willen.

JOHANN BOCKELSON: Die ersten Anhänger des Herrn waren arm, jetzt sind sie durch seine Gnade erwählt, die Erde zu beherrschen und seine Feinde durch das Schwert zu zwingen.

KNIPPERDOLLINCK: Es steht geschrieben: Wer das Schwert nimmt, soll durch das Schwert umkommen.

JOHANN BOCKELSON *finster*: Ihr habt die Täufer aufgefordert, ihre Häuser anzuzünden, alle Güter zu verschenken und sich nackten Leibes dem Bischof vor die Füße zu werfen.

KNIPPERDOLLINCK *freudig*: Der Bischof wird mit seinem Heer zu uns übertreten, wenn wir also handeln.

JOHANN BOCKELSON: Wir zweifeln nicht an der Einfalt eurer Absicht, wir verdammen den Wahnsinn eurer Mittel! Wir haben uns herabgelassen, euch väterlich zu belehren. Wir finden euch verstockt, Vierfürst von Galiläa!

KNIPPERDOLLINCK: Laßt mich in meiner Armut leben und in den Gassen dieser armen Stadt schlafen. Ich begehre nur eines!

Knipperdollinck schweigt verklärt.

JOHANN BOCKELSON: Wir wollen euch diese Gnade zugestehen, Vierfürst, denn wir haben nicht vergessen, was ihr für die Täufer getan habt.

KNIPPERDOLLINCK *mit Begeisterung*: Ernennt mich zum Vicomte von Gê-Hinnom!

Über alles legt sich eisiges Schweigen.

JOHANN BOCKELSON *kalt*: Wir haben von eurem frevelhaften Beginnen gehört, das ihr in jener Nacht unternommen. Nur unsere übergroße Gnade hinderte uns, solche Beleidigungen des Thrones zu rächen. Mag euch jener Vicomte von Gê-Hinnom verurteilen, den ihr selbst zu eurem Richter ernannt und dessen Namen ihr jetzt tragt.

DER GANZE HOF *unisono*: Ein salomonisches Urteil Eurer Majestät!

JOHANN BOCKELSON *zu den Soldaten*: Übergebt ihn den Eingeweiden der Erde, einem Ort wie ein Grab, fern von unserem Ohr, daß wir sein Stöhnen nicht vernehmen, weder von der Helle des Tages, noch vom Schein der Nacht gestreift.

Alle wenden sich von Knipperdollinck ab, außer Katherina, die aufgestanden ist und starr zu ihm hinblickt.

JOHANN BOCKELSON: Wir aber, meine Lieben und Getreuen, wollen uns in den großen Saal zum Tanze begeben!

Er steht auf, ohne mehr Knipperdollinck eines Blickes zu würdigen:
Kommt, meine Täubchen, kommt!

Bockelson verläßt mit seinem Gefolge den Saal nach hinten links, außer Katherina, die ohne Regung verharrt, während die Soldaten im Hintergrund warten.

KNIPPERDOLLINCK: Führt den armen Lazarus hinaus!

Bei diesen Worten senkt sich von oben das auf Packpapier gemalte Lager der Belagerungsarmee vor Münster hinab, wie schon einmal, nur sind jetzt die Zelte gräßlich zerfallen. Am Himmel steht eine gelbe schlechtgezirkelte Sonne mit griesgrämigem Gesicht und brüchigen Strahlen. Vor das Lager wird eine Art Bühne auf kleinen Rädern herbeigeschoben, welche sehr niedrig ist. Auf dieser Bühne befindet sich ein Tisch, an welchem von links nach rechts sitzen: Ritter Johann von Büren, der Mönch und der Trommler. [Von Büren jetzt mit einem Holzbein.] Sie würfeln.

JOHANN VON BÜREN *seinen Küraß ausziehend, zum Mönch:*
Nehmt! nehmt, Ihr habt gewonnen! Ich habe meinen Küraß gesetzt und ihr sollt ihn haben. Ich werde im Hemd weiterkämpfen.

DER TROMMLER *seinen linken Stiefel ausziehend:* Und hier mein linker Stiefel. Den rechten habt ihr schon.

DER MÖNCH: Die Heiligen sind mir gnädig, Feldherr.

JOHANN VON BÜREN: Eure Heiligen soll der Teufel holen.

DER MÖNCH: Bekehrt euch zu der alleinseligmachenden Kirche und ihr werdet Glück im Würfelspiel haben.

JOHANN VON BÜREN: Es ist ein Jammer! Die Stadt Münster ist eine Jungfer, die sich aus purer Bosheit nicht nehmen läßt.

DER TROMMLER: Sie ist das erste Weib, welches einem Bischof widersteht.

DER MÖNCH *dumpf:* Ich habe zwei Tage nichts Warmes gegessen.

JOHANN VON BÜREN: Seht mich an! Ein Holzbein! Wo komme ich noch unter? Keiner gibt einen Heller für so was von einer

86

Leiche. Ich muß Gott danken, daß ich die Ehre habe, an der Spitze dieser Armee von verhungerten Veteranen Kaiser Maximilians zu stehen!

Ein reichgekleideter und wohlgenährter Kaufmann kommt von rechts auf die Bühne.

DER KAUFMANN *zornig*: Das ist eine Schweinerei!

JOHANN VON BÜREN: Ich bin ganz eurer Meinung!

DER KAUFMANN: Eure Knechte haben meine Wagen aufgehalten.

JOHANN VON BÜREN: Wo wollt ihr denn hin?

DER KAUFMANN: Mit zehn Wagen Weizen in die Stadt Münster.

JOHANN VON BÜREN: Zum Donner! Wißt ihr, daß wir die Stadt Münster aushungern?

DER KAUFMANN: Das ist eure Sache und der Weizen ist meine Sache. Ihr habt vierzig Rinder nicht bezahlt und Wechsel auf eure Zelte gegeben. Ich lasse die Zelte einpacken, wenn ihr Schwierigkeiten macht.

JOHANN VON BÜREN: Glaubt ihr, ich wolle unter bloßem Himmel übernachten? Zum Teufel, sagt den Landsknechten, sie sollen euren Weizen durchlassen!

Der Kaufmann geht ab.

DER TROMMLER: Die Landsknechte laufen zu den Münsterischen für eine warme Suppe.

DER MÖNCH: Der Bischof soll vom hessischen Landgrafen sechstausend Mann zu erhalten suchen.

JOHANN VON BÜREN: Es werden hundert mäßig erhaltene Skelette sein, aus irgendeinem Friedhof gescharrt, wie jene vom Kaiser. Wir sitzen bis zum Jüngsten Tag hier.

Die Marketenderin, in welcher man die Gemüsefrau wiedererkennt, kommt über die Bühne.

JOHANN VON BÜREN: Weibsperson, ein Bier!

DIE MARKETENDERIN: Er ist mir zwanzig Dukaten schuldig.

JOHANN VON BÜREN *mit Würde*: Ich bin der Feldherr!

DIE MARKETENDERIN: Feldherr hin und Feldherr her! Ich will meine zwanzig Dukaten! Vorher gibt's kein Glas Wasser!

Sie geht ab.

DER TROMMLER: Feldherr, es scheint, als seien wir gottsjämmerlich auf dem Hund!

DER MÖNCH *dem Weib nachschauend*: Die kommt mir bekannt vor.

JOHANN VON BÜREN: Die kam uns an jenem verfluchten Tag aus der Stadt entgegengelaufen, als wir die Türme von Münster zum erstenmal erblickten.

DER TROMMLER: Kommt, wir würfeln.

JOHANN VON BÜREN: Ich setze mein Holzbein.

DER TROMMLER: Ich meine Hosen.

DER MÖNCH: Und ich das Gewonnene. Steht mir bei, ihr Heiligen!

Sie würfeln.

DER MÖNCH *freudig*: Ich habe gewonnen!

JOHANN VON BÜREN *indem er sich das Holzbein abnimmt und auf den Tisch legt*: Hier habt ihr das Bein! Es ist aus dem Kreuz des Apostels Petrus geschnitzt, wie mir der Spitzbube versicherte, bei dem ich's gekauft.

DER MÖNCH: Amen! Und ihr, Trommler, die Hosen!

Wie der Tisch mit den dreien weggeschoben wird und sich das Lager in die Höhe rollt, schreitet Bockelson über die Bühne und ihm entgegen Judith Knipperdollinck, die vor ihm in die Knie sinkt, beide scharf umfaßt vom runden Licht des Scheinwerfers.

JOHANN BOCKELSON: Was begehrt ihr in diesem Mondlicht und in diesem Garten, Gräfin Gilgal?

JUDITH *leise*: Das Leben meines Vaters.

Johann Bockelson reicht ihr die Hand und sie erhebt sich wie von selbst.

JOHANN BOCKELSON: Er ist frei.

Sie steht unbeweglich, die Hand in der seinen.

JOHANN BOCKELSON: Der Mond spannt durch den Park ein Band von Silber zum Palast. Gott selbst, Gräfin, hat uns diese Straße vorgezeichnet.

Er führt sie weg.

Man sieht im Hintergrund den Landgrafen Philipp von Hessen auf einem Stuhle sitzen und hinter ihm links und rechts seine beiden Frauen, Christine und Margareta, während um sie herum einige Requisiten stehen, die notdürftig einen notdürftigen Wirtschaftsraum andeuten. Besonders sind es drei Türen, die auffallen, rechts und links hinter dem Landgrafen, welche in ihren Rahmen hängen, ohne daß aber Wände zu sehen wären. Auch kann man es ja – je nach den vorhandenen Maschinen – mehr oder weniger blitzen und donnern lassen. Ganz vorne wischt ein dicker Wirt den Boden mit einem Besen. Es klopft an die Türe.

DER LANDGRAF VON HESSEN: Hört, es klopft.

DER WIRT: Der Donner, Herr, es ist der Donner.

DER LANDGRAF VON HESSEN: Ich sage: Es klopft.

CHRISTINE: Mein Gemahl hat ausdrücklich gesagt: Es klopft!

MARGARETA: Ausdrücklich hat mein Gemahl gesagt: Es klopft!

Während der ganzen Szene können sich die beiden Damen nicht bequemen, nacheinander zu sprechen, sondern reden immer gleichzeitig.

DER WIRT: Je nun, wenn ihr meint! Wir sollten es klopfen lassen, es wird der Teufel sein. Es geht ein schlimmer Donner draussen, allergnädigster Herr Landgraf.

Es klopft wieder.

DER LANDGRAF VON HESSEN: Ihr sollt die Leute nicht warten lassen. Geht, öffnet die Türe. Es ist eure Christenpflicht.

DER WIRT: Ihr müßt es wissen, Herr, ob es meiner Seligkeit schadet oder nicht.

Er öffnet die Türe im Hintergrund. Die zwei Pagen stoßen den Bischof herein. Alle sind durchnäßt.

DER BISCHOF: Habt Dank. Wir sind verunglückte Leute, wie ihr seht.

Die Pagen stoßen ihn nach vorne und sinken auf den Boden.

DER BISCHOF: Recht so, meine Knäblein! Das ist ein gutes Umsinken nach einem guten Dienst.

DER WIRT *der zur Türe hinausgeschaut hat, bevor er sie wieder geschlossen*: Zum Teufel, Herr, wo kommt ihr her?

DER BISCHOF: Ist es weit bis zum Schloß des Landgrafen? Unser Wagen ist zerbrochen.

DER WIRT: Ihr seid ein Päpstlicher?

DER BISCHOF: Ihr seht.

DER WIRT: Hier ist protestantisches Gebiet.

DER BISCHOF: Wollt ihr mich zum Schlosse des Landgrafen von Hessen führen?

DER WIRT: Nein!

DER LANDGRAF VON HESSEN: Wirt, du bist ein Flegel! Hast du deine Bibel nicht gelesen: Du sollst das Alter ehren! Wir käuen diesen Stieren das Futter vor und sie sind zu faul, es zu fressen!

DER WIRT: Allergnädigster ...

DER LANDGRAF VON HESSEN: Scher dich.

Er macht eine ungeduldige Handbewegung. Der Wirt zieht sich unter vielen Bücklingen zurück.

DER LANDGRAF VON HESSEN: Die Leute sind in diesem Lande grob. Man muß streng mit ihnen verfahren und wie ein Vater zur Rute greifen.

DER BISCHOF: Ich danke euch, daß ihr einem so heruntergekommenen Bischof auf die Beine geholfen habt.

DER LANDGRAF VON HESSEN: Ihr wollt zu Philipp von Hessen, Eminenz?

DER BISCHOF: Kennt ihr den Landgrafen?

DER LANDGRAF VON HESSEN: Der Bischof von Osnabrück, Minden und Münster in Westfalen sollte ihn wiedererkennen.

DER BISCHOF: Ihr seid es selbst?

DER LANDGRAF VON HESSEN: Das Gewitter trieb uns von der Jagd unter dieses abscheuliche Dach.

DER BISCHOF: Ihr habt euch verändert, Hoheit!

DER LANDGRAF VON HESSEN *seufzend*: Ich habe zwei Frauen geheiratet, Eminenz!

Er weist auf die beiden Frauen hinter ihm.

DER BISCHOF: Meine Damen!

CHRISTINE: Ich bin erfreut, euch kennenzulernen, Eminenz!

MARGARETA: Euch kennenzulernen, bin ich erfreut, Eminenz!

DER BISCHOF *zu Hessen*: Ihr waret einer meiner liebsten Schüler.

DER LANDGRAF VON HESSEN: Jetzt bin ich einer eurer ärgsten Feinde.

DER BISCHOF: Ihr seid zu Luther übergegangen.

DER LANDGRAF VON HESSEN: Es ist lange her, daß ich in Erfurt zu euren Füßen saß.

DER BISCHOF *seufzend*: Es war eine glückliche Zeit.

DER LANDGRAF VON HESSEN *ebenso*: Es sind andere Zeiten gekommen.

CHRISTINE: Was will mein Gemahl damit sagen?

MARGARETA: Was will damit mein Gemahl sagen?

DER LANDGRAF VON HESSEN: Ich will damit sagen, daß der stürmische Übermut der Jugend sich in das ruhige Glück des reifen Mannes verwandelt hat.

DER BISCHOF: Hoheit dürfen mit meinem vollen Verständnis rechnen.

DER LANDGRAF VON HESSEN *liebenswürdig*: Womit kann ich Eurer Eminenz dienen?

DER BISCHOF: Mit sechstausend Mann.

DER LANDGRAF VON HESSEN: Ihr wollt mich um Truppen für Münster ersuchen?

DER BISCHOF: Ihr seid meine letzte Hoffnung.

DER LANDGRAF VON HESSEN: Wie ich gehört habe, soll der König der Täufer mehrere Frauen haben?

DER BISCHOF: Er ist allerdings mit fünfzehn Frauen verheiratet.

DER LANDGRAF VON HESSEN: Eine ungeheure Zahl.

DER BISCHOF: Etwas viel, Hoheit,

DER LANDGRAF VON HESSEN *finster*: Ich werde diesen unglücklichen Narren mit eigener Hand in Stücke reißen.

DER BISCHOF: Dürfen wir Eure Hoheit vor Münster erwarten?

DER LANDGRAF VON HESSEN: In einer Woche werden achttausend Mann vor den Wällen dieser Stadt eintreffen.

DER BISCHOF: Ich danke euch!

DER LANDGRAF VON HESSEN: Luther schrieb uns, euch beizustehen. Wir sind ihm zu großem Dank verpflichtet, erlaubte dieser außerordentliche Mann doch, daß wir dem ersten Ehering noch einen zweiten beifügen durften.

CHRISTINE: Wird sich mein Gemahl von meiner Seite begeben?

MARGARETA: Wird von meiner Seite sich mein Gemahl begeben?

DER LANDGRAF VON HESSEN: Unser Erscheinen dürfte leider vor Münster notwendig sein.

DER BISCHOF: Leider dürfte das Erscheinen Seiner Hoheit vor Münster notwendig sein.

Die Frauen des Herrn Landgrafen stehen zugleich auf.

CHRISTINE: Ihr seid von einer brutalen Rücksichtslosigkeit, Landgraf von Hessen!

MARGARETA: Von einer brutalen Rücksichtslosigkeit seid ihr, Landgraf von Hessen!

Sie gehen beide hinaus, die eine links, die andere rechts, und schlagen die Türen zu. Da aber die Wände fehlen, sieht man sie hinter den Türen gleichzeitig mit gleichen Bewegungen auf und ab gehen.

DER LANDGRAF VON HESSEN: Glauben Eure Eminenz an eine lange Belagerung?

DER BISCHOF *betrübt*: Macht euch gefaßt, eure Frauen längere Zeit entbehren zu müssen.

DER LANDGRAF VON HESSEN: Ich schrecke nicht vor höchstem Opfer zurück.

Christine und Margareta öffnen beide gleichzeitig die Türen und strecken den Kopf ins Zimmer.

CHRISTINE: Obschon das weibliche Wesen, mit der wir Eurer Hoheit Bett zu teilen haben, uns aufs tiefste beleidigt,

MARGARETA: Obschon uns aufs tiefste das weibliche Wesen, mit der wir Eurer Hoheit Bett zu teilen haben, beleidigt,

CHRISTINE: Werden wir die harten Entbehrungen des Krieges auf uns nehmen und mit Eurer Hoheit im Lager zu Münster tapfer verharren!

MARGARETA: Werden wir auf uns nehmen die harten Entbehrungen des Krieges und mit Eurer Hoheit im Lager zu Münster tapfer verharren!

Schmetternd schlagen sie wieder die Türen zu.

DER LANDGRAF VON HESSEN *sehr dumpf*: Die verfluchte Sinnlichkeit!

Nach diesen erhabenen Worten einer exquisiten Verzweiflung verlagert sich die Bühne wieder nach vorne, wo, vor geschlossenem

Vorhang, Judith in einem schönen mittelalterlichen Kleide über die Bühne von rechts kommt.

JUDITH: Vater!

KNIPPERDOLLINCKS STIMME *von links*: Meine Tochter?

JUDITH *schwach*: Vater!

Man erblickt bei schwachem Lichte Knipperdollinck links am Boden kauern.

KNIPPERDOLLINCK: Ruhig, ihr Tierchen, ruhig! Der arme Lazarus bekommt Besuch! In die Ecke mit euch!

JUDITH: Mit wem sprecht ihr, mein Vater?

KNIPPERDOLLINCK: Mit Ratten, mein Töchterchen!

JUDITH: Das sind gräßliche Tiere!

KNIPPERDOLLINCK: Wie kannst du so von meinen Freunden reden! Hast du nicht gesprochen: Deine Freunde sind meine Freunde?

JUDITH: Vater!

KNIPPERDOLLINCK: Sie gehorchen mir aufs Wort, meine Freunde. Alles ist gut unter dem Himmel. Wer hat dich eingelassen, Töchterchen?

JUDITH: Ihr seid frei, Vater!

KNIPPERDOLLINCK: Ei, was du da sagst, meine Tochter! Der arme Lazarus ist immer frei. Ich will hier bleiben mit meinen Ratten und meinem Gott.

Judith macht Anstalten näherzukommen.

KNIPPERDOLLINCK: Laß das, mein Töchterchen, laß das! Hier unten ist es dunkel und ich würde dich nicht sehen.

Judith verbirgt das Gesicht und weint.

KNIPPERDOLLINCK: Warum weinst du und bist unglücklich, wenn ich glücklich bin?

JUDITH: Ich liebe ihn.

KNIPPERDOLLINCK: Sei ruhig. Es muß so sein. Du bist ein schwaches Weib und kannst nichts anderes. Du bist wie alle Kreaturen, wie die Blumen und die Ratten, die zu meinen Füßen spielen.

JUDITH: Ich bin sein Weib.

KNIPPERDOLLINCK: Hast du nicht deiner Mutter Blut? Weine nicht, alle deine Sünden sollen dir vergeben werden.

JUDITH: Laßt mich bei euch bleiben, Vater!

KNIPPERDOLLINCK: Es ist nicht für dich, dieses Dunkel. Du gehörst der Sonne. Geh, mein Töchterchen!

Man erblickt, wie sich der Vorhang wieder öffnet, die Stadtmauer und auf ihr als Silhouetten gegen den Abendhimmel Krechting und einen Soldaten. Die Szene spielt, wie schon einmal, ganz im Hintergrund der Bühne, hoch oben und undeutlich. Nur die Stimmen wehen wie flackernde Lichter zum Publikum.

KRECHTING: Was siehst du?

DER SOLDAT: Rings um die Stadt den Wall der Feinde als eine Schlinge um unseren Hals. Wir sind eingeschlossen, Feldherr.

KRECHTING: Wäre es möglich, Täufer auszusenden, um Hilfe herbeizuschaffen?

DER SOLDAT: Keine Maus kommt durch!

KRECHTING: Sind viele Truppen zu sehen und kommen neue an?

DER SOLDAT: Von allen Seiten strömt's auf uns wie ein Meer. Da ist nichts mehr zu retten, Feldherr!

KRECHTING: Dem Bischof gelang es, den Hessen zu beschwatzen.

DER SOLDAT: Ich habe einige der neuen Landsknechte aus der Nähe gesehen. Unsere Weiber werden Freude haben, wenn sie einmal in der Stadt sind und mit uns werden sie nicht lange Tänze machen.

KRECHTING: Ich muß dir glauben. Seit ich blind bin, muß ich dir glauben.

DER SOLDAT: Es war ein verfluchter Pfeil, der euch blind gemacht hat.

KRECHTING *der sich gesetzt hat*: Es ist schrecklich, zu wissen, daß ein alter Mann ohne Augen der einzig Sehende ist. Setz dich zu mir! Ganz nah mit deinem Leib an den meinen.

Der Soldat setzt sich zu ihm.

KRECHTING: Mann, wer bin ich?

DER SOLDAT: Nun, ihr seid Feldherr.

KRECHTING: Wie heiße ich?

DER SOLDAT: Wer kann die neuen Namen behalten. Herzog von Jericho, oder so.

KRECHTING: Bin ich nicht der Prediger Krechting aus Gildehaus?

DER SOLDAT: Der seid ihr freilich.

KRECHTING: Wie lange hast du nicht gegessen?

DER SOLDAT: Seit zwei Tagen.

KRECHTING: Und dein Kind, Mann, und dein Kind?

DER SOLDAT: Verhungert.

KRECHTING: Deine Tische biegen sich unter der Last köstlicher Speisen, Salomo, und deine Weiber tanzen nackt vor den Augen deiner Großen!

DER SOLDAT: Wen meint ihr damit, Feldherr?

KRECHTING: Ist meine Rede nicht deutlich genug? Soll ich den Namen unserer Not in diese Nacht schreien?

DER SOLDAT: Da habt ihr die Antwort, Feldherr!

Er stößt ihn nieder.

DER SOLDAT: Wer kann zurück in dieser Stadt?

hoch aufgerichtet mit gebreiteten Armen:

Wer kann zurück? Wer kann zurück?

Nun erhellt sich die ganze Mauer, und man erblickt in der Mitte des Hintergrundes das Ägiditor. Vor dem Tor, welches geschlossen ist, eine Wache. Links ein dunkler Haufen von Weibern und Kindern.

EIN WEIB: Ich habe Hunger!

DER SOLDAT: Nicht immer das gleiche sagen. Abwechslung, Weib, Abwechslung.

DAS WEIB: Ich habe Hunger!

DER SOLDAT: Sag: Wir werden siegen!

DAS WEIB: Ich habe Hunger!

DER SOLDAT: Hurenmutter! Du erinnerst mich an meine Gedärme.

EIN KIND: Ich habe Hunger!

Bockelson kommt von rechts mit einigen Soldaten.

JOHANN BOCKELSON: Was treibt ihr euch herum?

DAS WEIB: Ich habe Hunger!

JOHANN BOCKELSON: Grab deinen Hunger in deinen Leib und schweig, Weib Israels!

DAS WEIB: Ich habe Hunger!

JOHANN BOCKELSON: Geht zum Kreuztor. Dort könnt ihr die Stadt verlassen.

Die Weiber erheben sich stumm und verschwinden.

JOHANN BOCKELSON: Geht ihnen nach! Tötet alles! Euer Schwert ist besser als die Gnade unserer Feinde.

Die Soldaten ab. Nur noch die Wache steht unbeweglich vor dem Tor. Bockelson tritt zu ihm. Er mustert ihn von oben bis unten und geht um ihn herum. Er klopft ihm auf den Bauch.

JOHANN BOCKELSON: Wie alt?

DER SOLDAT: Zweiundzwanzig!

JOHANN BOCKELSON: Du hast einen Bauch. Einen strammen zweiundzwanzigjährigen Bauch. Hast du Hunger?

DER SOLDAT *vorsichtig*: Nein.

JOHANN BOCKELSON: Du hast mit der Antwort gezögert.

DER SOLDAT: Zu Befehl, Majestät.

JOHANN BOCKELSON *tritt nahe zu ihm*: Warum?

DER SOLDAT *verlegen*: Die Warwara, Majestät.

JOHANN BOCKELSON: Es ist ein seltener Name, den du mir sagst, doch nennt sich eine meiner Küchenmägde so.

DER SOLDAT: Zu Befehl, Majestät.

JOHANN BOCKELSON: Sie hat unter der linken Brust ein schwertförmiges Muttermal?

DER SOLDAT: Ja.

JOHANN BOCKELSON: Innen am rechten Oberschenkel eine längliche Narbe roter Farbe?

DER SOLDAT *verwirrt*: Zu Befehl.

JOHANN BOCKELSON: Gib mir deinen Spieß.

Er nimmt ihm den Spieß aus der Hand und ritzt mit der Spitze eine Linie in den Boden.

JOHANN BOCKELSON: Dies ist ungefähr die Form ihres Busens?

DER SOLDAT *noch verwirrter*: Wie können Majestät wissen?

JOHANN BOCKELSON: Majestät weiß alles.

Johann Bockelson geht einige Schritte nachdenklich hin und her, kehrt dann wieder zu dem Soldaten zurück.

Es ist kalt diese Nacht.

DER SOLDAT: Sehr kalt, Majestät.

JOHANN BOCKELSON: Gib mir deinen Mantel. Laß mich an deinem Platze stehen. Und deine Waffe.

Er stellt sich im Mantel des Soldaten vor das Tor. Der Soldat steht verlegen vor ihm und starrt Bockelson ins Gesicht.

JOHANN BOCKELSON: Nun?

DER SOLDAT: Majestät?

JOHANN BOCKELSON: Friert dich?

DER SOLDAT: Ja, Majestät.

JOHANN BOCKELSON: Hast du Hunger?

DER SOLDAT: Auf einmal, Majestät.

JOHANN BOCKELSON: Würdest du gerne bei deiner Warwara liegen?

DER SOLDAT: Ich weiß nicht, Majestät.

JOHANN BOCKELSON: Soll ich dir noch ihr Bett zeigen?

DER SOLDAT *verwirrt*: Majestät!

JOHANN BOCKELSON *nachdrücklich*: Ich will hier wachen. Für dich wachen! Und du sollst zu der Warwara.

DER SOLDAT: Jawohl, Majestät!

Er läuft davon.

JOHANN BOCKELSON: Ich stehe unbeweglich. Der Himmel wölbt sich um mich wie ein Königsmantel. Ich trage dich, Himmel. Ich stehe fest auf der Erde. Ich bin dein Sohn, alte Erde. Du bist meine Mutter und in den Nächten höre ich dich rufen. Aber ich folge deinem Rufen nicht, denn ich will den Himmel. Ich will ihn mit meinen Händen herabzwingen, Mutter Erde! Mit seinem Feuer und mit seinen Sternen will ich dir einen Teppich bereiten.

Er legt sich auf den Boden.

Ich höre dein Herz schlagen und deine Lungen sich weiten und zusammenziehen. Ich höre dein Blut in uralten Schächten rauschen, heilige Mutter. Ich küsse dich!

Katherina kommt von rechts auf Bockelson zu, der am Boden liegt.

KATHERINA: Was liegst du hier, Soldat?

JOHANN BOCKELSON: Ich habe der Erde eben einen Kuß gegeben, Madame!

Er erhebt sich, doch bleibt sein Gesicht im Schatten.

KATHERINA: Du bist die Wache?

JOHANN BOCKELSON: Ihr seid eines der königlichen Weiber?
KATHERINA: Du kennst mich?
JOHANN BOCKELSON: Ich stand Wache vor eurer Türe.
KATHERINA: Ich erinnere mich deiner Stimme. Siehe!
  Sie hält Geschmeide vor seine Augen.
JOHANN BOCKELSON *kalt*: Goldenes und silbernes Geschmeide.
KATHERINA: Du mußt mich herauslassen, und es gehört dir.
JOHANN BOCKELSON: Ihr müßt mir etwas anderes geben.
KATHERINA: Was willst du?
JOHANN BOCKELSON: Ihr müßt mich umfangen mit beiden Armen und euren Leib an den meinen pressen und eure Lippen an meine Lippen.
KATHERINA: Ich will dies tun.
  Sie umarmt Bockelson, der ihr von hinten den Dolch in den Leib senkt. Sie sinkt zu Boden.
JOHANN BOCKELSON: Warum hast du eigentlich gelebt?
  Wie Bockelson und die Leiche langsam im Dunkel versinken, scheint die Bühne von einer ungeheuren Leere erfaßt zu sein, so daß die Stimme Judiths, die langsam ganz links im Vordergrund sichtbar geworden, wie in der Unendlichkeit des Weltalls verhallt.
JUDITH: Der Winter ging dahin und der Frühling und nun ist es Sommer;
nicht aber ging die Not dahin, und der Hunger wich nicht von dieser Stadt.
Die Menschen sterben auf den Plätzen, und ihre Leichen werden über die Wälle geworfen.
Meine Mutter ist tot, und mein Vater lebt in der Nacht, mir bleiben die Tränen.
Mein Leib ist zerbrochen und meine Seele erloschen, die Hände sind leer und nur Schatten sind, wo ich weile.
Ich las von Judith, meiner Namensschwester, welche auszog, die Juden zu befreien.
Denn Holofernes, der Feldhauptmann Nebukadnezars, belagerte Bethulien, und die Not dieser Stadt war wie unsere Not.
Judith kam zu Holofernes in der Nacht und hieb ihm das Haupt ab:

Also will ich zum Bischof, der mit Schrecken Münster umgibt,
ihn zu töten.

Judith verschwindet, und man erblickt das Innere eines Zeltes und
den Bischof in der Mitte des Vordergrundes allein in einem Sessel.
Vor ihm ein Tisch mit einer brennenden Kerze.

DER BISCHOF: Ich bin hier im Lager zu Münster.

Es geht gegen die Mitte des Juni, und es ist warm, nur die Nächte
sind manchmal noch kühl.

Eben habe ich draußen die Milchstraße bewundert, und es ist das
erste Mal, daß ich die Venus so klar erblickte, seit dieser Krieg
dauert.

Sie stand zwar tief im Westen, aber ihre Glut besänftigte mein
Herz.

Nicht weit von mir kniete ein Landsknecht nieder, den ich noch
eben gräßlich fluchen hörte, und betete. Möge sich alles zum
Guten wenden.

Ich habe sichere Nachricht, daß die Lage der Stadt ohne Hoffnung ist.

Die Toren!

Was fürchten sie sich vor unseren Urteilssprüchen.

Diesem erbärmlichen Gerecht-sein-Wollen, das wir traurigen
Menschen vielleicht schon in wenigen Tagen vollziehen müssen.

Herr erleuchte uns! Gib uns ein wenig von deiner Helle, dem
Nächsten ins Gesicht zu leuchten, aber wir sind blind.

Ich werde viele töten müssen, weil ich ein Mensch bin und verstrickt in meiner Grenze und weil sie den Tod unter Menschen
verdient haben.

Ist es eine Strafe? Ist es eine Sünde? Gott allein weiß solches und
er antwortet uns nicht.

Herr, gib uns Weisheit, daß wir nicht an unsere Brust schlagen
wie jener Pharisäer, welcher den Zöllner sah, weil wir uns selber
schlagen, wenn wir sie treffen, und weil wir uns selber richten,
wenn wir sie verdammen: Denn wer fiel, wurde von Dir versucht, und wer schwer fiel, wurde von Dir schwer versucht.

Herr, hilf uns, daß wir nicht an jenen sündigen, welche Dir erlegen sind.

Denn wer spricht: Es geschieht ihnen recht, ist selber gerichtet,
und wer sagt: Es geht mich nichts an, ist selber verworfen.

DER DIENER *tritt auf*: Herr!

DER BISCHOF: Was ist? Was hast du?

DER DIENER: Eine Dame.

DER BISCHOF: Nun?

DER DIENER: Sie will euch sprechen, sie kommt aus der Stadt.

DER BISCHOF: Eine Dame. Ist sie schön? Jung?

DER DIENER: Sehr wohl, Eminenz.

DER BISCHOF: Wer hat sie hergebracht?

DER DIENER: Ein Landsknecht, Herr.

DER BISCHOF: Beide hereintreten. Und ein neues Licht bringen. Es ist zu dunkel für ein Gespräch, man muß sich in die Augen sehen können. Auch etwas für die Dame. Gebäck, süßer Wein.

Der Diener geht hinaus, der Landsknecht mit Judith erscheint.

DER BISCHOF: Mit wem kommst du, mein Sohn?

DER LANDSKNECHT: Ich weiß nicht, Eure Eminenz. Sie will zu euch.

DER BISCHOF: Wo hast du sie getroffen?

DER LANDSKNECHT: Am Wall, Eure Eminenz.

DER BISCHOF: Es ist gut. Du kannst gehen.

Der Landsknecht geht, der Diener bringt das Licht.

DER BISCHOF: Verteile die zwei Lichter schön über den Tisch. Das neue Licht rechts, du weißt, ich liebe die Ordnung. Du kannst gehen.

DER DIENER: Verzeiht, den süßen Wein und das Gebäck.

DER BISCHOF: Du hast recht. Nur auf den Tisch, ein wenig gegen das rechte Licht. Es ist gut.

Der Diener geht hinaus.

DER BISCHOF *zu Judith*: Tritt näher. Ich sehe dein Gesicht nicht.

Judith tritt in die Helle der Lichter.

DER BISCHOF: Du bist Judith Knipperdollinck. Dein Vater war der letzte, mit dem ich in der Stadt gesprochen.

Judith steht unbeweglich.

DER BISCHOF: Was willst du von deinem alten Bischof?

JUDITH: Ich weiß es nicht.

DER BISCHOF: Setz dich zu mir, Judith. Willst du Gebäck?

JUDITH: Ich kann nicht Platz nehmen, ehrwürdiger Vater.

DER BISCHOF: Du bist ein Weib geworden, Judith.

JUDITH: Ich bin ein Weib geworden, ehrwürdiger Vater.

DER BISCHOF: Du bist ein schönes Weib geworden. Wer ist dein Mann, Judith?

Sie schweigt zuerst, dann fällt sie vor dem Bischof nieder und weint, das Haupt auf dem Tisch.

DER BISCHOF: Sprich nur ruhig. Es ist Bockelson?

JUDITH: Ja.

DER BISCHOF: Der Mann deiner Mutter?

JUDITH: Ja.

DER BISCHOF: Du armes Kind! Es ist Todsünde, was du getan hast.

JUDITH: Ich weiß es, ehrwürdiger Vater.

DER BISCHOF: Und warum bist du zu mir gekommen, Judith?

Sie schweigt.

DER BISCHOF: Du schweigst? Willst du es mir nicht sagen?

Er lächelt:

Du bist nicht gekommen, Buße zu tun.

Judith schüttelt den Kopf.

DER BISCHOF: Du hast ein schönes Gewand an, Judith. Ein wenig aus der Mode, aber es steht dir gut. Du bist doch nicht etwa – sieh mich an!

Er nimmt sie beim Kinn:

Du hast viel in der Bibel gelesen, Judith. Auch die Geschichte von der Judith und dem bösen Holofernes?

JUDITH: Ihr wißt alles, ehrwürdiger Vater.

DER BISCHOF: Du konntest nie lügen, Judith, und dies gefällt mir vor allem an dir.

Er küßt sie auf die Stirne:

Geh nun!

JUDITH: Ich will nicht zurück.

DER BISCHOF: Ich müßte dich töten lassen, Judith.

JUDITH: Ich bleibe, ehrwürdiger Vater.

DER BISCHOF: So nimm dies!

Er reißt sich das Kreuz vom Hals:

Wenn der rote Mann dich tötet mit seinem Schwert, umklammere es mit deiner Hand.

Er klingelt. Der Diener erscheint.

DER BISCHOF: Führe die Dame in jenes Zelt, das wir unsern besten Gästen bestimmt haben. Sie wird morgen sterben.

DER DIENER: Ich werde anordnen, sie streng zu bewachen.

DER BISCHOF: Wie kennst du die Menschen! Aber Hunde liebst du auch nicht! Man kann sich viel Arbeit ersparen und Wächter, wenn man die Menschen kennt.

Nach einer nachdenklichen Pause:

Aber vielleicht bist du nur zu dem allem zu jung.

Wie die Worte des Bischofs verklingen, sinkt die Bühne in undurchdringliche Nacht, die auch den Zuschauer umfängt, aus der heraus, wie aus dem Ungewissen, die Stimme Knipperdollincks steigt.

KNIPPERDOLLINCKS STIMME: Johann Bockelson aus Leyden, König der armen Stadt Münster, die bleich im Mond einen elenden Teil westfälischer Erde bedeckt und deren Mauern still das Grauen umfangen wie die Arme einer Mutter das tote Kind.

BOCKELSONS STIMME: Wer ruft mich?

KNIPPERDOLLINCKS STIMME: Dich ruft die Armut und das Elend, die wie Aussatz auf dem Leibe des armen Lazarus liegen.

BOCKELSONS STIMME: Was willst du von mir, mein lieber Lazarus?

KNIPPERDOLLINCKS STIMME: Ich habe Hunger.

BOCKELSONS STIMME: Leider habe ich eben die letzte Schüssel Bohnen mit Bratwurst gegessen.

KNIPPERDOLLINCKS STIMME: Mich hungerts nach dem Reich Gottes.

BOCKELSONS STIMME: Das Reich Gottes ist eine schwierige Angelegenheit, um so mehr, als auch unser sterblicher Leib dringend der Nahrung bedarf.

KNIPPERDOLLINCKS STIMME: Ich sitze in zerrissenem Hemde auf der Treppe, die zum großen Portale deines Palastes führt, von einem silbernen Kranz der Weiber und Kinder umgeben, die der Hunger getötet hat.

Während nun Bockelsons Stimme wieder ertönt, wird es langsam
hell, und man sieht Bockelson in der Situation, die seine Worte
schildern.

JOHANN BOCKELSON: Ich sitze auf den Stufen der Treppe, die
zu meinem Throne führt, der sich im großen Saal des Palastes
befindet, vor dessen Portal du sitzest, mein lieber Lazarus.

Mein Purpurmantel umgibt mich wie eine Glocke und über
dem wohlfrisierten Haar steigt steil die Krone empor,

in zwölf Zacken, welche die Stämme Israels bedeuten, deren Erbe ich übernommen habe, die wiederum den zwölf Beinen des
Throns gleichzusetzen sind,

auf dem der Allmächtige sitzt,

und die unerschütterlich stehn, wie die Zacken der Krone meines
Haupts unerschütterlich ragen,

obschon sich in diesem Augenblick mein Kopf schwankend hin
und her bewegt,

denn ich bin vom Weine voll, und ein wenig lallend vielleicht
erhebe ich diesen goldenen Pokal meinem Munde entgegen.

Um mich herum liegen die Männer und Weiber meines Hofs,
denn unser Fest dauerte drei Tage.

Nun schlafen sie alle, und mancher schnarcht wohl ein wenig.

Bruder Rottmann sogar, Erzbischof von Kapernaum und Nain,
mit dem Beinamen: Das Felsengebirge,

liegt nicht sehr bequem unter einem Tisch, die Lippen noch auf
den zierlichen Pantoffel gedrückt, den er der schönen Divara
vom Füßchen gestreift.

Blickt nun hinein in den Saal meiner silbernen Nächte, laßt euch
blenden vom Gold der Wände und dem farbigen Glitzern der
Gewänder,

und vom dunklen Feuer des Weins,

der die Hingesunkenen wie Blut überdeckt.

Seht mich tanzen in meiner Trunkenheit von tausend Fackeln
umstrahlt,

und seht, wie sich alles vollendet, und seht meinen Untergang
im schimmernden Lichte des Vollmondes!

Ein dicker Koch kommt auf allen vieren von links in den Saal und kriecht auf Bockelson zu. Er hat eine hohe Kochmütze auf dem Kopf. Einen Kochschurz um den Leib und eine rote Nase im Gesicht.

DER KOCH: Heil, König Bockelson, Heil!
Was die Blutwurst unter den Würsten,
das bist du, o König, unter den Fürsten!

JOHANN BOCKELSON: Ihr gehört in die Küche, Graf Gilboa, ihr habt hier nichts zu suchen.

DER KOCH: Wo soll ich anders die Schinken suchen und die frischen Brote, die Eier, den Speck und den köstlichen Wein? Der Magen eurer Majestät hat alles verschlungen.

Er fällt auf den Bauch.

JOHANN BOCKELSON: Was macht ihr da auf dem Boden, Graf Gilboa?

DER KOCH: Ich mache nicht auf den Boden, ich drücke nur meine untergeordnete Stellung aus.

JOHANN BOCKELSON: Wie lange werden wir noch zu essen haben?

DER KOCH: Es ist ein dunkler Punkt: Wir haben aus unseren Mägen Massengräber gemacht, denn es war ein großes Sterben unter den Lebensmitteln. So etwas wie eine radikale Lustseuche.

JOHANN BOCKELSON *mit großartiger Gebärde*: Ich werde Manna regnen lassen!

Knipperdollinck steigt durch das offene Fenster in den Saal. Er ist fürchterlich verwildert und im bloßen Hemd, das rissige Löcher aufzuweisen hat.

KNIPPERDOLLINCK: Hurra!

DER KOCH: Das ist auch so ein besonderes Exemplar von einem Narren! Er flößt mir ordentlich Respekt ein.

JOHANN BOCKELSON: Wir haben großes Stelldichein diese Nacht.

KNIPPELDOLLINCK: Ich bin König Bockelsons Narr! Ich bin König Bockelsons Vergangenheit und König Bockelsons Zukunft.

DER KOCH: Das ist eine traurige Vergangenheit.

JOHANN BOCKELSON: Und eine erbärmliche Zukunft.

DER KOCH: Es ist ein lausiges Schicksal, das im bloßen Hemd herumläuft.

KNIPPERDOLLINCK *welcher sich auf den Thron gesetzt hat*: Was machst du für ein trauriges Gesicht, König Bockelson?

JOHANN BOCKELSON: Die Kannen sind leer, die Teller zerbrochen, der Tag ist vorbei, und die Nacht ist lang. Aber was machst du auf meinem Thron?

KNIPPERDOLLINCK: Ich bin der König von Münster in Westfalen.

JOHANN BOCKELSON: Was wollen wir mit diesem verlausten Schicksal machen, Graf Gilboa?

DER KOCH: Dies erbärmliche Geschick muß seine Worte beweisen.

JOHANN BOCKELSON: *zu Knipperdollinck*: Hast du gehört, du mußt es beweisen.

KNIPPERDOLLINCK: Wer hat dich zum König gemacht?

JOHANN BOCKELSON: Dein Gold.

KNIPPERDOLLINCK: Wem gehört mein Gold?

JOHANN BOCKELSON: Dir.

KNIPPERDOLLINCK: Also bin ich der König von Münster in Westfalen.

JOHANN BOCKELSON: Er hat es bewiesen, Herr Graf.

DER KOCH: Dem Schicksal zu erliegen, ist der Sterblichen Los.

JOHANN BOCKELSON: Ich werde abdanken müssen.

DER KOCH: Majestät tragen das Unglück mit Würde.

JOHANN BOCKELSON: Ich werde euer Küchenjunge sein, Herr Graf.

DER KOCH: Wir werden morgen ein Menü von Luft, Regenwasser und unserer Verdauung bereiten.

KNIPPERDOLLINCK: Ich bin gekommen, Rechenschaft von dir zu verlangen, König Bockelson.

DER KOCH: Es geht euch an den Kragen, Majestät.

KNIPPERDOLLINCK: Wo ist mein Weib Katherina und wo ist mein Töchterchen Judith, König Bockelson?

JOHANN BOCKELSON: Das ist eine traurige Geschichte. Sie sind tot.

KNIPPERDOLLINCK: Tot?

JOHANN BOCKELSON: Tot.

DER KOCH: Mausetot.

KNIPPERDOLLINCK *hoch aufgerichtet*: Wir wollen tanzen.

JOHANN BOCKELSON: Wir wollen im Mondlicht tanzen.

DER KOCH: Wir wollen schlafen.

KNIPPERDOLLINCK: Wir wollen auf dem Dache tanzen!
Er springt ans Fenster, die Bühne wird dunkel.

JOHANN BOCKELSON *unsichtbar aus dem Finstern*: Im Mondlicht auf dem Dache tanzen!
Knipperdollinck ist allein sichtbar. Er steht auf dem Fenstersims, sich dunkel abhebend.

KNIPPERDOLLINCK: Mond! Mond am Himmel!
Warum bist du rund und hell und rein?
Dein Licht ist kühl und blau über den Dächern und Wällen!
O Dach unter mir, du bist wie eine Weide, die zum Himmel strebt!
O Herrlichkeit, über Dächer zu schweben in wiegendem Wandel des Tanzes!
Während diesen Worten rollt sich hinten die Wand in die Höhe und man sieht einen riesenhaften Vollmond, und zwar so, daß Krater und Meere deutlich sichtbar sind. Er hängt in einem unendlichen Himmel, welcher tiefblau ist und ohne Sterne. Unter ihm breitet sich der Dachfirst aus, beginnend am Fenster und sich horizontal über die ganze Bühne erstreckend. Mit wenig Mitteln ist hier schon Großes zu erreichen. Die Menschen sind immer Kinder und sehen in wenigem um so leichter alles. So folgt also: Der Tanz auf dem Dache.
Knipperdollinck springt vom Fenstersims rittlings auf den Dachfirst.

KNIPPERDOLLINCK: Du Dachfirst zwischen den Schenkeln!
Meine Hände liebkosen dich.
Du mein Pferdchen, du mein sanftes Reh, du mein wilder Stier!
Ich bin dein Reiter am Himmel und die Schatten der Wolke sind Wellen in meinem Haar!
Johann Bockelson erscheint im Fensterrahmen.

JOHANN BOCKELSON: Dir nach! Dir nach!
Du bist mein Narr! Mein Schatten! Mein Augapfel! Ich will über das Dach mit dir wandeln wie eine Katze! Leicht wie sie, schnell wie sie, heiß wie sie.

Ich will tanzen wie ein Kind im Mond!

Auch er springt aus dem Fenster auf das Dach. Beide tanzen nun.
Knipperdollinck gräßlich zerlumpt, Bockelson in Königsmantel und
Krone, hinter ihnen der ungeheure Mond.

KNIPPERDOLLINCK: O Mond, wie bist du über uns gebreitet
wie ein Rad! An dem wir hängen werden, an dem unsere Glieder
zerbrechen werden.

Wir schlenkern die Beine in deinem Licht, und wir klatschen mit
Händen in deiner Musik!

Wir kosen sanft deine Fülle, und mit Lippen küssen wir deine
Berge!

JOHANN BOCKELSON: Ich weiß nicht, woher ich komme, ich
weiß nicht, wohin ich gehe, ich weiß nicht den Namen meines
Vaters!

Großer, runder Mond!

Sei du mein Vater, uraltes Gestirn mit steinernem Meer! Mit den
Palmenwäldern aus Eis, mit den Talgründen aus Glas!

Sei du meine Schwester, sei du mein Bruder, und mein älterer
Onkel.

Ich drehe mich vor dir,

ich hüpfe auf einem Bein vor dir

auf schmalem First, gespannt von einer Unendlichkeit zur andern!

KNIPPERDOLLINCK: Laß uns den Tanz vollenden!

Laß uns einmal den Tanz unseres Lebens vollenden!

Laß uns tanzen in der schwimmenden Wolke deiner blauen
Flamme!

Alles ist Flötenspiel, alles ist Leichtigkeit!

Ich liebe dich.

Mond! Mond!

Du bist das Lächeln der Welten, du bist gelber Honigkuchen
vom Himmel.

JOHANN BOCKELSON: Du siehst mich tanzen mit Krone und
Stab!

KNIPPERDOLLINCK: Du siehst mich tanzen in zerrissenem
Hemd!

JOHANN BOCKELSON: Segne meine Macht! Segne die Erde in mir und segne meine Schwere, meine tanzende Schwere!

KNIPPERDOLLINCK: Segne meine Armut und segne meine Blöße, segne meine Narrenheit, meine heilige Narrenheit!

Ja, Ja! Mond, Mond!

Heilige unsere Narrenheit, unsere trunkene Narrenheit!

Verkläre uns in deinem Lichte.

Gib uns leichten Tanz und reine Heiterkeit,

Heiterkeit, Heiterkeit in deinem blauen Lichte!

KNIPPERDOLLINCK: Mond, Mond!

Du erblickst meinen Nabel wie eine späte Sonne durch die Ritzen und Schlitze meines Hemdes!

Sieh die Zehen an meinem Fuß!

Sieh, wie sich mein Leib drängt an den deinen.

Ich bin brünstig nach dir

wie der buntscheckige Stier!

Ich umarme dich,

ich ziehe dich herunter zu mir,

ich begrabe mich im ewigen Eis deiner Gletscher!

JOHANN BOCKELSON: Ich höre die steinernen Ziegen deiner Täler meckern, ich höre die Kühe deiner Alpen muhen!

Ich hüpfe mit dem Bäuchlein und wackle mit dem Ärschlein und schlenkere mit den Armen.

Sie geben sich den Arm.

KNIPPERDOLLINCK: Hei, Brüderchen!

Ich blicke in dein Gesicht mit der Krone darüber und dem Barte unter dem Kinn.

Dein Auge ist voll vom Mond und deine Lippen naß von seinen Küssen.

JOHANN BOCKELSON: Ich fühle deinen Leib unter deinem Hemd mit den jämmerlichen Rissen.

Ich tanze mit dir, meinem Narren, ich tanze mit dir, meinem Schatten.

Wir drehen uns im Kreise herum, auf schmalem Dache im Kreise herum.

Hinter ihnen verschwindet langsam der Mond. Die Bühne wird ganz dunkel und man sieht nur die Tanzenden, doch bewegen sie sich nun gegen den Vordergrund der Bühne.

KNIPPERDOLLINCK: Laß uns hinuntertanzen vom Dach, einer im Arme des andern.

JOHANN BOCKELSON: Der König im Arme des Bettlers, der Reiche im Arme des Lazarus, der Narr im Arme des Narren! Laß uns durch die Luke tanzen, in den Estrich hinein und um das Kamin!

KNIPPERDOLLINCK: Die gewundenen Treppen hinab, im Kreise hinab, in immer weiteren Kreisen hinab.

JOHANN BOCKELSON: Und schlenkern das Bein nach links und nach rechts!

KNIPPERDOLLINCK: Wir tanzen hinaus zum Portal!

JOHANN BOCKELSON: An trunkenen Wächtern vorbei, an Bacchanten, an eisernem Gitter vorbei!

KNIPPERDOLLINCK: Durch die gewundenen Gassen dahin, wo die Häuser stehn und die Brunnen sich drehn!

JOHANN BOCKELSON: Vorüber an Plätzen, vorüber an Bäumen, vorüber am Dom, vorüber am Turm!

Im Hintergrunde taucht riesig das Ägidiitor aus dem Dunkel.

KNIPPERDOLLINCK: O Stadt im Lichte des heiligen Monds! O Wall vor uns im nächtlichen Feuer!

JOHANN BOCKELSON: Ich tanze dahin in heiterem Wirbel!

KNIPPERDOLLINCK: Ich drehe mich leicht in schwebendem Zirkel!

JOHANN BOCKELSON: Laß mich tanzen, laß mich zu den Menschen tanzen, ewiger Mond!
Mit dem Mantel aus Purpur, mit der Krone aus Gold!
Laß mich tanzen,
laß mich zu meinen Feinden tanzen!
daß sie niedersinken vor meinem Glanze
und mein Fuß leicht über die Leiber wandle,
die im weiten Kreis die Ebene decken!

KNIPPERDOLLINCK: Laß mich tanzen, laß mich zu den Menschen tanzen, du nächtlicher Bruder der Erde!

Ohne Weib sollen sie sein, ohne Tochter sollen sie sein, arm wie ich, schuldig wie ich, glücklich wie ich, von Schwären und Beulen zerfressen wie ich!

Sie tanzen zum Tor.

JOHANN BOCKELSON: O Mond am Himmel, o Tor der Unendlichkeit unter ihm, wie ein Pfahl in die Erde gesenkt, die endlos sich durch die Zeiten wälzt!

KNIPPERDOLLINCK: Ihr Torflügel, über die meine Hände gleiten, du Holz, das ich kose, du kühles Eisen, an das ich meine Wange presse!

JOHANN BOCKELSON: Laß mich das Tor öffnen, du Mond, mit dem gelben Bart unter dem Kinn!

KNIPPERDOLLINCK: Laß mich hineintanzen in die Welt voller Kokospalmen und Eisbären, singender Mörder am Galgen und schlafender Blumen am Hügel!

JOHANN BOCKELSON: Laß mich den Schlüssel drehen, du Geselle der Diebe, bekränzt mit Efeu und unanständigen Liedern!

KNIPPERDOLLINCK: Pack an, mein König unter der zackigen Krone!

JOHANN BOCKELSON: Faß an, mein Narr in zerlöchertem Hemde!

KNIPPERDOLLINCK: Den großen Querbalken nun, den Querbalken nun!

JOHANN BOCKELSON: Er dreht sich leicht in seiner Schraube!

KNIPPERDOLLINCK: Ich schiebe dich, Riegel!

JOHANN BOCKELSON: Wie ein blauer Fisch entgleitet er deinen Händen!

JOHANN BOCKELSON: Ich öffne dich, Tor!

JOHANN BOCKELSON: Wie eine Blume öffnest du dich! Wie eine köstliche Blume des Todes!

KNIPPERDOLLINCK: O Tor der Unendlichkeit! Wie sind deine Arme Flügel geworden!

JOHANN BOCKELSON: Sie heben uns in die Nacht, sie pressen uns an die Mauern!

KNIPPERDOLLINCK: Und weithin verhallt unser Schrei im stummen Antlitz des Mondes, der nun,

wie er niederstürzt,
uns in seinem Silber begräbt!

*Das Tor wird mit aller Wucht von innen und außen zugleich ge-
öffnet, so daß die zwei Tanzenden von den Torflügeln an die Mauer
gepreßt werden. Durch das geöffnete Tor strömen die Landsknechte
in lautem, plötzlichem Trommelwirbel, allen voran Johann von
Büren, der, obgleich hinkend, mit seinem Holzbein in unheimlicher
Schnelligkeit gegen das Publikum herankommt.*

JOHANN VON BÜREN *ganz vorne im grellsten Licht, während hin-
ter ihm alles versinkt*: Stadt! Stadt!
Ich verfluche dich!
Deine Mauern sinken dahin, deine Türme zerbrechen!
Blutige Nacht! Blutiger Mond! Du schreckliche Fackel des
Sieges!
Sieh, wie sich die Flamme verbreitet, wie Qualm den Himmel
verdeckt.
Stunde der Jagd, Stunde der Menschenjagd, heilige Todesnacht!
Weiße Leiber starren am Rad, und um den Galgen flattert die
Krähe, tief stößt ein Geier hinab.
Tod! Tod!
Bleiches Antlitz voll Verwesung und Mord!
O Schwärme pfeifender Ratten!
O Schweigen des Doms, tot aufgereckt in das Leere! Wie ist dir
nicht alles anheimgegeben, ewige Qual, wie ist dir nicht alles
verfallen, unendlicher Abgrund!

*Der Wirbel der Trommeln und der Klang des Orchesters vereinigen
sich zu einem einzigen ungeheuren Schrei. Dann tritt tiefe Stille ein,
aus der heraus sich nur zaghaft eine neue, fremde und dunkle Melodie
herauslöst, die in unendlicher Traurigkeit hinaufschwebt. Dann
öffnet sich der Vorhang wieder, und man erblickt Bockelson und
Knipperdollinck mit ausgebreiteten Gliedern an zwei riesige Räder
geflochten, welche sich an einer schiefen Mauer befinden, so daß die
beiden nach oben schauen. Sie sind nur mit Fetzen bekleidet. Zu
ihren Füßen befindet sich eine Tafel mit einer Zahl. Bockelson
hängt links, Knipperdollinck rechts. Vor ihnen steht der Scharfrichter und die Wache, die wir ganz zu Anfang kennengelernt
haben.*

DER SCHARFRICHTER: Euer Strengen bemerken – wie sich der Vorhang zum letzten Male gehoben –

zwei Menschen, recht traurige Subjekte, welche sich auf der steinernen Fläche dieser Mauer dem Himmel wie die Kelche einer geheimnisvollen Nachtanemone entgegenneigen,

[wenn ich so sagen darf, denn ich dichte in verdämmerten Stunden bisweilen, hem, hem].

Beide etwas dürftig gekleidet und sehr gewissenhaft auf diese Räder geflochten.

DIE WACHE: Wie ihr sagt: Sehr gewissenhaft. Der da ist tot.

DER SCHARFRICHTER: In der Tat: Rasch tritt der Tod den Menschen an, sagt der Dichter.

DIE WACHE: Welche Nummer?

DER SCHARFRICHTER: Es ist Numero 524.

Die Wache zieht ein umfangreiches Verzeichnis aus der Tasche und sucht darin.

DIE WACHE: Numero 524: Johann Bockelson aus Leyden. Eine recht schön erhaltene Leiche. Gestorben am – welches Datum haben wir heute?

DER SCHARFRICHTER: Es ist der 22. Januar.

DIE WACHE *mit dem Stift in das Verzeichnis schreibend:* Gestorben am 22. Januar 1536. Die Leiche kann abgenommen werden. Der links:

DER SCHARFRICHTER: Numero 523.

DIE WACHE: Bernhard Knipperdollinck. Er hat eben gestöhnt, wie ich glaube. Er bleibt noch hängen. Wo sind die Nächsten?

DER SCHARFRICHTER: Wenn euer Strengen sich nach vorne begeben wollen!

Von links erscheinen die beiden Straßenkehrer mit ihrem Karren.

DER SCHARFRICHTER: Darf ich euer Strengen bitten.

DIE WACHE: Sehr wohl. Wir müssen noch dreihundert Stück besichtigen. Die Gerechtigkeit ist streng, mein Lieber.

DER SCHARFRICHTER: Das Leben ist der Güter höchstes nicht, der Übel größtes aber ist die Schuld, sagt der Dichter, euer Strengen.

Die beiden gehen ab.

DER ERSTE STRASSENKEHRER: Das ist Numero 523. Es ist das nächste Numero.

DER ZWEITE STRASSENKEHRER: Quingenti viginti quattuor, versteht ihr.

DER ERSTE STRASSENKEHRER *indem er die Leiche Bockelsons mustert:* Je, das ist eine brave Leiche.

DER ZWEITE STRASSENKEHRER: Das sind interessante Muskuli! Ich habe Medizin studiert, ihr wißt.

DER ERSTE STRASSENKEHRER: Weiß, weiß.

DER ZWEITE STRASSENKEHRER: Und Theologie!

DER ERSTE STRASSENKEHRER: Tot ist tot, da braucht es keine Theologie.

Bockelson liegt auf dem Karren.

DER ERSTE STRASSENKEHRER: Was der wohl gewesen ist in seinem Leben?

DER ZWEITE STRASSENKEHRER: Er hatte vielleicht das Rappeln.

DER ERSTE STRASSENKEHRER: Schaffen wir das weg. Ein totes Zeug ist wie das andere.

Er stößt Bockelson hinaus, der zweite Straßenkehrer hintendrein.

DER ZWEITE STRASSENKEHRER: Er hatte aber das Rappeln!

Sie verschwinden links, und von der entgegengesetzten Seite kommt der Bischof in seinem Wagen über die Bühne gerollt, die Räder mit den Händen bewegend. Es ist schon dunkel. Er hält vor Knipperdollinck.

DER BISCHOF: Da bist du an deinem Rad und ich in meinem Wagen.

Knipperdollinck stöhnt leise und bewegt sich.

DER BISCHOF: Du hast deinen Weg durchmessen und ich den meinen.

KNIPPERDOLLINCK: Geht es dem Abend zu, ehrwürdiger Vater?

DER BISCHOF: Es ist dunkel.

KNIPPERDOLLINCK: Betet, daß ich nicht sterbe vor dem Morgen. Noch diese Nacht mit meinem Gott und meinem Rad.

DER BISCHOF: Gott wird dir geben, um was du ihn gebeten hast.

KNIPPERDOLLINCK: Ihr habt gesiegt, Bischof von Münster. *Er hängt wieder leblos.*

DER BISCHOF: Es gibt keine Sieger in diesem Kampfe. Ich wollte dir Trost geben und wurde selber getröstet. Ich wollte dich beschenken und war selber ein Bettler. Ich wollte dich widerlegen, und du hast die Welt widerlegt.

Von rechts kommt in prächtiger Kleidung der Landgraf von Hessen.

DER LANDGRAF VON HESSEN: Rad reiht sich an Rad, Qual schließt sich an Qual: Die haben ihre Schuld gebüßt, Eminenz.

DER BISCHOF: Was sprecht ihr von Schuld und von Buße, Landgraf von Hessen. Wie kleine Worte bei so großem Elend! Alles ist eins beim Menschen: Seine Tat und das Rad, an welches ihn Gott geflochten.

DER LANDGRAF VON HESSEN: Sie waren Narren! Der Mensch muß erst das Gehen lernen, bevor er fliegen kann.

DER BISCHOF *traurig:* Als Doktor Luther den Menschen das Gehen beizubringen suchte, konnten sie schon stehen?

DER LANDGRAF VON HESSEN: Ich weiß es nicht.

DER BISCHOF: Wir wollen uns trösten: Am Ende liegen wir alle.

DER LANDGRAF VON HESSEN *auf Knipperdollinck weisend:* Was ist ihnen geblieben?

DER BISCHOF: Zerfetzte Leiber, Schwären voll Eiter und metallenen Fliegen, verhungerte Kinder am Rande der Straße und Huren in den Gassen.

DER LANDGRAF VON HESSEN: Ein sinnloses Leben! Verachtet von allen!

DER BISCHOF: In ihrer Qual liegt der Sinn, Landgraf von Hessen.

DER LANDGRAF VON HESSEN *indem er langsam hinausgeht:* Weh ihnen, sie haben Gott verloren.

DER BISCHOF: Wohl dem, der ihn am Rade wiederfindet.

Nun entfernt sich auch der Bischof. Die Bühne wird ganz dunkel, und nur Knipperdollinck wird grell sichtbar, der auf dem Rade ausgespannt ist.

KNIPPERDOLLINCK: Herr! Herr!
Sieh mich Dir an diesem Rad entgegengebreitet!

Sieh meinen Leib, der zerbrochen ist, und meine Glieder, die in dieses Holz gespannt sind,

das mich umgibt als meine Grenze, die Du mir gesetzt hast, damit ich mich selber erkenne!

Ich habe alles von mir geworfen, als wäre es Feuer in meinen Händen, und Du hast keine meiner Gaben verschmäht.

Herr! Herr!

Nun breitest Du Dein Schweigen über mich, und die Kälte Deines Himmels tauchst Du in mein Herz wie ein Schwert!

Senkrecht steigt meine Verzweiflung zu Dir, eine lodernde Flamme,

und die Qual, die mich zerfleischt,

und der Schrei meines Mundes, der sich Dir entgegenwirft und der nun zu Deinem Lobe verklingt,

denn alles, was geschieht, offenbart Deine Unendlichkeit, Herr!

Die Tiefe meiner Verzweiflung ist nur ein Gleichnis Deiner Gerechtigkeit,

und wie in einer Schale liegt mein Leib in diesem Rad,

welche Du jetzt mit Deiner Gnade bis zum Rande füllst!

DER BLINDE

EIN DRAMA

PERSONEN

Der Herzog
Palamedes, sein Sohn
Octavia, seine Tochter
Negro da Ponte, italienischer Edelmann
Der Hofdichter Gnadenbrot Suppe
Der Schauspieler
Der Musketier Schwefel
Der Edelmann Lucianus
Der Neger
Die Dirne
Der Henker
Gesindel, Strolche

Der Herzog. Palamedes.

PALAMEDES: Mein Vater?

DER HERZOG: Ich sitze inmitten meines Landes im Strahl des untergehenden Tages.

Die Krankheit verläßt den Leib, und im Alter werde ich zum zweiten Mal geboren.

Ein Schweigen ist um mich, eine große Welt der Andacht.

Ich streife ab, was mich bedrückt, doch weicht ein doppelter Kummer nicht von mir:

Eure Schwermut und Octavia, meine Tochter, die mich verlassen hat und die ich liebe.

PALAMEDES: Es ist die Zeit, mein Vater. Die Söhne werden schwermütig, und die Töchter gehen fort.

DER HERZOG: Ihr meldet, daß sich abgesprengte kaiserliche und schwedische Truppen auf unserem Gebiet bekämpfen.

PALAMEDES: Sie sind vertrieben, mein Vater.

DER HERZOG: Vor meinem Schlosse sitzend, will ich die Gnade Gottes genießen: Den Frieden meines Landes und den Frieden meiner Seele.

PALAMEDES: Ich verlasse Euch.

DER HERZOG: Geht, mein Sohn.

PALAMEDES *nach rechts ab.*

Der Herzog. Negro da Ponte.

NEGRO DA PONTE *von links mit gezücktem Degen auftretend:*
Mein Herr.

DER HERZOG: Wer spricht?

NEGRO DA PONTE: In schwedischen Diensten. Wo bin ich
hier?

DER HERZOG: Vor dem Schloß des Herzogs, den man den
Glücklichen nennt.

NEGRO DA PONTE *schaut sich kurz und gleichgültig im Trümmer-
feld um:* Vor dem Schloß des Herzogs, den man den Glücklichen
nennt.

Er geht weiter.

DER HERZOG: Ihr geht an mir vorbei?

NEGRO DA PONTE *bleibt stehen:* Wollt Ihr etwas von mir?

DER HERZOG: Ihr geht an mir vorbei, mein Herr.

NEGRO DA PONTE: Ich gehe weiter.

Er will rechts abgehen.

DER HERZOG: Ihr geht an meinem Schloß vorbei, das sich im
Abendrot mit goldenen Dächern und weißen Türmen vor Euch
erhebt.

NEGRO DA PONTE *verwundert:* Ihr sagt, daß ich an einem
Schloß vorbeigehe?

DER HERZOG: Es steht reich und gewaltig vor Euch.

NEGRO DA PONTE: Wer seid Ihr?

DER HERZOG: Ich bin der Herzog, den man den Glücklichen
nennt. Es gehört mir alles, was Euch umgibt und was Ihr seht:
Das hohe Schloß, das Land, das sich zu Euren Füßen ausbreitet,
die Dörfer, die Wälder und die Hügel, soweit Euer Auge reicht.

NEGRO DA PONTE: Ihr seid blind.

DER HERZOG: Ich bin blind. Die Krankheit, von der ich gene-
sen bin, hat mich blind gemacht.

NEGRO DA PONTE: Man nennt Euch den Glücklichen?

DER HERZOG: Ich bin glücklich.

NEGRO DA PONTE: Ich grüße Euch, mein Herr, und ich grüße Euer Schloß und Euer Glück!

DER HERZOG: Habt Dank.

NEGRO DA PONTE: Ich bin ein italienischer Edelmann, Negro da Ponte mit Namen.

DER HERZOG: Ich grüße Euch, Negro da Ponte. Ich sitze zum ersten Mal nach langer Krankheit an diesem Abend wieder vor dem westlichen Portal meines Schlosses. Es ist ein schönes Portal, Edelmann, nicht wahr?

NEGRO DA PONTE: Ein traumhaftes Portal, mein Herr!

DER HERZOG *zeigt ins Leere:* Alte Arbeit, wie Ihr Euch überzeugen könnt, und die Geschichte Hiobs in den Mauerbogen gemeißelt. Ihr seht den alten Mann links über der Wölbung vor seinem Haus im Lande Ur sitzen. Vor ihm steht der Versucher, der eben aus Zufall vorübergeht.

NEGRO DA PONTE: Ich sehe.

DER HERZOG: Der Versucher hält einen Degen in der Hand.

NEGRO DA PONTE: Einen Degen?

DER HERZOG: Der Steinmetz dachte sich den Versucher mit einem Degen in der Hand.

Negro da Ponte steckt seinen Degen ein.

DER HERZOG: Und weiter seht Ihr die ganze Geschichte gemeißelt: Die Armut Hiobs, seinen Aussatz, wie Gott mit ihm redet, und wie ihm am Ende alles wiedergegeben wird, was er verlor.

NEGRO DA PONTE: Ich bewundere ein Portal, das so schöne Bilder umgeben.

DER HERZOG: Kaiser Otto ritt hindurch, und ein italienischer Edelmann will vorbeigehen.

NEGRO DA PONTE: Ich habe dieses Schloß und dieses Portal nicht beachtet, mein Herr. Ich bin müde.

DER HERZOG: Ihr seid einer von den Feldleuten in schwedischen Diensten, die auf meinem Gebiet mit den Soldaten des Kaisers gekämpft haben?

NEGRO DA PONTE: Ich bin einer von ihnen.

DER HERZOG: Mein Schloß weist dem Wanderer den Weg.

Ihr habt es immer vor Augen gehabt, als Ihr von den Hügeln her durch die Dörfer gekommen seid.

NEGRO DA PONTE: Der Kampf war schwer, mein Herr, und ich mußte schauen, wie ich den Kaiserlichen entkomme. So habe ich Euer Schloß nicht gesehen, aber nun sehe ich es.

DER HERZOG: Es ist ein schönes Schloß, Edelmann.

NEGRO DA PONTE: Ein überaus luftiges Schloß.

DER HERZOG: Was wollt Ihr damit sagen?

NEGRO DA PONTE: Es ist sehr in die Luft gebaut.

DER HERZOG: Es ragt hoch in den Himmel. Und ein herrliches Land. Es gibt wenige Länder in Deutschland, die nicht zerstört sind. So erfreut mein Land Euer Auge doppelt.

NEGRO DA PONTE: Es freut mich zu sehen, daß in Deutschland ein Gebiet von Wallenstein verschont worden ist.

DER HERZOG: Mein Schloß steht unberührt wie am ersten Tag.

NEGRO DA PONTE: Ich danke Euch, daß Ihr mir die Schönheit Eures Schlosses offenbart habt.

Er wendet sich zum Gehen.

DER HERZOG: Ihr geht weiter?

NEGRO DA PONTE: Ich muß Euch verlassen.

DER HERZOG: Ihr wollt in den Krieg zurück?

NEGRO DA PONTE: Ich kehre zurück. *Er wendet sich von neuem zum Herzog:* Ihr sagt, daß Ihr glücklich seid?

DER HERZOG: Mich macht die große Gnade glücklich, die mich umspannt. Der Friede meines Landes und der Friede meiner Seele.

NEGRO DA PONTE: Für einen Sehenden gibt es keine Gnade, mein Herr.

DER HERZOG: Dann müßt Ihr unglücklich sein, Edelmann.

NEGRO DA PONTE: Vielleicht habt Ihr recht. Ihr sitzt blind vor dem westlichen Portal Eures Schlosses, das sich mit weißen Türmen und goldenen Dächern erhebt, und seid glücklich. Ein italienischer Edelmann aber, der in Deutschland Krieg führt, geht an Euch vorüber, sieht und ist unglücklich.

DER HERZOG: Es ist jeder in meinem Schloß willkommen.

NEGRO DA PONTE: Auch ein Unglücklicher?

DER HERZOG: Auch er.

NEGRO DA PONTE: Ich habe hier nichts mehr zu suchen, mein Herr. Ich bin ein Fremder und gehe weiter.

DER HERZOG: Ihr sollt bei mir bleiben, Edelmann.

NEGRO DA PONTE: Was wollt Ihr denn von mir?

DER HERZOG: Ich will Euch etwas geben.

NEGRO DA PONTE: Was kann ein Blinder einem Sehenden geben?

DER HERZOG: Alles, was er besitzt.

NEGRO DA PONTE: Das ist viel, mein Herr, Ihr seid Besitzer von großen Gütern.

DER HERZOG: Ich lege eine große Last auf Eure Schultern: Das Land, über das ich herrsche, mein Schloß, die Dörfer, eine Welt, die Euch umschließt, und die Gnade des Himmels, die mir gegeben worden ist.

NEGRO DA PONTE: Ihr verschenkt die Gnade des Himmels mit vollen Händen.

DER HERZOG: Ich ernenne Euch zu meinem Statthalter.

NEGRO DA PONTE: Ihr wollt einen, den Ihr nie gesehen habt, der zufällig an Euch vorbeikommt und von einem Krieg zu einem anderen Kriege geht, zum Statthalter Eures Landes ernennen?

DER HERZOG: Meine Wahl ist auf Euch gefallen.

NEGRO DA PONTE: Ihr kennt mich nicht.

DER HERZOG: Ihr seid ein Edelmann.

NEGRO DA PONTE: Genügt das?

DER HERZOG: Ich bin blind. Ich muß dem Menschen vertrauen, um zu sehen.

NEGRO DA PONTE: Wie könnt Ihr sehen, wenn Ihr blind seid?

DER HERZOG: Indem ich mich in meine Blindheit ergebe.

NEGRO DA PONTE: Was heißt, sich in seine Blindheit ergeben?

DER HERZOG: Das heißt glauben, Edelmann.

NEGRO DA PONTE: Ihr schweigt?

DER HERZOG: Das ist alles, was Euch ein Blinder zu sagen hat.

NEGRO DA PONTE *nach kurzem Schweigen:* Ich bleibe bei Euch, mein Herr. Bei Euch und bei Eurem Schloß.

DER HERZOG: Ihr seid mein Statthalter.

NEGRO DA PONTE: Ich bin der Statthalter Eurer Blindheit.

DER HERZOG: Hofdichter!

Die Vorigen. Suppe.

Ein zerlumpter Mensch poetischen Anblicks kommt von rechts:
Eure Hoheit?

DER HERZOG: Ihr steht vor Negro da Ponte, einem italienischen Edelmann, der bei den Schweden diente, den ich zum
Statthalter meines Landes gemacht habe.

SUPPE: Ich spende Beifall, Hoheit. Die Traurigkeit des Prinzen
Palamedes gab zu Bedenken Anlaß, ein Statthalter wird ihn ent-
lasten. *Er wendet sich zu Negro da Ponte:* Ich bin der Hofdichter
Suppe, Gnadenbrot mit Vornamen, Herr Statthalter, Gnaden-
brot Suppe mit ganzem Namen, Suppius auf lateinisch, genannt
Philander.

NEGRO DA PONTE: Ich liebe Dichter.

SUPPE: Ich habe den Tod des Nestor geschrieben, eine Tragödie in Alexandrinern, mit Chören in asklepiadeischen Strophen,
wobei die Einheit von Ort, Zeit und Handlung aufs peinlichste
gewahrt worden ist.

NEGRO DA PONTE: Es gibt für die Dichtung kein größeres
Thema, als den Untergang eines alten Mannes zu behandeln.

DER HERZOG: Führ mich in mein Gemach, Hofdichter.

SUPPE: Wie Eure Hoheit befehlen.

DER HERZOG *erhebt sich:* Ich habe Euch die Herrschaft über
das gegeben, was ich besitze, Negro da Ponte.

Ich habe meine Macht einem Fremden geschenkt, der zufällig
irgendwoher gekommen ist.

In der Abendsonne ist Euch ein Land zugefallen. Ihr seid ein reicher Pächter geworden.

Blickt umher, dreht Euch um Euch selbst, schaut, was ich Euch
gegeben habe.

Dieses Schloß, den Mittelpunkt des Reichs, die Ebene darum, die
Dörfer und die Städte. Ein prächtiger Garten, will ich meinen.
Er ist in Eurer Hand, Edelmann.

Empfangt die Gnade von dem, der Gnade um Gnade vom Himmel empfangen hat, den großen Frieden einer unzerstörten Erde,
denn unbegreiflicher als das, was ich an Euch tue,
ist das, was an mir und meinem Volk getan worden ist.

Seid willkommen, Statthalter, in meinem und Eurem Lande!
Ich aber schreite getrost ins Innere meines Schlosses.
Er geht mit Suppe rechts ab. Nach dem Hintergrund.

Negro da Ponte. Palamedes.

PALAMEDES *von links:* Mein Herr.
NEGRO DA PONTE *wendet sich zu ihm:* Wer seid Ihr?
PALAMEDES: Ihr geht nur vorüber, mein Herr?
NEGRO DA PONTE: Ich gehe nur vorüber.
PALAMEDES: Ich darf mir schmeicheln, einen Edelmann aus
Italien kennenzulernen.
NEGRO DA PONTE: Ihr habt mich belauscht?
PALAMEDES: Meine Pflicht, mein Herr. Meine bittere Pflicht.
NEGRO DA PONTE: Wer seid Ihr nun?
PALAMEDES: Ich bin der Gott meines Vaters.
NEGRO DA PONTE: Es freut mich, einen Gott kennenzulernen.
PALAMEDES: Wie gefällt Euch unser Schloß?
NEGRO DA PONTE: Ich gebe mir Mühe, es nicht zu übersehen.
PALAMEDES: Die Leichen duften in harmonischen Sympho-
nien. Kennt Ihr Herrn Wallenstein?
NEGRO DA PONTE: Ich bin einer seiner Generäle.
PALAMEDES: Einem gewissen Blinden habt ihr Euch in schwe-
dischen Diensten angegeben.
NEGRO DA PONTE: Es ist gut, vorsichtig zu sein.
PALAMEDES: Dann werdet Ihr keine Kinder haben. Wir spra-
chen eben von Herrn Wallenstein. Ich schätze ihn, denn er ist
vielseitig: Ein tüchtiger Barbier, er hat dieses Land kahl gescho-
ren, ein guter Kuppler, er hat es gleich mit den Ratten in ein Bett
gebracht, und ein wackerer Missionar, der das ganze Gebiet zum
Jenseits bekehrt hat.
NEGRO DA PONTE: Was wünscht Ihr von mir?
PALAMEDES: Ein gutes Fortkommen.
NEGRO DA PONTE: Ihr habt mir Euren Namen nicht gesagt.
PALAMEDES: Prinz Palamedes, mein Herr. Doktor in schmerz-
lichen Reden und Denker verschiedener Gedanken.
NEGRO DA PONTE: Euer Vater ist blind.

PALAMEDES: Ihr seid nicht blind, General?

NEGRO DA PONTE: Ich bin nicht blind.

PALAMEDES: Ihr seht?

NEGRO DA PONTE: Ich sehe.

PALAMEDES: Wieviel ist zwei mal zwei?

NEGRO DA PONTE: Vier.

PALAMEDES: Mein Vater sagt fünf.

NEGRO DA PONTE: Und Ihr?

PALAMEDES: Sechs. Die Kunst gibt viel zu tun, mein Herr.

NEGRO DA PONTE: Was für eine Kunst?

PALAMEDES: Die Träume meines Vaters. Der Friede seines Landes und der Friede seiner Seele.

NEGRO DA PONTE: Ich bewundere Eure Kunst.

PALAMEDES: Ihr bewundert, was man aus Nichts machen kann: Alles, mein Herr, Schlösser, Wälder, Städte, Dörfer, einen gütigen Gott und das Glück eines Menschen. Es ist eine große Kunst, das Glück, es ist eine erhabene Materie, das Nichts!

NEGRO DA PONTE: Ihr habt Eurem Vater viele Dinge eingeredet.

PALAMEDES: Ich habe ihm nichts ausgeredet. Er war krank, als sein Land angegriffen wurde, bewußtlos, als es der Zerstörung verfiel, und als mein Vater erwachte, hatten Krankheit und Wallenstein zugleich ihr Werk vollendet: Das Land war untergegangen und der Herzog blind. Der Himmel hat ihm die Augen zugehalten.

NEGRO DA PONTE: Ihr tut das gleiche.

PALAMEDES: Man soll den Himmel an Tugend nicht übertreffen, Edelmann. Ich spiele mit. Ein einsames Spiel, wie es zwischen den Trümmern im letzten Abend der Zeit blüht.

NEGRO DA PONTE: Ein verlockendes Spiel.

PALAMEDES: Ein mühsames Spiel. Es ist für mich und unseren Hofdichter eine große Arbeit, das Rad der Geschichte zurückzudrehen.

NEGRO DA PONTE: Der Herzog glaubt Euch alles?

PALAMEDES: Der Herzog glaubt überhaupt alles.

NEGRO DA PONTE: Warum sagt Ihr Eurem Vater nicht die Wahrheit?

PALAMEDES: Man soll nicht fragen, warum ich barmherzig bin.

NEGRO DA PONTE: Aus Liebe?

PALAMEDES: Es gibt keine Liebe. Man muß eingesehen haben, daß es nichts gibt, um meine Kunst zu verstehen. Aber kümmert Euch nicht um meinen Vater. Bewegt Euch, wenn ich bitten darf, links um jene auf die erhabenste Weise zerbrochene Säule, und Ihr werdet zur Ebene gelangen. Ihr könnt weitergehen, und ich muß bleiben.

NEGRO DA PONTE: Ich könnte weitergehen.

PALAMEDES *verneigt sich:* Ich nehme Abschied von Euch, Statthalter über nichts. Ihr habt hier nichts mehr zu suchen.

NEGRO DA PONTE: Ich fand, was ich suchte. Ich suche nichts mehr.

Er schlägt Palamedes mit einem einzigen Hieb seiner Faust nieder.

Die Vorigen. Der Schauspieler.

Der Schauspieler kommt von links. Sein Kleid muß einmal ein Kleid höchster Eleganz französischer Mode gewesen sein, nun wetteifert es mit dem Zustand des damaligen Deutschland. In der Hand hält er einen Degen.

DER SCHAUSPIELER: Mein General.

NEGRO DA PONTE: Mein Freund?

DER SCHAUSPIELER: Euch ist ein neuer Sieg über die Schweden zugefallen, den Ihr wie eine schöne Dame an Euren Busen drückt: Es lebe der Sieg!

NEGRO DA PONTE: Ich siege immer.

DER SCHAUSPIELER: Und dies mit einem so kleinen Heer, daß auf jeden Mann zehntausend Flöhe kommen.

Er kratzt sich.

NEGRO DA PONTE: Ihr seid durch dieses Land gegangen. Habt Ihr jemand getroffen?

DER SCHAUSPIELER: Niemand, Euer Gnaden. Es ist ein eintöniges Herzogtum, das schon lange zerstört ist.

NEGRO DA PONTE: Ihr werdet meine Leute in diese Ruinen führen.

DER SCHAUSPIELER: Ein dreckiger Schlupfwinkel.

NEGRO DA PONTE: Ein sicherer Schlupfwinkel.

DER SCHAUSPIELER: Ein willkommener Schlupfwinkel. Wir werden Muße haben, uns mit schwedischen Hinterlassenschaften zu beschäftigen: Mit Weibern aus Frankreich, mit Bier aus Holland, mit Rindvieh aus Dänemark und mit einem Prediger, der wie gewöhnlich aus der Schweiz kommt.

NEGRO DA PONTE: Ihr seid ein Schauspieler?

DER SCHAUSPIELER: Ein Meister der richtigen Atmung und der großen Worte. Mitglied der Truppe seiner Eminenz des Kardinals Richelieu, in das Heer Eurer Gnaden verschlagen.

NEGRO DA PONTE: Ich liebe Schauspieler.

DER SCHAUSPIELER: Es gibt kein größeres Vergnügen als das Schauspiel.

NEGRO DA PONTE: Habt Ihr Possenreißer?

DER SCHAUSPIELER: Das ganze Heer besteht aus Possenreißern wider die menschliche Gerechtigkeit.

NEGRO DA PONTE: Ihr versteht zu improvisieren?

DER SCHAUSPIELER: Sehr wohl.

NEGRO DA PONTE: Dann werdet Ihr einen französischen Chevalier improvisieren, kaiserlicher Gefangenschaft entwichen, der den Herzog dieses Landes um Schutz bittet.

DER SCHAUSPIELER: Dazu müssen wir einen Hofstaat haben.

NEGRO DA PONTE: Eure Fantasie wird aus diesen Trümmern den vortrefflichsten Hof Deutschlands machen.

DER SCHAUSPIELER: Ich denke mir in diesen Ruinen einen auf eine spezielle Art ruinierten Herzog.

NEGRO DA PONTE: Ich habe diesen Herzog gefunden, mein Freund.

DER SCHAUSPIELER: Einen ruinierten?

NEGRO DA PONTE: Noch besser: Einen blinden.

DER SCHAUSPIELER: Einen ganz ruinierten.

NEGRO DA PONTE: Er ist das beste für ein Mitglied der Truppe seiner Eminenz: Ihr könnt ihm vorspielen, was Ihr wollt, und er wird alles glauben.

DER SCHAUSPIELER: Es wird eine lustige Komödie geben.

NEGRO DA PONTE: Führt nun meine Leute herbei.

Der Schauspieler geht links ab, und Negro da Ponte kniet bei Palamedes und untersucht ihn.

Die Vorigen. Octavia.

OCTAVIA *kommt von rechts in zerrissenen Männerkleidern. Sie hält in der Hand eine Pistole, die sie auf Negro da Ponte richtet:* Es freut mich, Euch kennenzulernen, mein Herr.

NEGRO DA PONTE *schaut auf:* Wer seid denn Ihr?

OCTAVIA: Was macht Ihr mit meinem Bruder, mein Herr?

NEGRO DA PONTE: Ich habe ihn niedergeschlagen.

OCTAVIA: Ihr seid ein Mann, der alles niederschlägt.

NEGRO DA PONTE: Gewisse Formulierungen lassen sich nur auf diese Weise sagen. Ihr wollt auf mich schießen.

OCTAVIA *wirft ihm die Pistole hin:* Sie ist nicht geladen. Wer seid Ihr?

NEGRO DA PONTE: Ich bin Negro da Ponte, ein italienischer Edelmann.

OCTAVIA: Ich bin Octavia, die Tochter eines Blinden.

NEGRO DA PONTE: Das freut mich.

OCTAVIA: Was tut Ihr in Deutschland, italienischer Edelmann?

NEGRO DA PONTE: Ich führe Krieg.

OCTAVIA: Eure Beschäftigung ist, Menschen umzubringen?

NEGRO DA PONTE: Das ist heute Sitte.

OCTAVIA: In wessen Diensten?

NEGRO DA PONTE: General im Heere Wallensteins.

OCTAVIA: Dann seid Ihr mein Feind.

NEGRO DA PONTE: Wo zwei Menschen sind, sind zwei Feinde. *Er untersucht die Pistole:* Sie ist geladen. Warum habt Ihr mich nicht getötet, wenn ich Euer Feind bin?

OCTAVIA: Es gibt nichts Langweiligeres als tote Menschen, denn sie schweigen. *Nach einer Pause:* Man sagt, Italien sei ein schönes Land.

NEGRO DA PONTE: Ich habe nie ein schöneres Land gesehen.

OCTAVIA: Kennt Ihr viele Länder?

NEGRO DA PONTE: Frankreich, die Niederlande, Spanien, Afrika, Amerika.

OCTAVIA: Alle diese Länder sind schön?

NEGRO DA PONTE: Alle sind schön, aber Italien ist am schönsten.

OCTAVIA: Dieses Land, in welchem ich geboren wurde, ist nicht schön. Es ist häßlich und schmutzig.

NEGRO DA PONTE: Einmal ist es auch schön gewesen.

OCTAVIA: Ich will mich nicht daran erinnern. Ich habe dieses Land aus meinem Herzen gerissen. Warum habt Ihr Italien verlassen, wenn es das schönste Land ist?

NEGRO DA PONTE: Weil ich nichts von seiner Schönheit wußte. Schönheit muß man erst lernen.

OCTAVIA: Ihr wißt, was schön und häßlich ist?

NEGRO DA PONTE: Das ist vielleicht das einzige, was der Mensch wissen kann.

OCTAVIA: Bin ich schön?

NEGRO DA PONTE: Ihr seid schön wie das Land Italien.

OCTAVIA: Meine Mutter war aus Italien. *Nach einer Pause:* Und jetzt, da Ihr wißt, daß Italien das schönste Land ist, kehrt Ihr zurück?

NEGRO DA PONTE: Ich kehre nie zurück, ich gehe immer weiter.

OCTAVIA: Wohin?

NEGRO DA PONTE: Ins Grenzenlose.

OCTAVIA: Auch hieher kehrt Ihr nicht zurück, wenn Ihr einmal weitergeht?

NEGRO DA PONTE: Auch hieher kehre ich nicht zurück.

Octavia berührt Palamedes mit dem Fuß.

OCTAVIA: Habt Ihr ihn getötet?

NEGRO DA PONTE: Ihr scheint Euch nicht um Euren Bruder zu kümmern.

OCTAVIA: Ich kümmere mich um niemand.

NEGRO DA PONTE: Auch nicht um Euren Vater?

OCTAVIA: Ich habe meinen Vater und meinen Bruder vergessen.

OCTAVIA: Wie lebt Ihr in diesem Lande?

OCTAVIA: Wie ein Tier. Aber ich lebe! *Nach einer Pause:* Warum seid Ihr zu mir gekommen?

NEGRO DA PONTE: Aus Zufall.

OCTAVIA: Wie lange werdet Ihr bleiben?

NEGRO DA PONTE: Ich weiß es nicht.

OCTAVIA: Ihr werdet mich zu Eurer Geliebten machen?

NEGRO DA PONTE: Warum meint Ihr das?

OCTAVIA: Ich liebe es, klare Verhältnisse zwischen den Menschen zu haben. Ich hasse meinen Vater, und ich verachte meinen Bruder. Es ist leicht zu wissen, was Ihr mit mir tut – Ihr könnt mich lieben oder hassen. Ihr könnt mich niederschlagen wie meinen Bruder.

NEGRO DA PONTE: Ein italienischer Edelmann schlägt kein Weib nieder.

OCTAVIA: Warum seid Ihr nicht weitergegangen? Was wollt Ihr in diesen Ruinen?

NEGRO DA PONTE: Ich hatte den Einfall, zu bleiben.

OCTAVIA: Ihr liebt es, Euren Einfällen nachzugeben?

NEGRO DA PONTE: Ich gehe nur meinen Einfällen nach.

OCTAVIA: Dann könnt Ihr auch den Einfall haben, mich zu töten.

NEGRO DA PONTE: Ich töte kein Weib.

OCTAVIA: Aber Ihr tötet ein Tier.

NEGRO DA PONTE: Ich lasse vor allem die Tiere leben.

OCTAVIA: Was kann Euch ein Tier geben? Es kennt nichts als das Heulen des Windes.

NEGRO DA PONTE: Das Tier hat viel, was ich nicht habe. Es hat einen Bruder, den es verachtet.

OCTAVIA: Es gibt Euch seinen Bruder.

NEGRO DA PONTE: Es hat einen Vater, den es haßt.

OCTAVIA: Es gibt Euch seinen Vater. Was gebt Ihr einem Tier für seinen Bruder und für seinen Vater?

NEGRO DA PONTE: Ich verwandle es in einen Menschen.

OCTAVIA: In was für einen Menschen? Das Tier verachtet die Menschen.

NEGRO DA PONTE: In meinesgleichen.

OCTAVIA: Was habt Ihr mehr als ein Tier?

NEGRO DA PONTE: Die Herrlichkeit und die Verzweiflung der Welt.

OCTAVIA: Das ist mehr und das ist weniger als ein Tier hat.

NEGRO DA PONTE: Ich nehme Euch alles, und ich gebe Euch alles.

OCTAVIA: Und wenn Ihr mir alles genommen und wenn Ihr mir alles gegeben habt?

NEGRO DA PONTE: Dann verlasse ich Euch.

OCTAVIA: Ihr könnt diese schwarzen Trümmer und mich nicht mehr verlassen. Wer die Ruine betreten hat, ist den Ruinen verfallen. Auch wenn Ihr bis ans Ende der Welt geht, auch wenn Ihr mich tötet. Aber ich werde Euch verlassen.

NEGRO DA PONTE: Ist das nicht dasselbe?

OCTAVIA: Es ist nicht dasselbe. Seht zu, was Euch dann bleibt, Edelmann. Denn ich bin schön wie das Land Italien.

Die Vorigen. Suppe. Später das Gesindel des Italieners.

SUPPE *aus dem Hintergrund:* Allergnädigste Prinzessin, allergnädigster Herr Statthalter! *Er erblickt den liegenden Palamedes:* Oh! Allergnädigster Prinz Palamedes!

NEGRO DA PONTE: Was wollt Ihr?

SUPPE: Der Herzog wünscht diese Nacht eine große Rede an sein Volk zu halten.

NEGRO DA PONTE: Es ist gut, Hofdichter.

SUPPE: Es wird eine schwierige Aufgabe sein, einen Volkshaufen darzustellen. Wenn vielleicht auch gnädigste Prinzessin Hurra schreien würde? Mensch sein heißt das scheinbar Unmögliche wacker vollbringen, spricht Nestor, als er zu Beginn meiner Tragödie plötzlich schwankt, denn er stirbt zum Schluß am Herzschlag.

NEGRO DA PONTE: Wen erwartet der Herzog?

SUPPE: Edles, vornehmes Volk, stolzes Geblüt seines Landes. Aber alles gehängt und unter der Erde. Die Völkerstämme schweben wie rote Blätter von den Wipfeln, sagt des Nestor Weib, als sie ihren Mann ins Bett legt.

NEGRO DA PONTE: Wie sah der Thronsaal aus, Herr Hofdichter?

SUPPE: Säle, in denen Throne ragen, sind wie Gärten, still und voller Anstandsregeln, singt das ungeborene Kind im Mutterleibe, zehnter Chorgesang, vierte Strophe. Es war ein großer Saal, von dem leider auch nichts übrig ist, denn er stand hier, wie Ihr seht, oder besser, nicht seht. Alles vergeht, nur die Dichtung besteht. Der Thron erhob sich auf sieben Marmorstufen, und hinter ihm ragten die Statuen der Gerechtigkeit, der Weisheit und der Tugend.

NEGRO DA PONTE: Meldet dem Herzog, sein Volk versammle sich im Thronsaal.

Suppe ab.

NEGRO DA PONTE: Ich habe zwischen Verfall und Verwesung einen Blinden gefunden und seinen Sohn, wie man kleine, seltene Tiere findet, die man in die Hand nimmt und betrachtet.

Dann habe ich Euch gefunden, ein Geschöpf, das zwischen den Trümmern wie eine Gefangene auf und ab geht.

Wir stehen einander mit weißen Gesichtern in der Dämmerung gegenüber und sehen uns an.

Wir haben uns getroffen zwischen Leben und Tod, auf der Grenze von Tag und Nacht.

Wir wissen nicht, was wir miteinander tun sollen. Die Bewegungen des einen kommen dem andern wie seltsame Blumen vor, die sich öffnen.

So geht es mir mit Euch.

Wenn Ihr ein Wort sagt, weiß ich nicht, was es bedeutet.

Wir hören einander und verstehen uns nicht. Doch werde ich Euch nicht verbergen, was ich nun tue.

Ihr seid Zeuge von allem, was ich unternehme. Ich gieße jetzt in diesen Raum die Geschöpfe, die der Krieg in meine Hand gespült hat.

Das Gefäß dieser Landschaft, leer geworden durch Brand und Mord, fülle ich aufs neue mit einem schmutzigen Strom, der von allen Ländern der Erde nach dieser Mitte fließt, von Norden, Süden, Westen und Osten.

Von allen Seiten strömt das zerlumpte Heer Negro da Pontes herein. Die Bühne wird immer dunkler.

Das ist, was ich einem Blinden bringe und einem besiegten Land: Das Getier der Nacht, die Schlangen, die sich im Grund des Schreckens ringeln.

So kommen denn von allen Seiten jene, die meinem Wort gehorchen und einer leisen Bewegung meiner Brauen.

Ein dunkles Gewölk, das mich umgibt, denn ich bin eine Sonne, die über das öde Schlachtfeld rollt.

Ich rufe, und die Nacht antwortet.

Sie öffnet ihren Schoß, und aus der roten Wunde quillt hervor, was sie gebiert.

Meine Geschöpfe schwanken mit schweren Leibern herbei, die in der Finsternis wie giftige Schwämme sind.

Nebelschwaden kriechen aus den Sümpfen Asiens und Afrikas heran.

So entsteht ein neues Volk, ein Untier, das einen neuen Fluch ausbrütet.

Mörder, Zauberer, Falschmünzer und Huren lassen sich auf dieses erbärmliche Stück Erde nieder und falten die Flügel wie Fledermäuse.

Sie sind gekommen, einen Blinden auf das Folterbrett zu spannen, lüstern die spitzen Zähne in sein Fleisch zu schlagen.

So kommt denn heran, meine Mäuschen, meine Vipern, meine gierigen Ratten und lüsternen Lüchslein!

Umringe mich, mein Heer, Genosse meiner Siege! Ich gab dir Blut zu trinken, nun gebe ich dir ein Spiel zu sehen.

Ich zeige dir einen Blinden.

Er weiß nicht, daß sein Volk untergegangen ist, und er kennt die Ruinen seines Hauses nicht. Spiele ihm nun seinen Untergang.

Denn ich bin da, einen Blinden zu versuchen. In seiner Verzweiflung erkenne ich meine Grenze und in seiner Qual sein Antlitz.

Also hänge ich ihm einen fluchbeladenen Mantel um die Schultern und drücke ihm eine Krone von Aussatz in die Stirne.

Die Nacht, die uns umgibt, ist wie seine Nacht, denn eine Qual ist wie die andere. Euch aber, Octavia, reiche ich meine Hand, eine Brücke, die ein Fremder zu einer Fremden hinüberschlägt.

Seht, wie meine Zelte das Schloß Eures Vaters umspannen, ein weiter Bogen.

So will ich mit Euch in jenes Reich schreiten, das mein Geist
nun erschafft, während über uns, in einem Himmel, der ohne
Gnade ist, ein Komet seine Bahn zieht:
Ein einsamer Kranz meines Hauptes, nächtlicher Efeu, der leise
an meiner Schläfe zittert.

Er schreitet mit Octavia ins Dunkel hinein.

*Der Schauspieler. Lucianus. Schwefel. Der Neger. Die Dirne und
das Gesindel. Palamedes. Jagendes blaues Licht.*

SCHWEFEL: Es zieht ihn schwer unter die Erde mit seiner blau-
en Nase, und er bedeutet Pestilenz.

LUCIANUS: Er bedeutet, was er bedeutet.

SCHWEFEL: Wir zählen fünfzehn Jahre Krieg, ohne daß ein
Komet gekommen wäre. Nun hängt einer vor uns, torkelt quer
durch den Himmel und bedeutet Pestilenz und Weltuntergang.

LUCIANUS: Die Welt ist untergegangen.

DER SCHAUSPIELER *hebt seinen Humpen:* Ich trinke auf die
letzten Menschen!

LUCIANUS: Auf das, was nachher kommt.

DER SCHAUSPIELER: Wir haben so große Weinfässer von den
Schweden erbeutet, daß wir in jedem ein Nonnenkloster baden
können.

SCHWEFEL: Wir können einen Mond wie Graf Isolani leben,
der am Morgen vor der Schlacht bei Lützen ein ganzes Schwein
gegessen hat.

DER SCHAUSPIELER: In einem Mond sind wir tot. Tapfere
Helden, den Schweinen und dem Wein erlegen.

LUCIANUS: Tot ist tot.

SCHWEFEL: Es ist ein unanständiger Komet, der eine Gegend
beleuchtet, die Löcher in den Hosen hat.

LUCIANUS: Ein Ziegenbock von einem Stern.

DER SCHAUSPIELER: Er trägt ein prächtiges blaues Gewand
von einem Schwanz. Solche Wämser habe ich in Paris getragen,
ich, Monsieur Maurice, der Schauspieler, der berühmte Schauspieler, der grandiose Schauspieler. Rubens hat mich in meiner
Jugend abgebildet, wie ich als Ganymed in den Fängen eines

Adlers entschwebe, und später zwinkerte mir ihre Majestät, die Königin von Frankreich, mit ihrem rechten Auge zu. Ich trinke auf Paris, eine Stadt wie dieser Komet, eine Stadt wie ein Märchen.

LUCIANUS: Ihr hättet nicht im Bett einer Geliebten des Kardinals Richelieu liegen sollen, und Ihr wäret noch dort.

DER SCHAUSPIELER: Ihr hättet nicht so viel Kardinal trinken sollen, und Ihr säßet noch auf eurem Schloß in den Niederlanden.

LUCIANUS: Es war ein guter Kardinal, Schauspieler!

DER SCHAUSPIELER: Es war eine schöne Geliebte, Edelmann.

LUCIANUS: Es ist ein edler Komet.

SCHWEFEL: Er bedeutet, daß es Frieden gibt.

ALLE *tödlich erschrocken:* Frieden?

SCHWEFEL: Ein Komet bedeutet etwas Schlimmes, und es ist ein großer Komet, der das Allerschlimmste bedeutet: Der Krieg wird eine schlimme Wendung zu einem ewigen Frieden nehmen!

LUCIANUS: Wenn keine Menschen mehr sind.

DER SCHAUSPIELER: In Deutschland gibt es nicht mehr viele Menschen.

DER NEGER: Deutschland kaputt.

SCHWEFEL: Nun ist nur noch der Schwanz zu sehen.

DER SCHAUSPIELER: Ein bunter Schleier um den Hals der Erde.

DER NEGER: O Sabel am Himmel: Weiße Mann kaputt!

LUCIANUS: Es nimmt ein Ende mit der Christenheit.

DER SCHAUSPIELER: Wenn es auch ein Ende mit der Christenheit nimmt, wird es kein Ende mit der Schurkenheit nehmen. Für uns ist immer noch Platz auf der Erde.

DER NEGER: Erde kaputt.

SCHWEFEL: Nun ist auch der Schwanz verschwunden.

LUCIANUS: Die Zeit wird alt.

DER NEGER: Komet kaputt, Welt kaputt.

SCHWEFEL: Nichts bleibt. Kein Komet, kein Schnaps, kein Mensch.

DER SCHAUSPIELER *kniet bei Palamedes:* Da liegt einer am Boden.

SCHWEFEL: Die Leichen bleiben.

138

Der Schauspieler richtet Palamedes auf, der zu sich kommt und entsetzt um sich blickt.

PALAMEDES: Meine Herren!

LUCIANUS: Er hat Manieren. Er ist ein Prinz.

DER SCHAUSPIELER: Willkommen in der Unterwelt, mein Prinz, willkommen im Leben nach dem Tode, im löchrigen Palast unseres Sieges, in der windigen Halle unseres Ruhmes!

PALAMEDES: Wer seid ihr?

LUCIANUS: Ritter der roten Nasen, Barone der unehelichen Kinder, Grafen der Feuersbrünste, Herzöge der Leichenschänder und Könige von Raub und Mord.

PALAMEDES: Das sind edle Titel. Wer gab sie Euch?

SCHWEFEL: Die Läuse.

PALAMEDES: Was wollt Ihr?

DER SCHAUSPIELER: Wir spielen eine tragische Komödie oder eine komische Tragödie.

PALAMEDES: Die Rollen?

DER SCHAUSPIELER: Gute Rollen. Herzöge, Generäle, Prinzen, Nonnen, Hungerleider und viel armes Volk. Auch ein dicker Wallenstein und ein Naturbursche kommen vor.

PALAMEDES: Zeigt mir einen Hungerleider, mein Herr.

Schwefel tritt vor.

DER SCHAUSPIELER: Ein stattlicher Hungerleider. So dick wie Pharaos sieben fette Kühe zusammen. Die Kunst entströmt der Fülle.

PALAMEDES: Laßt mich eine Nonne sehen.

Aus dem Hintergrund kommt die Dirne.

DER SCHAUSPIELER: Mehr denn eine Nonne: Eine Äbtissin. Ein Wunder an Tugend, ein Wunder an Nächstenliebe. Sie liebt nur aus nächster Nähe. Im vollsten Besitz der Keuschheit, eine Großgrundbesitzerin an Keuschheit, mit bestem Gewissen zu sagen. Ganze Rekrutenbataillone haben ihre Keuschheit an diese Dame abgegeben, sie könnte unseres Kaisers Armee damit einkleiden.

PALAMEDES: Nun Wallenstein. Wir freuen uns, den berühmten General kennenzulernen.

Der Neger tritt vor.

DER SCHAUSPIELER: Der Kunst ist nichts unmöglich. Ein königlicher Feldherr mit einer schwarzen Seele. Ihr seht, die Schauspieler sind nach den neusten Erkenntnissen der Theaterkunst ausgewählt.

PALAMEDES: Zeigt mir den Naturburschen.

Lucianus tritt vor.

DER SCHAUSPIELER: Ein besonders natürliches Exemplar. Es gibt nichts Natürlicheres für ihn, als Burschen zu lieben.

PALAMEDES: Und auf welchem Flecken dieser Erde spielt sich die Komödie ab?

DER SCHAUSPIELER: Im Thronsaal Eures Vaters.

PALAMEDES: Auf dem traurigsten Flecken, in einem Friedhof. Nun zeigt mir den Thron.

Einige Strolche tragen einen halbzerstörten Thron herbei.

DER SCHAUSPIELER: Ein heruntergekommener Thron.

PALAMEDES: Sehr wohl. Er parodiert die menschliche Macht, und die Nacht, in der sich alles abspielt, bedeutet, daß dunkle Zeiten gekommen sind.

DER SCHAUSPIELER: Fackeln her! Dunkle Zeiten brauchen eine Erleuchtung!

Die Menge weicht zurück, und nur Palamedes bleibt im Vordergrund links. Die Bühne erhellt sich, nur der Hintergrund rechts bleibt dunkel.

Negro da Ponte. Die Vorigen. Später der Herzog und Suppe.

NEGRO DA PONTE *auf den Stufen im Hintergrund:* Seid willkommen, mein Prinz, in der Mitte meines Heeres.

PALAMEDES: Ihr seid nicht weitergegangen, Edelmann? Man sollte immer weitergehen.

NEGRO DA PONTE: Ich habe gesehen, was Eure Kunst vermag. Ich bitte nun, meine Kunst zu betrachten.

PALAMEDES: Ihr wißt meine schwache Seite zu treffen.

NEGRO DA PONTE: Ihr fürchtet Euch nicht?

PALAMEDES: Nur zu, mein Herr aus Italien! Der welke Schoß der runzligen Vettel, die sich unsere Zeit nennt, ist nicht mehr imstande, ein neues Grauen zu gebären.

NEGRO DA PONTE: Führt den Herzog herein.

In der Tiefe des Hintergrunds rechts wird der Herzog sichtbar, neben ihm Suppe. Der Schauspieler geht auf den Herzog zu.

DER SCHAUSPIELER: Ich bitte um die Gnade, Eure Hoheit führen zu dürfen.

DER HERZOG: Ich bin blind.

DER SCHAUSPIELER: Ein französischer Chevalier bietet Euch seine Hilfe an.

DER HERZOG: Ich bin blind.

DER SCHAUSPIELER: Eure Hoheit haben Hilfe nötig.

DER HERZOG: Ihr seid ein französischer Chevalier?

DER SCHAUSPIELER: Ein französischer Chevalier, kaiserlicher Gefangenschaft entwichen, der den Befehl Eurer Hoheit erwartet.

DER HERZOG: Führt mich mitten durch die Großen des Landes, die mich in diesem Saal erwarten, auf dem weißen Weg aus Marmor zu meinem Thron.

DER SCHAUSPIELER: Ich werde Eure Hoheit führen.

Der Schauspieler führt den Herzog mitten durch das Gesindel zum Thron. Suppe geht nach dem Vordergrund rechts und bleibt dort stehen.

DER SCHAUSPIELER: Wir sind beim Thron Eurer Hoheit angelangt.

DER HERZOG: Ihr müßt mir helfen. Ich bin ein alter Mann. Ich bin unsicher in meiner Blindheit.

Der Schauspieler hilft ihm, als sich der Herzog setzt.

DER HERZOG: Ordnet meinen Mantel, Chevalier.

Der Schauspieler legt ihm seinen zerrissenen Mantel zurecht.

DER SCHAUSPIELER: Der Mantel Eurer Hoheit ist nach französischem Zeremoniell wohl geordnet. Die Falten symmetrisch und die Spitze des linken Fußes bedeckt.

DER HERZOG: Sieben Stufen aus weißem Marmor führen zu meinem Thron, der steil in den Saal ragt.

DER SCHAUSPIELER: Die sieben Stufen befinden sich vor Eurer Hoheit. Der Saal wurde umgebaut, so daß Ihr von der Türe ebenen Fußes zu Eurem Thron gelangen könnt. Die Blindheit Eurer Augen machte dies notwendig.

DER HERZOG: Die Blindheit meiner Augen.

DER SCHAUSPIELER: Ihr würdet den Saal kaum erkennen, so sehr hat er sich durch diesen Bau verändert.

DER HERZOG: Die Welt verändert sich, und selbst ein lebloses Ding wie dieser Saal nimmt eine andere Gestalt an. Nur die Welt des Blinden verändert sich nicht.

DER SCHAUSPIELER: Alle Dinge sind veränderlich, Hoheit.

DER HERZOG: So gebt mir Eure Augen, Chevalier.

DER SCHAUSPIELER: Ich werde nicht von Eurer Seite weichen.

Hinter dem Thron stellen sich Schwefel, der Neger und die Dirne auf.

DER HERZOG: So sagt denn, was Ihr seht.

DER SCHAUSPIELER: Überaus prächtig, Hoheit, ist der Anblick des Saales, den Ihr, von sieben Stufen getragen, mit Eurem Leibe krönt, voll im Lichte der Leuchter, die Euch mit Gold überschütten.

Hinter Euch erheben sich die Standbilder der Weisheit und der Tugend, zu beiden Seiten der Gerechtigkeit hingegossen,

die mit verbundenen Augen die Waage hält und das Schwert trägt.

Vor Euch, in der Tiefe des Raums, auf der endlosen Fläche des Marmors, knien die Edlen des Reichs,

bereit, Euch ewige Treue zu schwören.

Die Männer sind stumm vor Ehrfurcht, und die Mütter heben ihre Kinder empor, die gleichsam wie Früchte in ihren Händen liegen.

Es ist ein erhabener Anblick, Eure Hoheit, es ist,

als würde die Erde ihren ewigen Lauf um die Sonne für einen Moment unterbrechen, da Ihr, nach langer Krankheit, wieder vor Eurem Volk erschienen seid.

Er verbeugt sich, das Gesindel klatscht lautlos Beifall.

DER HERZOG: Nachdem uns die Hälfte jener Zeit seit langem verflossen, die unserem Leben gegeben ist, vor dem Höchsten zu bestehen, befiel uns,

als wir schon glaubten, einst unbeschadet in der Erde zu ruhen, eine Krankheit, die unseren Augen das Licht entriß, so daß die Nacht des Grabes uns umgibt, bevor wir noch in dieses hinabgestiegen sind. Uns ward große Gnade zuteil, die auf uns ruhte

142

als eine schwere Last, wie ein Raub, den wir begangen, und wie Gold, das uns nicht zukommt.

Wir haben viel Reichtum und Macht.

Unsere Felder sind unermeßlich.

Sie breiten sich weit über die Ebene, die mit Städten und Dörfern besät ist.

Der Krieg hat sich von uns gewandt.

Nur von ferne sind die brennenden Dörfer als ein schwaches Leuchten in der Stille des Abends jenseits der Hügel sichtbar.

Der dunkle Zug der Vögel, die in weiten Kreisen die Schlacht umkränzen, meidet unser Land, und dieser Palast, der uns alle umgibt, hochragend, an dem Jahrhunderte bauten, ist unversehrt.

Doch wird dem Menschen Gutes und Schlechtes gegeben, Gnade und Fluch.

Uns verdirbt der Sohn, hinabgesenkt in unvergänglichen Gram, Palamedes,

und fremd bin ich Octavia, dem geliebten Kind, das meinem Herzen näherliegt als jetzt meine Hand.

Nun mußten wir auch unsere Krankheit demütig entgegennehmen.

Wir sind blind, und der riesige Leib ist hilflos, so ist denn alles bezahlt.

Heiter ist nun das Alter.

Voll genieße ich, was mir gegeben worden ist am Abend meiner Zeit:

Den Frieden meines Landes, die Stille meiner Seele und eure Liebe, die ihr mich wie einen Vater umringt.

Wir haben Negro da Ponte zum Statthalter über dieses Reich gesetzt.

Er wird eure Schritte leiten und die Geschicke dieses Landes überwachen.

Ihm sei die Weisheit und die Liebe zu allen Dingen verliehen.

Wir aber, gekrönt und alt, sitzend auf diesem Thron, der euch alle überragt, sprechen über euch und eure Taten das Recht, obgleich mit schrecklicher Blindheit behaftet wie das Standbild der Gerechtigkeit hinter uns.

Wir beten nun zu Gott, im Angesicht von euch allen,
zu eurem und unserem Richter,
daß uns der Glaube gegeben werde, die Nacht, die uns umfängt,
wie mit einem Schwert zu zerteilen,
damit sich in seinem Lichte das Gute vom Schlechten scheide.
Wer Klage hat, trete hervor, und wer den Schutz unserer Krone
benötigt, beginne zu sprechen.

Die Dirne tritt hervor.

DIE DIRNE *tief dekolletiert:* Die Gräfin Freudenberg, Hoheit,
tritt zaghaften Busens vor Euch, von jedem Schutz entblößt, indem sie Eure Hand küßt und auf die Knie fällt.

DER HERZOG: Ihr sollt nicht knien, Gräfin.

DIE DIRNE: Ich rufe den Schutz Eures Thrones an.

DER HERZOG: Sprecht.

DIE DIRNE: Ich war Äbtissin eines Klosters.

DER HERZOG: Wo befand sich dieses heilige Haus?

DIE DIRNE: In München in Bayern. Wir gaben uns ganz dem
Dienst der Liebe hin. Wir waren nie unwillig. Stets waren wir
bereit, uns denen zu schenken, die uns nötig hatten. Keiner ging
von uns, den wir nicht erleichtert hätten. Wir machten viele
Menschen mit unserer Liebe glücklich.

DER HERZOG: So habt Ihr Euch in Liebe aufgeopfert.

DIE DIRNE: Ich habe Tag und Nacht geopfert.

DER HERZOG: Die Liebe allein ist nicht umsonst, Gräfin.

DIE DIRNE: Wir lieben nie umsonst.

DER HERZOG: Warum habt Ihr Euer Kloster verlassen?

DIE DIRNE: Wir sind übermannt worden.

DER HERZOG: Ihr seid nun auf der Flucht?

DIE DIRNE: Ich werde von einem Feldherrn zum andern getrieben.

DER HERZOG: Es sind schlimme Zeiten außerhalb meines Landes.

DIE DIRNE: Man gerät ständig unter Soldaten.

DER HERZOG: Wer den Boden meines Landes betritt, fürchte
sich nicht. Was mir gehört, gehöre Euch. Schenkt Eure Liebe
denen, die Euch hier umgeben.

DIE DIRNE: Ich werde alle mit meiner Liebe beglücken.

DER HERZOG: Ich entlasse Euch in voller Gnade.

Die Dirne tritt zurück, Negro da Ponte kommt.

NEGRO DA PONTE: Der Statthalter grüßt Euch.

DER HERZOG: Seid vor meinem Throne willkommen.

NEGRO DA PONTE: Ein Unglücklicher bringt Euch Unglück.

DER HERZOG: Was habt Ihr zu melden?

NEGRO DA PONTE: Ein Unglück, das größer ist denn Eure Blindheit. Der Herzog von Friedland brach unvermutet mit sechzigtausend Mann von Norden in Euer Land, vernichtete Euer Heer und rückt gegen das Schloß.

PALAMEDES *springt von links vor:* Mein Vater.

DER HERZOG: Mein Sohn?

NEGRO DA PONTE: Prinz Palamedes scheint sich zu fürchten.

Palamedes und Negro da Ponte sehen sich an.

DER HERZOG: Fürchtet Euch nicht, mein Sohn. Wir müssen dieses Unglück ertragen.

PALAMEDES: Verzeiht, mein Vater. Ich werde mit keinem Schrei mehr Euren Untergang stören.

Er geht wieder nach links außen.

DER HERZOG: Ruft meine Feldleute herbei, Statthalter.

NEGRO DA PONTE: Eure Feldleute sind tot.

DER HERZOG: Mein Land ist schutzlos?

NEGRO DA PONTE: Ihr seid nicht fähig, es gegen ein Gesindel von Bettlern zu schützen.

DER HERZOG: Es bleibt uns nur die Flucht ins Gebirge.

NEGRO DA PONTE: Ihr faßt einen harten Entschluß.

DER HERZOG: Empfangt die Krone, die ich Euch nun übergebe, bewahrt sie wohl, mein Statthalter, dem Landlosen ziemt es nicht mehr, sie zu tragen.

Er übergibt Negro da Ponte die Krone, der sie Lucianus zuwirft.

NEGRO DA PONTE: Ich bewahre sie wohl.

DER HERZOG: Wir fliehen getrennt und vereinigen uns in der Schlucht an der östlichen Grenze. So können wir hoffen, in der Wildnis menschlicher Wildheit zu entgehen. Ich führe mit dem Chevalier den ersten Haufen und Ihr den zweiten, in welchem sich meine Tochter befindet. Prinz Palamedes wird sich allein durchschlagen. Der Hofdichter bleibe bei ihm. Man führe die Gräfin Freudenberg vor meinen Thron.

Die Dirne kommt.

DIE DIRNE: Edler Herzog?

DER HERZOG: Mit Euch, Gräfin, muß auch meine Tochter ein so großes Unglück auf sich nehmen. Wir bitten Euch, nicht von ihrer Seite zu weichen und ihr durch Gebet beizustehen. Möge sie Euresgleichen werden.

DIE DIRNE: Sie wird meinesgleichen werden.

Sie küßt seine Hand und tritt zurück.

DER HERZOG: So wird unser Haupt aufs neue von einem Unglück wie mit Schnee überdeckt.

Unsere Rede ist ein leeres Wort geworden, ein Irrengelächter.

Was wir versprochen, ist Wind, der sich in den Gassen verläuft, Wasser, das zwischen den Steinen versickert.

Wir können nicht abwehren, was uns bedroht.

Die Hände sind hilflos, der Fuß weiß nicht, wo er geht.

Im Alter sind wir zum Kind geworden.

Ehe die Nacht vergangen, wird dieser Thron zerstört sein, und dieser Saal wie ein Spiegel, der meine Herrlichkeit sah und nun zerspringt.

Die Zeit hat sich erfüllt.

Ich war blind, als ich sah, und blind, da ich blind geworden bin.

Jetzt aber erkenne ich, daß der Mensch ein Narr ist,

wert, daß die Huren über ihn lachen,

denn sie wissen allein, was sie tun.

Seht denn, wie ich von dem getroffen werde, der allein nicht blind ist,

der mich nun verstößt, wie man einen Toren von sich weist,

der mich in die Nacht treibt wie einen Dieb, den man ertappt,

oder wie einen Prasser, der an einem Tische saß, an den er nicht geladen wurde.

DER SCHAUSPIELER: Eure Hoheit?

DER HERZOG *erhebt sich:* Führt mich hinaus, Chevalier.

Der Schauspieler gibt ihm die Hand.

DER HERZOG *langsam und dumpf:* Ich bin blind.

Der Schauspieler führt ihn hinaus.

DER HERZOG, *bevor er im Hintergrund verschwindet, mit riesenhafter Verzweiflung:* Ich bin blind.

NEGRO DA PONTE: Mit dem Schrei dieses Blinden beginnt mein Spiel, Prinz Palamedes.

Es ist erbärmlich, denn das Wahre ist stets erbärmlich.

Der Vorhang hebt sich, und Ihr seht nichts weiter als einen Menschen, den Inhalt meines Spiels.

Daher führe ich es nicht irgendeinem Fürsten vor, der gern gute Verse hört, oder Leuten, die gern Trauerspiele nach der Mahlzeit sehen, damit auch der Kopf voll werde,

sondern ich biete mein Spiel jenen dar, die allein das Erbärmliche begreifen, den betrunkenen Soldaten, die sich unterdessen übergeben, und den Dirnen, die sich dabei schon dem Nachbarn verschachern. Diese sehen einen Menschen und lachen, diese bemerken seine Blindheit und halten sich die Bäuche.

Sie haben den Mut, kein Mitleid zu haben.

Sie blicken nach ihm und halten fest, wie er geht, das Stocken seines Fußes und die weiten Bewegungen der Arme.

Dann gibt es nichts Lächerlicheres für sie als dieser Blinde.

Was er tut, ist ein Wahn, und was er glaubt, ist ein Wahn.

Er saß inmitten der Trümmer und war glücklich:

Ein Wort meines Mundes, ein leichter Atemzug, und sein Glück war ihm genommen.

Dies ist die Macht, die ein Mensch über einen Menschen haben kann,

ein Beweis, daß es nichts außer dem Menschen gibt, und daß alles, was geschieht, vom Menschen kommt, Glück und Unglück.

Es ist nichts an ihm, das nicht das meine wäre.

Was ich denke, geschieht an ihm.

Den Weg, den ich ihm weise, muß er einschlagen.

So häufe ich Qual über Qual auf ihn, eine Hölle über die andere.

Ich werfe ihn euch hin, meinem Gesindel, wie man einen Knochen den Hunden vorwirft.

Er soll nicht an der Größe dieser Welt zerbrechen, er soll an ihrer Lächerlichkeit zugrunde gehen, die wie die seine ist.

Überschüttet diesen Blinden mit jeglicher Mühsal, verscheucht seinen Schlaf.

Treibt ihn unermüdlich in jagendem Kreis auf den Trümmern seines Schlosses herum.

Er soll denken, sich auf endloser Flucht zu befinden.

Laßt ihn den Hunger schmecken und brennt ihm den Durst in sein Fleisch.

Nie soll sein Fuß ruhen, und wenn er zusammenbricht, senkt ihn hinab in die Angst.

Dann werdet ihr sehen, was der Mensch ist:

Ein schreiender Mund,

zwei gebrochene Augen, in denen sich nichts mehr spiegelt!

Tag.

Palamedes. Suppe.

SUPPE: Ihr seid frei, mein Prinz!

PALAMEDES: Warum breitet Ihr die Arme aus, Hofdichter?

SUPPE: Ich freue mich, Euch in Freiheit zu sehen.

PALAMEDES: Es lebe die Freiheit!

SUPPE: Es lebe die Freiheit!

PALAMEDES: Laßt die Arme nicht sinken, Hofdichter. Laßt die Freiheit nicht sinken. Man soll sie immer hochleben lassen.

Suppe steht mit erhobenen Armen da.

PALAMEDES: Was ist mit meinem Vater geschehen?

SUPPE: Schlimme Dinge, Prinz, unglaubliche Dinge, künftiger Tragödien würdig. Die Arbeit strenger Wochen ist vernichtet; was unser Geist erfunden, ist zerstoben. Wie Spreu, wie Staub, wie Laub.

PALAMEDES: Ein hergelaufener Italiener hat uns bös mitgespielt.

SUPPE: Der Dichter in mir weigert sich, diesen Scharlatan ernst zu nehmen.

PALAMEDES: Ihr müßt die Arme herunternehmen, mein Herr. Ihr seid nicht würdig, die Freiheit zu umarmen, und mir ziemt es nicht, die Dichtkunst an meinem Busen zu wärmen.

SUPPE: Wir müssen dem Herzog alles gestehen. Wir müssen ihn aus der Gewalt des Italieners befreien.

PALAMEDES: Was ist die Bestimmung der Söhne: Ihre Väter glücklich zu machen oder unglücklich?

SUPPE: Glücklich, mein Prinz.

PALAMEDES: Ich habe meine Pflicht getan, ich machte ihn glücklich, ohne Glaube, mit sehr geringer Liebe und mit um so größerer Traurigkeit. Aber dieses Glück ist jetzt der Grund seines Übels, er muß zahlen, was ich für ihn kaufte. Es würde ihn jedoch am glücklichsten machen, wenn er von unserer Liebe erführe, denn er würde auf den Grund seiner Narrheit stoßen. Unsere Hände sind gebunden. Geht mit Eurer Freiheit, sie ist ein schöner Name, aber dem Wesen nach ein Frauenzimmer, dessen Namen wir nicht aussprechen dürfen, ohne zu erröten.

SUPPE: Ihr seid bitter, mein Prinz.

PALAMEDES: Ihr wollt sagen, daß die Welt bitter sei, eine landläufige Ansicht. Liebt Ihr Rätsel?

SUPPE: Sehr, mein Prinz.

PALAMEDES: Ist Gott gerecht oder ungerecht?

SUPPE: Ungerecht, mein Prinz.

PALAMEDES: Gerecht, Hofdichter: Sonst wäre die Welt keine Hölle.

Die Vorigen. Der Herzog, sich auf den Schauspieler stützend.
Lucianus.

PALAMEDES *packt Suppe vorn am Rock:* Nicht wahr, dort wird mein Vater geführt?

SUPPE: Sie führen ihn auf den Ruinen dieses Schlosses herum. Immer im Kreise herum, man kann dabei schwindlig werden.

PALAMEDES: Warum eine so mühselige und eintönige Arbeit?

SUPPE: Der Herzog soll glauben, sich auf der Flucht zu befinden.

PALAMEDES: Glauben macht selig.

SUPPE: Dieser Glaube macht Euren Vater unselig.

PALAMEDES: Ihr seid nicht wert, daß man Euch anrührt. Ihr schreibt schlechte Tragödien, denn Ihr kennt die Narren nicht. Ihr würdet sonst wissen, daß man die Narren von der Art meines Vaters zwar unglücklich machen kann, daß sie aber immer ihre Seligkeit erhalten.

SUPPE: Gibt es besondere Arten von Narren?

PALAMEDES: Zwei Sorten: Mein Vater ist ein Narr, weil er an Gott glaubt, und ich denke mir einen Gott, weil ich ein Narr bin.

SUPPE: Der Unterschied?

PALAMEDES: Daß ich noch unglücklicher bin als mein Vater: Er ist unglücklich in der Zeit, und ich unglücklich in der Ewigkeit.

SUPPE: Sie kommen näher! Sie kommen auf uns zu, mein Prinz!

PALAMEDES: Ihr seid ein Hofdichter. Ihr solltet sagen: Seht den jammervollen Mann, den besser das Grab verschlänge!

DER HERZOG: Drei Tage, Chevalier, haben wir den Weg beschritten, der uns zur Grenze unseres Landes führt.

Ich umfange Eure Schultern.

Euer Leib ist der Fels, an den ich mich klammere, mein einziger Halt in den Meeren der Finsternis, die mich umgeben.

Ich betaste mit meiner Sohle die Erde wie mit einer Hand.

Sie verändert sich gleich der Wolke über uns und bleibt sich doch immer gleich, als spürte ich den Wänden eines Kerkers nach, die sich schließen.

So gehe ich und scheine doch zu stehen.

O Eintönigkeit meiner Flucht, wie ist die Ewigkeit in mein Dasein gebrochen, wie ist nun alles endlich und unendlich zugleich!

LUCIANUS: He, anhalten!

DER SCHAUSPIELER: Was schreit Ihr, Bursche?

LUCIANUS: Wir können kurze Zeit bleiben. O meine Füße!

Die drei setzen sich auf den Boden.

DER HERZOG: Mit wem habt Ihr gesprochen Chevalier?

DER SCHAUSPIELER: Mit dem neuen Führer. Es ist ein Naturbursche aus der Gegend, vielleicht etwas zu natürlich, aber treu wie Gold, Hoheit, treu wie Gold.

DER HERZOG: Es freut mich, einen treuen Menschen mehr um mich zu haben. Wo bin ich?

DER SCHAUSPIELER: Auf einem kleinen verborgenen Hügel. Sehr steil, wie Hoheit sich überzeugt haben, fast einer aparten Schloßruine ähnlich. Rings sehen wir beinahe greifbar das Land, und über uns wölbt sich eine Eiche. Von ferne dringt der Schein des brennenden Schlosses.

DER HERZOG: Das Schloß meiner Väter brennt.

DER SCHAUSPIELER: Es ist ein großes Unglück mit dem Schloß Eurer Väter.

LUCIANUS: Alles brennt, ihr Herren! Die Funken stieben, und bis hieher riecht man die Brände!

SUPPE *mit kreischender Stimme:*
Das Glück, das Glück!
Geht zu Stück!
Der Schmerz, der Schmerz!
Zerreißt das Herz!
Einundvierzigster Chorgesang, zweiundzwanzigste Strophe, dritter Gegengesang. O arme, schaudervolle Hoheit.

DER HERZOG: Ist das nicht mein Hofdichter, der aus seiner Tragödie zitiert?

SUPPE: Aus dem zweiten Teil, Eure Hoheit, aus der Stelle, wo die Meldung eingetroffen ist, daß der Arzt gestorben, den man ans Bett des kranken Nestor gerufen.

DER SCHAUSPIELER: Auch ich bin überrascht, in dieser Einsamkeit die Stimme eines Hofdichters zu hören.

PALAMEDES: Platz dem Erbprinzen Palamedes!

DER HERZOG: Mein Sohn!

PALAMEDES: Ich grüße meinen Vater unter diesem Birnbaum, der im stillen Talgrunde steht!

DER SCHAUSPIELER: Unter dieser Eiche, die freilich etwas von einem Birnbaum an sich hat, auf dem Berge, der im stillen Talgrunde steht.

DER HERZOG: Wir treffen uns an einem Ort der Verzweiflung, mein Sohn.

PALAMEDES: Ihr habt recht, mein Vater, ich bin verzweifelt.

DER HERZOG: Das Schloß brennt.

PALAMEDES: Ich erfriere, mein Vater.

DER HERZOG: Ihr seid traurig. Ihr leidet an Euch.

PALAMEDES: Meine Traurigkeit ist eine Flamme, die mehr als Euer Land verwüstet: Sie verwüstet Euren Sohn.

DER HERZOG: Ihr seid unglücklich, und ich kann Euch nicht helfen. Ihr habt mir noch nie den Grund Eures Kummers entdeckt.

PALAMEDES: Mein Kummer hat keinen Grund. Er ist bodenlos. Ihr seid blind, und es ist leicht, glücklich zu sein, wenn man blind ist.

DER HERZOG: In dieser Stunde des Untergangs ist niemand glücklich.

PALAMEDES: Diese Stunde wird Euch vorübergehen, aber ich habe keine Stunde, die vorübergeht.

DER HERZOG: Ich leide doppelt unter Eurer Traurigkeit, da nun das Feuer mein Land verwüstet, ohne meinen Augen den Weg zu erhellen.

PALAMEDES: Es ist freilich traurig, daß meine Worte Euch unglücklich machen. Ihr müßt aber nicht auf das achten, was ich rede: Es ist in den Wind gesprochen.

DER HERZOG: Ihr seid die Hoffnung, die mir geblieben ist, das Leben, in dem ich weiterlebe.

PALAMEDES: Laßt Eure Hoffnung fahren.

DER HERZOG: Muß ich alles fahren lassen?

PALAMEDES: Alles, mein Vater, dann werdet Ihr mich verstehen.

DER HERZOG: So geh in Frieden, mein Sohn.

PALAMEDES: Mein Friede ist der Tod. Es ist bitter von Euch, mir den Tod zu wünschen.

LUCIANUS: Wir müssen fort mit Eurer Hoheit.

DER SCHAUSPIELER: Es zeigen sich überall kaiserliche Reiter.

PALAMEDES: Ihr seid überall von Spitzbuben umgeben, mein Vater. Ihr müßt den Platz unter dieser Pappel verlassen.

Der Herzog wird fortgeführt.

PALAMEDES: Lebt wohl, mein Vater! Ihr flieht vor dem Feind und ich vor Eurer Blindheit!

DER HERZOG *verschwindend:* Mein Sohn Palamedes! Mein armer Sohn Palamedes!

SUPPE *mit jämmerlicher Stimme:*
Hienieden, hienieden
ist uns nichts als Haß beschieden,
doch oben, doch oben
werden wir die Engel loben!

Einundachtzigster Chorgesang, erste Strophe, an der Stelle, wo das Weib des Nestor sich an der Bettstatt erhängt, aus Kummer darüber, daß dieser sterben muß, wobei das ungeborene Kind im toten Mutterleib einen dreifachen Klagegesang anstimmt: Erstens über den Tod der Mutter, zweitens über den bevorstehenden Tod des Vaters und drittens über den bevorstehenden eigenen Tod.

Er zieht eine Schnapsflasche hervor und trinkt.

Diese jammervolle Szene hat mich überzeugt, daß wir Eurem Vater die Augen öffnen müssen. Es geht nicht um sein Glück, es geht um seine Würde. Wir müssen ihm die lautere Wahrheit einschenken, die klare, lautere Wahrheit,

PALAMEDES: Er hat keine Augen, denen Ihr den Star stechen könnt, und die Wahrheit läßt sich nicht in Eure Schnapsflasche abfüllen.

SUPPE: Er wird die Wahrheit hören.

PALAMEDES: Die Wahrheit hat keinen Mund zu schreien und mein Vater keine Ohren zu hören.

SUPPE: Ich werde selbst zu seiner Hoheit gehen.

PALAMEDES: Dann gebt acht, daß Ihr in seine Blindheit nicht wie in eine Höhle greift, in der ein Löwe schläft.

SUPPE *schüttelt die leere Schnapsflasche:* Alles Unglück ist auf uns heruntergekommen!

PALAMEDES: Wir sind alle heruntergekommen; mein Vater ist ein heruntergekommener Narr, Ihr ein heruntergekommener Hofdichter, ich ein heruntergekommener Prinz und der Italiener ein heruntergekommener Gott.

SUPPE: Und Eure Schwester?

PALAMEDES: Sie ist heraufgekommen. Diese Teufelin hat die Hölle verlassen und ist zu uns heraufgekommen.

Die Vorigen. Octavia.

Octavia von links in einem prächtigen Kleid.

SUPPE: Seht, ein Weib.

PALAMEDES: Seht, ein Kleid.

SUPPE: Eure hochwohlgeborene Schwester, mein Prinz.

PALAMEDES: Ich habe von Euch gesprochen, Schwester, und Ihr seid gekommen.

OCTAVIA: Was habt Ihr gesprochen?

PALAMEDES: Eine Thronrede an meine Untertanen, die aus lauter Grimassen besteht.

OCTAVIA: Wer sind Eure Untertanen?

PALAMEDES: Alle traurigen Menschen.

OCTAVIA: Eure Ländereien?

PALAMEDES: Bei Gott, unermeßlich! Über meinem Gebiet geht die Sonne nicht auf, und meine Schiffe kreuzen wochenlang auf dem Meer meiner Tränen.

OCTAVIA: Worüber seid Ihr traurig?

PALAMEDES: Über den bedenklichen Wandel der Zeit und über Eure Traurigkeit.

OCTAVIA: Ich bin nicht traurig.

PALAMEDES: Tragt Ihr kein Trauerkleid, meine Schwester? Eure Barmherzigkeit hat Euch traurig gemacht.

OCTAVIA: Ich bin nicht barmherzig.

PALAMEDES: Ihr seid barmherzig, Schwester, Ihr teilt alles, was Ihr habt: Mit mir den Vater, mit irgendeiner Dirne die Unzucht und mit dem Italiener das Bett.

OCTAVIA: Ihr redet lasterhaft.

PALAMEDES: Ihr seid lasterhaft.

OCTAVIA: Ich handle, wie ich bin.

PALAMEDES: Dann seid Ihr ein Ungeheuer.

OCTAVIA: Ich bin schön wie das Land Italien.

PALAMEDES: Sehr wohl: Keusch wie das Land Babylonien und wahr wie das Land Utopien.

OCTAVIA: Ich habe keine Lust, Euch zu hören.

PALAMEDES: Aber Ihr habt Lust, den Italiener zu erhören. Ihr wollt soeben zu ihm gehen.

OCTAVIA: Ich tue, was mir gefällt.

PALAMEDES: Es gefällt mir nicht, was Ihr tut.

OCTAVIA: Ihr seid nicht mein Richter!

PALAMEDES: Aber Euer Scharfrichter: Hättet Ihr ein Herz, so müßtet Ihr an der Rede Eures Bruders sterben.

OCTAVIA: Ich lebe, wie Ihr seht.

PALAMEDES: Ich sehe: Ihr habt kein Herz.

OCTAVIA: Ich habe keinen Bruder.

Wir haben nichts gemeinsam, und ich kenne Euch nicht.

Ich bin allen fremd.

Ihr seht nach mir und wißt nicht, was Ihr seht.

Ihr erblickt meine Schönheit und wißt nicht, warum ich schön bin.

Ich bin in jener Stunde geboren, in der dieses Land versank, wie eine Göttin entstieg ich den Wellen des Untergangs.

Denn ich ging zwischen den zerstörten Mauern. Mein Fuß berührte den Stein, und meine Hände glitten über das, was gewesen war.

Dann schrie mein Mund: Eine Wölfin war ich in der roten Dämmerung.

Ich hüllte mich in die zerrissenen Kleider eines Toten, der eine Säule umschlang.

Ich kroch in die Tiefe der Erde.

Ich war dumpf wie ein Tier.

Ich gab mich dem Manne, der meinen Vater höhnt und meinen Bruder schlägt.

Denn er schlägt, was ich von mir werfen mußte, um leben zu können, und er höhnt, was mein Gefängnis war.

Mein Leib umfing jenen, der die Dinge zu dem verwandelt, was sie sind: Die Toten in Tote und in Lebende die Lebendigen.

Euch und Euren Vater hat er in Tote verwandelt, mich hat er zu einem Weibe gemacht.

Ich bin ein Mensch geworden.

Ich scheide mich von diesem Lande: Die Toten gehen mich nichts an.

Ich gehöre niemand als nur mir.

Ich bin frei.

Euch aber habe ich immer verachtet.

Ihr verneint alles, und dennoch wagt Ihr zu leben.

Es gibt nichts, das entfernter von Euch wäre als ihr Euch selbst.

Ihr seid namenloser als die Verwesung, die zwischen den Gräbern herabsinkt.

So verbirgt sich die Schande immer in den Ruinen.

In mich und Euch hat sich die Welt geteilt.

Wie könnt Ihr noch sagen, daß Ihr mein Bruder seid und ich Eure Schwester?

Ihr habt mir nichts entgegenzusetzen als ein leises Stöhnen Eures Mundes.

Sie geht rechts ab.

SUPPE: Sie ist von uns gegangen, mein Prinz.

PALAMEDES: Sie geht den Weg des Fleisches.

SUPPE: Ei, geht sie ins Grab?

PALAMEDES: Der Italiener ist ein Grab.

Palamedes. Suppe. Negro da Ponte.

Negro da Ponte kommt von links.

PALAMEDES *zieht den Degen:* Sucht Ihr meine Schwester, mein Herr?

NEGRO DA PONTE: Es freut mich, Euch zu treffen, mein Prinz.

PALAMEDES: Ihr habt mich mitten ins Herz getroffen. Ihr habt aus meiner Schwester eine Dirne gemacht.

NEGRO DA PONTE *zieht den Degen:* Es ist recht und billig, daß ich mit Euch kämpfe.

PALAMEDES: Ihr habt recht, Ihr kämpft mit einer billigen Waffe: Ihr habt mich mit einem Weibe verwundet.

NEGRO DA PONTE: Ihr seid witzig.

PALAMEDES: Ich liebe die scharfen Pointen.

NEGRO DA PONTE: Ich werde Euch die scharfe Pointe zu Eurem Witz durch den Leib rennen.

PALAMEDES: So setzt die Pointe zu diesem Witz!

Er wirft ihm den Degen vor die Füße.

NEGRO DA PONTE: Ihr wollt nicht kämpfen?

PALAMEDES: Ich bin wie mein Vater. Ein Tier, das man abschlachtet.

NEGRO DA PONTE: Ich kämpfe nicht gegen Wehrlose.

PALAMEDES: Mein Vater ist wehrlos.

NEGRO DA PONTE: Er hat seinen Glauben.

PALAMEDES: Ich habe auch meinen Glauben. Ich glaube an die Hölle. Doch mit wem seid Ihr verbunden?

NEGRO DA PONTE: Ich bin niemand verbunden.

PALAMEDES: Dann auch nicht der Ehre. Stoß zu, Halunke!

NEGRO DA PONTE: Eure Verzweiflung wird der Dolch sein, mit dem ich zustoße, und Ihr selbst der Degen, mit dem ich Euch durchbohre.

Er geht rechts ab.

SUPPE: Mein Prinz.

PALAMEDES: Tragödienschreiber?

SUPPE: Er wird Euch töten.

PALAMEDES: Es wäre schön zu sagen, daß die Ruinen, die uns nun umgeben, nur der Trauermantel sind, in den gehüllt ein Dichter zur Unterwelt schreitet.

Nacht. Mondschein.

Der Herzog. Der Schauspieler. Lucianus.

DER SCHAUSPIELER: Hier endlich, Hoheit, haben wir die östliche Grenze erreicht, indem wir gleich einem nächtlichen Leichenzug herwandeln.

DER HERZOG: Nur zu, meine Nimmermüden, nur zu!

LUCIANUS: Nur zu! Nur zu!

DER SCHAUSPIELER: Wir betreten die Schlucht, in der wir den Statthalter und Prinz Palamedes erwarten.

DER HERZOG: Und Octavia, meine Tochter.

DER SCHAUSPIELER: Die Felsen ragen wie die Wände einer gottverlassenen Kathedrale.

DER HERZOG: Hinab! Taucht hinab!

LUCIANUS: Und über uns der Mond ein blauer Stein.

DER HERZOG: Wasser! Wasser! Ich höre die Wasser nicht rauschen!

DER SCHAUSPIELER: Die Wasser sind versiegt.

DER HERZOG: Ich höre Stimmen.

DER SCHAUSPIELER: Eure Völker, die mit Euch fliehen.

LUCIANUS: Eure Krähen, die mit Euch ziehen.

DER SCHAUSPIELER: Geripppe, nichts als Geripppe.

LUCIANUS: Gespenster, nichts als Gespenster!

Die Vorigen. Schwefel und das Gesindel.

SCHWEFEL *von einigen hereingetragen mit einem Humpen und einem großen Stück Fleisch:* Platz da, ihr Leute! Platz da, ihr schmierigen Röcke! Seht, wie eine Hoheit die andere besucht! Heil dir, Herzog des Glücks!

Er torkelt betrunken auf den Herzog zu und küßt ihm die Hand.

DER HERZOG: Wer küßt meine Hand?

SCHWEFEL: Euer Bruder, der Herzog der Hungerleider. Ihr habt Staatsbesuch bekommen, Bruder.

DER SCHAUSPIELER: Es scheint ein Bauer zu sein.

LUCIANUS: Er ist toll.

DER HERZOG: Was wollt Ihr, Bauer?

DER SCHAUSPIELER: Ihr müßt ihn anders anreden, wenn er toll ist: Was wollt Ihr, Herzog der Hungerleider?

DER HERZOG: Sprecht, Bruder.

LUCIANUS: Geruhen zu reden, Hoheit.

SCHWEFEL: Heil dir, Herzog zum Massengrab!

DER SCHAUSPIELER: Er kann nicht recht sprechen, er ist zu benommen in seinem Fürstenstand.

Schwefel schwankt hin und her.

LUCIANUS: Er ist von einem überaus wackligen Stand.

SCHWEFEL: Ich bin der Herzog der Hungerleider, der Vater jener, die bald krepieren.

Ich bin da, das große Lied vom großen Hunger zu singen,

das ewige Lied mit den unendlichen Strophen, dessen Text ich vergessen habe, und das nur jene singen, die nicht mehr singen können, und das nur jene hören, die nicht mehr hören, denn sie essen und trinken nicht mehr.

Er trinkt.

Ich hatte tausend Pferde und tausend Kühe und tausend Schafe und tausend Säue.

Ich war ein Nero des Ackerbaus, ein Salomo der Viehzucht.

Aber es steht schlimm um ein Land, das besiegt worden ist, denn wer siegt, achtet nicht auf seine Füße.

Er zertritt den Besiegten.

Er frißt: Den sieht niemand.

Wer besiegt ist, kommt in Not, und Not lehrt töten.

So wird schlecht, wer siegt, und schlecht, wer unterliegt.

Wie soll die Welt besser werden dabei?

Er trinkt.

Mein Dorf ist zerstört, es ist dem Erdboden gleichgemacht.

Überhaupt ist in unserem Lande alles dem Erdboden gleichgemacht: Städte, Schlösser, Dörfer und Menschen, diese besonders.

Die Not, der Tod und die Verzweiflung ist groß, noch größer
aber der Hunger.

Der Hunger ist immer am größten!

Er frißt.

Weib, Kind, Knechte und Mägde sind von den Soldaten Wallensteins auf verschiedenen Umwegen getötet worden.

Auf eine grausame Weise, denn Soldaten sind immer grausam,
wenn sie töten.

Das ist stets so gewesen, bei Deutschen, Russen, Hottentotten
und Chinesen!

Prosit!

Er trinkt.

In meinem Dorf wurden viele getötet.

Ich kann euch die Zahl nennen: Fünfundzwanzig Personen.

Aber ich kann euch die Zahl nicht nennen, die dann der Hunger
getötet hat.

Da hört man auf zu zählen.

Er frißt.

Sterben ist ein Wort mit sieben Buchstaben, es stirbt sich meistens kurz.

Aber niemand weiß, wie viele Buchstaben Vor-Hunger-Sterben
hat:

Das stirbt sich meistens lang, und das ist dann die Hölle!

Er trinkt.

Der Tod geht herum und lacht.

Und die Soldaten gehen auch herum und lachen und fressen und
klopfen sich auf die Bäuche.

Am meisten geht aber der Hunger herum:

Der frißt auch am meisten und der lacht auch am meisten.

Er frißt.

Während wir abnehmen, nimmt er zu, während wir schwächer werden, wird er stärker.

Er hängt über uns wie ein bleicher Mond.

Gott erbarme dich unser!

Aber Gott hat auch Hunger, er hungert danach, daß die Menschen sich ihrer erbarmen.

Er trinkt.

Man sagt, daß die Ratten und Geier schon Hunger haben.

Vielleicht, daß am Ende der Zeit noch zwei Wölfe irgendwo in der Ebene heulen.

Aber auch sie werden schweigen, denn was sollten sie noch fressen?

Wir haben Hunger!

Er wirft das Stück Fleisch fort.

DER HERZOG: Ich kann Euch nicht helfen, Bauer.

DER SCHAUSPIELER: Vergeßt nicht, daß er ein Wahnsinniger ist, Eure Hoheit.

DER HERZOG: Ich kann Euch nicht helfen, herzoglicher Bruder. Ihr seht, ich bin ein Herzog ohne Macht, mit dieser dunklen Schlucht als meinem Land.

DER SCHAUSPIELER: Sehr schön der Ton, Hoheit, nur immer den Titel. Der Tolle beruhigt sich.

SCHWEFEL: Ich habe Hunger.

DER SCHAUSPIELER: Er fängt wieder an zu sprechen.

SCHWEFEL: Ich habe Durst.

DER SCHAUSPIELER: Ihr leert den Kelch Eurer Qual bis zur Neige!

SCHWEFEL: Bis zur Neige, ihr Knechte. *Er leert seinen Humpen:* Ich will essen. Schwein, Kalb, Hase, Forelle!

DER SCHAUSPIELER: Hoheit haben sein letztes Brot verteilt.

LUCIANUS: Sein allerletztes Brot, und Hoheit haben selber Hunger. Und ich erst, ein Mann des Volks, mit einem Hunger wie das Volk, mit einem Magen wie das Volk und allem weiteren wie das Volk. Oh, wir haben nichts, weniger als nichts, keine Spur mehr von nichts.

SCHWEFEL: Dürftig, ihr Knechte, dürftig! Wer bin ich, ihr Knechte eines hohen Herrn?

DER SCHAUSPIELER: Der Herzog der Hungerleider.

LUCIANUS: Herzogliche Gnaden der Magenkrämpfe.

DER HERZOG: Unser armer Bruder im Elend.

SCHWEFEL: Falsch geraten, ihr Herren. Ich könnte sagen, daß ich Schwefel sei. Ich könnte sagen, daß ich ein Musketier bin, der viele Menschen umgebracht hat, aber ich bin ein Einkäufer, ihr Herren, ein simpler Einkäufer.

LUCIANUS: Er wechselt die Farbe, Hoheit. Aus dem Herzog ist ein Einkäufer geworden.

DER SCHAUSPIELER: Wir wollen sehen, was er einkauft.

DER HERZOG: Einkäufer.

SCHWEFEL: Herr, großer Herr?

DER HERZOG: Was kaufst du ein, Einkäufer? Es ist schwierig für dein Gewerbe in diesen Zeiten.

SCHWEFEL: Ich habe ein ehrliches Gewerbe, großer Herr. Ich kaufe seltene Ware ein.

DER HERZOG: Was bietest du dafür, Einkäufer?

SCHWEFEL: Gute Ware, edler Herr, echte, gute Ware, ehrlich erstanden und nicht gestohlen.

DER HERZOG: Zeig her, Einkäufer.

SCHWEFEL: Es ist ein gewaltiger Besitz, gnädiger Herr, ein immenser Besitz: Gewaltige Haufen an Elend jeder Art: Kriege, so viel Ihr wollt, Hunger, wie Ihr begehrt, Tote, was Ihr braucht, und Soldaten nach jeder Auswahl.

DER HERZOG: Gegen was willst du diesen Besitz umtauschen, Einkäufer?

SCHWEFEL: Gegen ein Wörtchen, erlauchter Herr, gegen ein einziges Wörtchen des Trostes mit prompter Wirkung, daß ich keinen Hunger mehr spüre, daß die Toten lebendig werden und die betrunkenen Soldaten Gutes tun. Schlagt ein, hochwohlge- borener Herr, ich bin ein ehrlicher Einkäufer.

DER HERZOG: Ich kann dir dieses Wort nicht geben. Kein Mensch kann dir dieses Wort geben.

SCHWEFEL: Ihr könnt mich nicht trösten?

DER HERZOG: Ich kann dich nicht trösten.

SCHWEFEL: Ich bin ein bescheidener Einkäufer. Ihr braucht mir nur zu sagen, daß dies der letzte Krieg ist, daß dies der letzte Hunger ist, und Ihr könnt haben, was ich besitze.

DER HERZOG: Ich kann es dir nicht sagen, Einkäufer.

SCHWEFEL: Es gibt immer wieder Krieg?

DER HERZOG: Immer wieder.

SCHWEFEL: Immer wieder Hunger?

DER HERZOG: Immer wieder.

SCHWEFEL: Kommt keine Rettung vom Menschen?

DER HERZOG: Vom Menschen kommt keine Rettung.

SCHWEFEL: So hat denn der Mensch nichts, weiser Herr?

DER HERZOG: Er hat seine Blindheit, Einkäufer.

SCHWEFEL: Das ist wenig.

DER HERZOG: Das ist alles.

SCHWEFEL: So muß ich Euch den schönsten Krieg, den erlesensten Hunger, die ausgesuchtesten Toten und die mit den speziellsten Bieren betrunkenen Soldaten umsonst geben, ohne Trost, ohne Hoffnung?

DER HERZOG: Ohne Trost, ohne Hoffnung.

SCHWEFEL: Für eine billige Blindheit?

DER HERZOG: Dafür.

SCHWEFEL: Was soll ich mit dieser rabenschwarzen Blindheit, gelehrter Herr?

DER HERZOG: Es ist gute Erde. Senke ein Körnchen Glauben in sie.

SCHWEFEL: Sehr gut. Ich liebe Korn.

DER HERZOG: Dann wirst du finden, was du suchst: Hoffnung und Trost.

SCHWEFEL: Gebt mir zwei Pfund feinste Glaubenskörner für ungefähr vierhundert Zentner Trost und Hoffnung. Ich gebe Euch einen soliden Krieg von dreieinhalbjähriger Dauer, achthundert Tote netto, zwei Kompanien Holländer und ein Bataillon Schweizer. Zwei Bürgerkriege, eine Palastrevolution, und den Prager Fenstersturz kriegt Ihr gratis.

DER HERZOG: Das kann ich dir nicht geben.

SCHWEFEL: Ihr habt keinen Glauben?

DER HERZOG: Ich kann dir meinen Glauben nicht geben.

SCHWEFEL: Ihr bekommt noch ein Spital Blessierter und zweitausend Verhungerte bester Lagerung dafür.

DER HERZOG: Der Mensch ist schwach, Einkäufer, und arm: Er kann nicht geben, was sein Bruder braucht.

SCHWEFEL: Dann will ich mich verwandeln, ihr Knechte!

DER SCHAUSPIELER: In was wollt Ihr Euch verwandeln, Hoheit der Hungerleider?

LUCIANUS: In was wollt Ihr Euch umtauschen, Einkäufer?

SCHWEFEL: In einen betrunkenen und besoffenen Soldaten, der mehr mit Sünden belastet ist als ein Müllereesel mit Säcken, dessen Verbrechen mit seinem Schnaps um die Wette zum Himmel stinken,

in einen dicken Musketier, der nicht mehr recht auf zwei Beinen stehen kann,

und sich darum auf allerlei Weiberlein stützt!

Ich will mich zu denen verwandeln, bei denen der Sieg wie ein Adler wohnt.

Ich will mich an ihren Tischen vollfressen, denn auf den Tischen der Sieger häuft sich die Speise.

Und das Recht ist immmer auf ihrer Seite.

Es lebe das Recht!

Ein Narr, wer dort nicht sein Haus aufgeschlagen hat, ein Lump, wer unterliegt.

Schön ist das Leben der Soldaten!

Kommt her, ihr Dirnchen, ihr heißen, weißen Täubchen des Sieges!

Ich will mich auf euch stützen, ich will meine Arme um eure Schultern biegen.

So stampfen wir mit nackten Füßen über die Besiegten, die vor uns wie in der Kelter liegen!

Er wankt auf zwei Dirnen gestützt in die Menge zurück.

Die Vorigen. Negro da Ponte. Später Palamedes.

NEGRO DA PONTE: Mein Herzog.

DER SCHAUSPIELER: Es ist der Statthalter, Euer Gnaden.

DER HERZOG: Mein Volk hungert, Statthalter.

NEGRO DA PONTE: Das Volk hungert immer.

DER HERZOG: Es geht jämmerlich zugrunde.

NEGRO DA PONTE: Das Volk geht immer jämmerlich zugrunde.

DER HERZOG: Ihr seht sein Elend, und Ihr helft nicht.

NEGRO DA PONTE: Es gibt keine Hilfe.

DER HERZOG: Ihr seid ein unbarmherziger Statthalter.

NEGRO DA PONTE: Ihr seid ein unbarmherziger Herr. Ihr habt, in der Abendsonne vor Eurem Schloß sitzend, über Euer Land einen Ohnmächtigen gesetzt, dem nun Stück um Stück Eures Reichtums entrissen wurde.

DER HERZOG: Es war Gottes Wille.

NEGRO DA PONTE: Es war eines Menschen Wille. Ihr seid in die Hände Wallensteins gefallen. Seine Musketiere besetzten die Ausgänge der Schlucht, in die Ihr gestiegen seid.

DER HERZOG: Und Octavia, mein Kind?

NEGRO DA PONTE: Octavia, Eure Tochter, fiel in Gefangenschaft. Der Feldherr des Kaisers ließ sie in sein Zelt bringen und machte sie zu seiner Mätresse.

Schweigen

DER HERZOG *unbeweglich:* Redet weiter, Statthalter.

NEGRO DA PONTE: Dagegen ist Euch die Gräfin Freudenberg geblieben.

DER HERZOG: Man führe sie zu mir.

Die Dirne kommt.

DIE DIRNE: Eure Hoheit?

DER HERZOG: Ihr habt mehr Leid erfahren denn wir alle, ehrwürdige Mutter. Euer Kloster in Bayern ist zerstört, Eure Töchter geschändet. Auch mein Reich ist nun zerstört, auch meine Tochter ist nun geschändet. Ich bitte Euch, an meiner Seite zu bleiben. So wird die Liebe mich nie verlassen.

Die Dirne setzt sich neben den Herzog.

DER HERZOG: Wir sind in ein Gefängnis geflüchtet. Der Feind raubte meine Tochter und umzingelte unsere letzte Zuflucht. Wie war ihm dies möglich?

NEGRO DA PONTE: Wir sind verraten worden.

Palamedes wird auf ein Zeichen Negro da Pontes vor den Herzog gebracht.

DER HERZOG: Wer ist der Verräter?

NEGRO DA PONTE: Er steht vor Euch.

DER HERZOG: Sein Name?

NEGRO DA PONTE: Palamedes, Euer Sohn.

Tiefe Stille.

DER HERZOG: Mein Sohn.

PALAMEDES: Mein Vater.

DER HERZOG: Gebt mir meine Tochter Octavia zurück.

PALAMEDES: Ich kann Euch meine Schwester nicht zurückgeben. Sie ist die Dirne eines Schurken geworden.

DER HERZOG: Ihr werdet nun die Klage hören, die Negro da Ponte wider Euch führt.

PALAMEDES: Ich höre.

NEGRO DA PONTE: Palamedes verriet seinen Vater. Er zeigte einem feindlichen Hauptmann die Schlucht und ließ kaiserliche Truppen vor die Ausgänge führen. Er unternahm den Angriff auf unsere Truppen, wobei Octavia, seine Schwester, in Gefangenschaft der Feinde, er selbst aber, als Führer des kaiserlichen Unternehmens, in unsere Hände fiel.

DER HERZOG: Was für eine Strafe fordert Ihr?

NEGRO DA PONTE: Den Tod.

DER HERZOG: Prinz Palamedes, was habt Ihr zu diesen Worten zu sagen?

PALAMEDES: Worte sind Worte.

DER HERZOG: Wollt Ihr Euch nicht verteidigen?

PALAMEDES: Ich könnte Euch ein Wort sagen, das Eure dunkle Welt, in deren Tiefe Ihr wie ein Mühlstein liegt, wie ein Blitz des Himmels erleuchten würde.

NEGRO DA PONTE: Sagt dieses Wort, Prinz Palamedes.

DER HERZOG: Redet, mein Sohn.

PALAMEDES: Ich schweige.

DER HERZOG: Ich bin blind, mein Sohn.

PALAMEDES: Ich sehe.

DER HERZOG: In meiner Nacht gibt es nur die Wahrheit.

PALAMEDES: Oder es gibt nur die Lüge.

DER HERZOG: Es geht um Euer Leben, und es geht um Euren Tod.

PALAMEDES: Es geht um die Gerechtigkeit, mein Vater.

DER HERZOG: Ihr seid Fleisch von meinem Fleisch und Blut von meinem Blut. Ihr werdet die Last tragen, die ich Euch auferlege, die schwerste Last, die je einem Menschen auferlegt worden ist.

PALAMEDES: Ich bin Euer Gefangener.

DER HERZOG: Euch gehört das Licht, das Gut und Böse scheidet, und mir gehört die Nacht, in der es nur den Glauben gibt.

PALAMEDES: Die Gerechtigkeit ist immer blind.

DER HERZOG: Es ist nicht an mir, das Urteil über Euch zu fällen.

PALAMEDES: Was kommt Euch denn zu, mein Vater?

DER HERZOG: Es zu glauben.

PALAMEDES: Wie kann man ein Urteil glauben, mein Vater?

DER HERZOG: Indem man es vollstrecken läßt. Das ist das einzige, was mein Glaube vermag.

PALAMEDES: Der Glaube woran?

DER HERZOG: An Gott und seine Gerechtigkeit.

PALAMEDES: Ich bin angeklagt.

DER HERZOG: Ihr seid angeklagt, Euren Vater verraten zu haben.

PALAMEDES: Einer muß mein Richter sein.

DER HERZOG: Ihr müßt Euer Richter sein, Prinz Palamedes. Das ist die Last, die Euch der Vater auferlegt.

PALAMEDES: Ihr werdet dem Urteil glauben, das ich über Euch fälle?

DER HERZOG: Ich glaube dieses Urteil.

PALAMEDES: Wenn ich sage: Ich bin unschuldig, werdet Ihr an diese meine Unschuld glauben?

DER HERZOG: Ich werde an Eure Unschuld glauben.

PALAMEDES: So werdet Ihr an den Worten Negro da Pontes zweifeln?

DER HERZOG: Ich zweifle nie an den Worten eines Menschen.

PALAMEDES: So werdet Ihr beiden glauben?

DER HERZOG: Ich werde beiden glauben, und Ihr werdet frei sein.

PALAMEDES: Das ist unmöglich. Einer von uns muß lügen, wenn ich sage, daß ich unschuldig bin.

DER HERZOG: Ich würde denken, daß ein Blinder die Welt nicht immer verstehen kann.

PALAMEDES: So wenig glaubt Ihr Eurem Verstand, daß Ihr nicht zu sagen wagt: Der oder jener lügt?

DER HERZOG: So sehr vertraue ich meinem Glauben, daß ich das nicht sage.

PALAMEDES: So glaubt Ihr an den Menschen, mein Vater.

DER HERZOG: Ich glaube dem Menschen.

PALAMEDES: Es ist eine Torheit, so etwas zu tun. Der Mensch ist ein jämmerliches Geschöpf.

DER HERZOG: Ist die Liebe töricht, mein Sohn?

PALAMEDES: Liebt Ihr mich, mein Vater?

DER HERZOG: Ihr seid mein Sohn, den ich lieb habe.

PALAMEDES: Dann ist Eure Liebe töricht, und ich will diese Eure Narrheit vor aller Welt beweisen.

DER HERZOG: Sprecht.

NEGRO DA PONTE: Fahrt fort, mein Prinz, ich höre.

PALAMEDES *höhnisch*: Die Welt, über die Ihr gesetzt seid, Statthalter, wird ob meinen Worten in Erstaunen geraten.

NEGRO DA PONTE: Ihr seht mich unbeweglich.

PALAMEDES: Euch, Vater, wird meine Wahrheit zu einem steinernen Standbild erstarren lassen.

DER HERZOG: Eure Verzweiflung ist groß, mein Sohn.

PALAMEDES: Sie ist so groß wie Eure Blindheit. Ihr habt Euch ganz Eurer Nacht übergeben, ich habe mich ganz meiner Verzweiflung übergeben. Euer Glaube hat Euch blind gemacht, und mich hat Euer Glaube verzweifelt gemacht.

Denn was Ihr von innen seht, sehe ich von außen.

Ihr seid der Grund meiner Traurigkeit,

es gibt kein größeres Elend, als Euch zu sehen.

Wahrlich, wir sind Vater und Sohn.

Nun aber ist die Stunde gekommen, da ich von Euch gehe.

Ich lasse Euch fahren.

Ihr müßt nun in Eurer Blindheit versinken, ich strecke die Hand nicht mehr aus, Euch zu halten.

Ich wende mich jetzt an die, welche mich umgeben, an jene, die von der Nacht in mein Angesicht gespeit sind.

Er wendet sich zum Gesindel.

Ich stehe mitten unter euch, ein Verdammter unter Verdammten.

Ich reiche allen denen die Hand, die mit mir verloren sind.

Die Fetzen eurer Kleider schließen sich zu einem Teppich, über den ich zum Schafott schreite.

Hört nun das Urteil, das ich über mich spreche, und das auf meinen Vater fällt, den ich durch mein Gericht richte.

Denn so wird offenbar, was mein Vater ist.

Durch das Urteil, das ich über mich abgebe, werdet ihr diesen Blinden erkennen.

So ist das Wesen, das Gott am sechsten Tag erschaffen hat, ein bleibendes Denkmal seiner Schande.

Durch mein Urteil werdet ihr sehen, was der Glaube des Menschen ist;

Ein Wahn, den sich dieses Geschöpf machen muß, um nicht zu verzweifeln.

Er gibt sich dem hin, der ihn tötet, und so vernichtet er nun den, welchen er liebt.

Alles, was er tut, ist eine Torheit, und sein Sohn spottet seiner im Angesicht des Todes.

Dies sind die Früchte, die ich aß, der Wein, von dem ich genoß: Es ist alles vergiftet, was wir erhalten.

So wende ich mich denn zu meinem Vater zurück und schreie ihm zu, diesem Blinden,

der jeden Schlag hinnimmt, den man ihm tut, wie ein Hund, der alles glaubt, was man ihm sagt, wie ein Narr,

daß ich, Palamedes, sein Sohn, ihn verraten habe.

DER HERZOG *ruhig:* So hast du mich verraten, mein Sohn.

PALAMEDES *zuckt zusammen und sinkt dann in sich:* Ja, mein Vater, ich habe Euch verraten.

DER HERZOG: So mußt du sterben.

PALAMEDES: So will es die Gerechtigkeit.

DER HERZOG: Du hast das Urteil über dich gefällt.

PALAMEDES: Ich habe mich gefällt, mein Vater.

DER HERZOG: Ich aber will mich dem Herzog von Friedland ergeben.

NEGRO DA PONTE: Wallenstein befiehlt Euch, ins Schloß zurückzukehren.

DER HERZOG: So müssen wir voneinander gehen, mein Sohn, den Befehlen gehorsam, die an uns ergangen sind.

Wenn der Morgen kommt, mußt du sterben.

Ich kann dir keinen andern Segen geben als deinen Tod.

Empfange ihn denn aus meinen Händen.

Ich schließe dir selbst die dunkle Türe auf.

Ich breite vor dir ihre Flügel weit auseinander.

Schreite getrost über die Schwelle.

Wie ein Mantel fällt nun deine Schuld von dir.

Zwischen uns sei nur noch die Liebe, die ein Vater zu seinem Sohne hat.

Durch deinen Tod bist du wieder mein.

Ich aber kehre in mein Schloß zurück, das nun zerstört ist.

Ich durchmesse noch einmal den Weg, der mich zu meinem Sohne führte.

Lebe denn wohl, mein Sohn.

Ich werde alles in meiner Blindheit wiederfinden,

wie du alles in deinem Tode wiederfinden wirst.

So kehren wir beide zu unserem Ursprung zurück.

Die Dirne führt ihn hinaus, die andern und das Gesindel folgen.

Palamedes. Negro da Ponte. Später der Henker. Dann Octavia.

PALAMEDES: Mein Herr aus Italien.

NEGRO DA PONTE: Mein Prinz.

PALAMEDES: Ihr habt kühn gehandelt. Ich hätte Euer Spiel verraten können.

NEGRO DA PONTE: Ich habe mit Eurer Traurigkeit gerechnet.

PALAMEDES: Gut gerechnet. Ihr habt mich Zug um Zug mattgesetzt.

NEGRO DA PONTE: Ihr habt Euch selbst mattgesetzt.

PALAMEDES: Um so größer Eure Kunst. Ich wollte die Blindheit meines Vaters verhöhnen und habe seinen Glauben verherrlicht. Seht Euch vor, daß Ihr nicht dasselbe macht: Ihr kämpft mit einem gefährlichen Gegner. Es verwandelt sich alles in Wahrheit, was er glaubt.

NEGRO DA PONTE: Ich liebe gefährliche Gegner.

PALAMEDES: Ich war ein leichter Gegner. Ihr habt mich dorthin getrieben, wo ich nicht mehr weiter konnte: An die Mauer meiner Verzweiflung.

NEGRO DA PONTE: Ihr hättet Euren Vater retten können, nun umschließt ihn meine Hand.

PALAMEDES: Zeigt mir Eure Hand. Hat sie nicht fünf Finger? Wie wollt Ihr mit fünf Fingern die Blindheit meines Vaters umschließen? Ihr greift ins Leere, Edelmann.

NEGRO DA PONTE: Ihr müßt sterben.

PALAMEDES: Es ist das einzige, was mir geblieben ist: der Tod.

NEGRO DA PONTE *umschließt ihn mit den Armen:* So reiße ich Euch an mich. Ich nehme zu mir, was mir gehört.

Ich umfange, was mir verfallen ist. Den Leib, den ich töte, presse ich an meinen Leib.

Wir sind Brüder geworden.

Ich umklammere Eure Schultern, und ich grabe die Nägel in Euer Fleisch.

Ich bin der Feind, der Euch bezwungen hat, der Rachen, der Euch verschlingt.

Der Abgrund, der die Welt in seine Tiefe saugt.

So trinke ich von Eurer Kehle, und ich sättige mich an Eurem Blut. Es ist uns alles gemeinsam.

Was Ihr besitzt, das besitze auch ich, und was Euch fehlt, das fehlt auch mir.

Wir können nicht mehr zurück.

Wir haben uns wie zwei Wölfe ineinander verbissen.

Ihr müßt sterben, und ich muß vollenden, was ich begonnen habe.

Ich weiche nicht mehr von Eurem Vater.

Ich reiße wie ein Geier den Glauben aus seinem Leibe.

Ich lasse nicht von ihm, bis er so geworden ist wie ich.

Denn warum sollen die am meisten leiden, die am meisten wissen, und warum soll allein der Narr nicht verzweifeln?

Seht, der Morgen steigt herauf, ein steinernes Meer!

Im steigenden Licht fallen Leib und Schatten auseinander.
Geht denn in Euren Tod.
Dort kommt, den Ihr erwartet, jener, der seine Hand in Eure
Brust senken wird.

Von hinten kommt der maskierte Henker, der seinen Mantel um
Palamedes legt.

NEGRO DA PONTE: Sein Mantel umgibt Euch wie eine Urne.
Bald werdet Ihr nichts mehr sein denn ein silberner Todesschrei,
der über mir schwebt,
eine sanfte Brücke,
sich spannend über dem Abgrund.

Negro da Ponte verschwindet rechts im Dunkel, von links kommt
Octavia.

OCTAVIA: So finde ich Euch noch einmal, mein Bruder.

PALAMEDES: Ihr findet mich in den Armen des Henkers, meine
Schwester. Ich suche in ihnen den Tod wie Ihr in den Armen des
Italieners das Leben.

OCTAVIA: Könnt Ihr nicht vergessen?

PALAMEDES: Ich mache mich daran, alles zu vergessen.

OCTAVIA: Ihr habt Euren Tod gewollt.

PALAMEDES: Und Ihr habt Euer Leben gewollt. Was erhofft
Ihr von Eurem Leben?

OCTAVIA: Ich habe jede Hoffnung von mir geworfen.

PALAMEDES: Ihr habt aber die Liebe. Es ist eine unzüchtige
Liebe, und ich gebe keinen Heller dafür, aber es ist die Liebe.

OCTAVIA: Ich habe auch die Liebe von mir geworfen.

PALAMEDES: Werft, Schwester, werft! Steine auf mein Haupt.
Aber irgendeinen Glauben habt Ihr nicht von Euch geworfen.
Zeigt mir Euren Glauben.

OCTAVIA: Ich glaube an nichts.

PALAMEDES: Und Ihr lebt? Ich glaube auch an nichts, aber ich
sterbe. Ich hoffe auch nicht, aber ich gehe zugrunde, und ich liebe niemand mehr, denn ich habe alles verloren. Geht, Schwester, vielleicht fürchtet Ihr Euch?

OCTAVIA: Ich fürchte mich nicht.

PALAMEDES: Was ist Euch denn in Eurem Leben geblieben?

OCTAVIA: Allein der Haß.

PALAMEDES: Dann kommt mit mir, Schwester, sterben ist besser denn leben.

OCTAVIA: Ich bin noch einmal zu Euch gekommen, Palamedes. Noch einmal erblickt Ihr meine Schönheit.

Noch einmal steht jene vor Euch, die Euch verachtet und die wie Ihr den Vater verraten hat.

Bevor Ihr den stillen Weg des Todes hinabgeht, enthülle ich Euch noch einmal mein Wesen.

Erblickt denn zum letzten Mal den Tag.

Ich habe nichts anderes getan als die Freiheit gewählt, Ihr aber das Grab.

Wie Ihr gehe ich nun einen einsamen Pfad.

Er führt steil hinan.

Ihr seht in die Nacht, und ich sehe in die Sonne, ich wende meinen Blick nicht ab.

Wer vermöchte zu schauen, was ich erblicke, und wer vermöchte mir zu folgen?

Ich erfülle, was ich bin.

Ich versenke Himmel und Hölle in mir und verschließe sie in meiner Brust.

Wer leben will, muß das Ungeheure tun, Sterben allein ist kein Verbrechen.

Ich trage die Schuld, und ich will keine Gnade.

Ich verwerfe den Segen, und ich greife nach dem Fluch.

Der Liebe des Vaters setze ich meinen Haß entgegen wie einen Schild.

So lebe ich.

Ich will nichts erkennen als mich selbst.

Ich will niemand lieben als mich selbst.

Ich verlasse dieses Land.

Ich trenne mich von meinem Ursprung.

Wie eine steile Flamme schieße ich hinauf in das Grenzenlose.

Ich verbrenne, was mich berührt, ich zerstöre, was sich mir entgegensetzt.

Ich frage nicht, wohin mein Fuß mich treibt, ich habe keine Frage mehr.

Ich habe mich der Welle übergeben, die mich trägt.

172

Gegrüßt sei die Küste, die mich erwartet, der Fels, an den ich geworfen werde, der Strand, der meine Heimat sein wird.

Ihr aber seid ein verwundetes Tier, das allein sterben muß.

So gehe jeder seinen Weg. Ihr in die Nacht und ich in einen unbekannten Tag.

PALAMEDES: Wie wollt Ihr verflucht sein, wenn unser Vater Euch segnet, und wie wollt Ihr schuldig sein, wenn unser Vater Euch freispricht?

OCTAVIA: Ich bin davon losgekommen, auf das zu achten, was Ihr sagt.

PALAMEDES: Aber Ihr seid nicht von unserem Vater losgekommen, meine Schwester.

Ihr könnt ihn verneinen, Ihr gehört ihm dennoch.

Je mehr Ihr ihm flucht, desto mehr seid Ihr ihm verfallen.

Denn Euer Vater bleibt Euer Vater.

Ihr sucht ihn nicht, aber er findet Euch, ohne zu suchen.

Ihr liebt ihn nicht, aber er wird nie aufhören, Euch zu lieben.

Ihr habt ihm alle Eure Freiheit wie eine Diebin genommen und dennnoch habt Ihr nur eins, das Euch gehört: Euren Haß.

Der gehört Euch allein, den müßt Ihr selber tragen.

Das ist die Unendlichkeit Eurer Qual, der Kreis, der Euch bannt, der Stein, der Euch immer wieder zur Tiefe rollt.

Ihr flucht, und man segnet Euch.

Was Ihr sucht, das findet Ihr nicht, und was Ihr findet, das habt Ihr nicht gesucht.

Niemand steht Ihr gegenüber als Euch selbst.

Wenn Ihr tötet, tötet Ihr Euch, wenn Ihr verdammt, verdammt Ihr Euch.

Dies sind die Worte, die ich an Euch richte.

Ich senke sie mitten in Euer Herz.

Ich fälle Euch wie mit einem Beil.

Von nun an werdet Ihr lügen müssen, um zu leben.

Ihr seid wie ich geworden.

Ihr lacht.

Noch seht Ihr nicht, daß Ihr verwandelt seid, daß Eure Hände zittern und Eure Lippen bleich werden.

Meine Verzweiflung ist nun die Eure, denn sie ist die Verzweiflung aller Menschen.

Seht zu, wie Ihr dieser entgehen könnt, ich war dazu nicht fähig.

Was nützt es Euch, in die Sonne zu starren, um nicht zu sehen: Einmal wird die Sonne versinken.

Dann werdet Ihr die Hände vor das Gesicht schlagen, aber einmal werden Eure Hände müde sein.

Ich bin da mit meiner Verzweiflung und warte, daß man mich überwinde.

Möge der Tag kommen, da ich besiegt werde.

O großer Kampf, den ich verlor und den meine Verzweiflung gewann, denn auch die Blindheit schützt meinen Vater nicht mehr.

Ich wollte ihn verschonen um des süßen Wahns seines Glaubens willen.

Denn wer immer wach ist, liebt den Schlaf, und wer die Wahrheit kennt, liebt den Wahn,

zwei Dinge, die allein köstlich sind.

Du goldene Hoffnung, daß allein der Schwache siege, daß allein der Blinde sehe.

So gehe ich von Euch, Schwester.

Meine Tage sind gezählt, meine Schuld ist gewogen, und meine Qual ist gemessen.

Die Stunden entrollen mir wie die Perlen einer zerschnittenen Schnur in die Unendlichkeit.

Ich rufe Euch nicht mehr, Ihr werdet mich rufen, aber ich werde Euch keine Antwort mehr geben.

Sie trennen sich.

Der Herzog, von der Dirne und dem Schauspieler geführt. Lucianus.
Ringsum das Gesindel. Später der Neger.

DER HERZOG: Wallensteins Befehl gehorsam, kehren wir in unser Schloß zurück. Wir schreiten mitten durch die kaiserlichen Soldaten.

DER SCHAUSPIELER: Die uns mit Hohn überschütten.

LUCIANUS: Und mit Steinen.

DER HERZOG: Die unser Land zerstörten, schlagen uns, und die mit unserem Reichtum prassen, überhäufen uns mit Flüchen.

LUCIANUS: Wir sind vor das kaiserliche Lager gekommen, edler Herzog.

DER SCHAUSPIELER: Der Feldherr erwartet Euch.

LUCIANUS: Sein Zug naht sich.

DER SCHAUSPIELER: Ein ungemein prächtiges Schauspiel.

LUCIANUS: Eine pompöse Staatsaktion.

DER HERZOG: Schart Euch um mich, meine Getreuen. Wir wollen den Herzog erwarten.

Sie setzen sich.

DER SCHAUSPIELER: Du Herzog eines besiegten Landes, du Vater eines geschlagenen Volkes, du Fürst des Hungers, der Armut und der Krankheit! Es erscheint nun vor deinem Angesicht dein Überwinder, dein großer Besieger, dein mächtiger Vernichter, der kluge Politiker, der hervorragende Stratege, der strahlende General, der leuchtende Generalissimus, der erleuchtete Albrecht, der gebenedeite Wenzel, der Hüter des Friedens, der Herzog von Friedland und Mecklenburg, der gerechte Herr Deutschlands, der gestrenge König Europas, der zukünftige Kaiser von Amerika, Chan Asiens, Oberhäuptling Afrikas, Kalif Arabiens, Papst der Päpste, Überluther der Lutheraner, Medizinmann der Medizinmänner, Dschingis-Khan der Erde: Der allgewaltige, göttliche Eusebius von Wallenstein!

DER NEGER *noch vom Gesindel verdeckt:* Timbuktu ubangi sambesi omotoka quipungo.

DER HERZOG: Wer schreit so mächtig, Chevalier?

DER SCHAUSPIELER: Der Herzog von Wallenstein, Eure Hoheit. Er ist ein gewaltiger Kriegsherr.

DER NEGER *hervorbrechend:* Koruru kamakama tanganika omotozu!

DER HERZOG: Ich verstehe kein Wort.

DER SCHAUSPIELER: Er spricht böhmisch, Eure Hoheit. Er ist in einem böhmischen Dorf geboren.

DER NEGER: Kaputt.

DER SCHAUSPIELER: Er fängt an, deutsch zu sprechen.

DER NEGER: Herzogtum kaputt.

DER SCHAUSPIELER: Der erhabene Herzog von Friedland erscheint wie ein dunkler Kriegsgott vor Eurer Hoheit.

DER NEGER: Tschibuti.

LUCIANUS: Tschubiti, gewaltiger Generalissimus, Tschubiti!

DER HERZOG: Ihr versteht Böhmisch, Bursche?

LUCIANUS: Auch ich bin in einem böhmischen Dorf aufgewachsen, auch ich verstehe die böhmische Sprache: Tschibuti: Seid gegrüßt, Tschubiti: Ich grüße Euch in untertänigster Demut. Tschubiti, erstaunlicher General, Tschubiti!

DER HERZOG: Ich heiße Wallenstein willkommen.

DER NEGER: Wer sein Mann?

DER SCHAUSPIELER: Der Kriegsherr des Kaisers sieht sich dem Herzog dieses Landes gegenüber.

DER NEGER: Kaputt.

DER SCHAUSPIELER: Sehr wohl, Eure Herrlichkeit, überaus kaputt.

DER HERZOG: Ich bin blind.

NEGER: Blind?

DER SCHAUSPIELER: Blind, unermeßlicher Armeeführer, blind. Die Augen kaputt.

DER NEGER: Herr Blind: Ich gefreß Euer Land.

DER HERZOG: Ihr habt von meinem Land Besitz genommen.

DER NEGER: Mir gehören alles.

DER HERZOG: Die Länder der Erde sind Euch übergeben worden, Herzog von Friedland.

DER NEGER: Eure Tochter meine Konkubin.

DER HERZOG: Sie fiel in Eure Hände.

DER NEGER: Mir gehören Bauch, und mir gehören Erde, die ich freß und die ich tu in meinen Bauch.

Ich ras über Völker, feg über Städte, Dörfer, Schlösser, roll hinab über Hügel, roll hinab über Berg und spring in dunkelblaues Meer, plitschplatsch!

Ich satz von Insel zu anderer Insel, von Kontinent zu Kontinent, von einem Bein auf anderes Bein.

Ich schwing Popo wie Kuchen, ich wackel Kopf wie Fahne! Ich tanz und schwing großen runden Sabel!

Kopf ab!

Ich tanz wie Wolke vor Sonn, und ich tanz wie Turm vor Mond
mit Trompete im Maul.

Ich blas, ich blas!

Ich blas herbei Soldaten, Krieger, Sklav, Henker und Minister,
meine großen, dicken Minister.

Sie füllen Tal, sie füllen Land, sie füllen ganze Ebene.

Ein Wald von Spießen, ein Urwald von Kanon und langen Pi-
stol, ein Kilimandscharo von Donner und Blitz.

Sie kommt, sie kommt, meine Armee, mein Heer, meine Hord.

Ich blas, ich blas!

Mauern kaputt, Schloß kaputt, Stadt kaputt!

Ich trampel, ich heul, ich spring, ich stöhn, ich lach, ich schluchz!

Ich gieß aus meine Armee, ich gieß aus tausend Mann, hunderttausend, Million, Million mal Million, Trillion!

Ich ersäuf Menschheit.

Ich töt, ich töt!

Ich töt Mann mit Bart, ich töt Frau mit Kind im Bauch, töt
Jungfrau, töt Knecht, töt Pfarr, töt Schreiber, töt Händler, töt
Sklav, töt Soldat mit Panzer.

Ich wat in Blut, ich schmier roten Fleck auf meine Backe, ich
schmier roten Kreis um meinen Nabel.

Ich häng Kette von Darm um den Hals, ich stülp Magen über
den Kopf.

Ich mach Berg von Schädel, ich mach Gebirg von Lunge, ich
mach rotes Meer von Blut und schwarzes Meer von Hirn.

Ich erober die Welt, ich erober Komet, ich erober Sternschnupp
am Himmel, Mond und Nebel. Alles duckt Rücken vor mir.

Ich werden Baumeister, ein großer Baumeister, ein gewaltiger
Baumeister, der größte Baumeister.

Ich peitsch die Völker, daß sie schleppen herbei den Fels, daß sie
tragen heran den Stein, daß sie türmen alles aufeinander in
Wüste von Staub, in rotem Ozean von Sand.

Ich bau spitze Pyramid, ich bau schwarze Pyramid, ich bau große
Pyramid, hoch, hunderttausend Kilometer.

Rundherum Schlangen, rundherum Leichen, rundherum Grab
von Soldaten, Sklav, Henker, Völker und dickem Minister,
rundherum tote Menschheit.

Rundherum alles still.

Nur ich sitz oben auf höchster Pyramid, oben auf der Spitze von höchster Pyramid.

Und lach und trommel auf Bauch und trommel auf Brust, schüttel Gott am Bart und geb ihm Klaps, und schlaf dann eingewickelt in grünes Blatt von Kokos.

DER HERZOG: Ihr seid gekommen, unsere Unterwerfung entgegenzunehmen, Herzog von Friedland.

DER NEGER: Ihr müßt knien.

DER HERZOG: Ich knie vor Euch.

DER NEGER: Ihr müßt küß die Hand.

DER HERZOG: Ich küsse Eure Hand.

DER NEGER: Ihr müßt Euch werf auf Boden.

DER HERZOG: Ich werfe mich vor Euch auf den Boden.

Er legt sich auf den Boden.

DER NEGER: Ihr knien vor mir, Ihr küß meine Hand, Ihr werf auf Boden.

DER HERZOG *erhebt sich langsam:* Ich habe mich Euch unterworfen.

DER NEGER: Ich Sieger.

DER HERZOG: Ihr habt mich besiegt.

DER NEGER: Ihr keine Ehr mehr.

DER HERZOG: Ihr habt mir alles genommen.

DER NEGER: Ihr sein geringster Mensch.

DER HERZOG: Ich bin der geringste und Ihr der mächtigste der Menschen.

DER NEGER: Ihr können mir nichts mehr geben.

DER HERZOG: Ihr habt von mir genommen, was ich hatte: Mein Land, mein Volk, meinen Sohn, meine Tochter und meinen Reichtum.

Dann habe ich Euch gegeben, was nur der Geringste dem Mächtigsten geben kann: Ich kniete vor Euch, ich küßte Eure Hand und ich lag zu Euren Füßen.

Ich kann Euch nichts mehr geben, Herzog von Friedland, meine Hände sind leer.

Ich kann nur noch dem geben, der so arm ist wie ich, so ohne Land, so ohne Sohn, so ohne Tochter.

Dem kann ich meinen Segen geben, meine Tränen und den Frieden, der unter den Geringsten wohnt.

Zwischen Euch und mir ist eine Mauer errichtet, die Ihr nicht durchbrechen könnt.

Denn wer vermöchte die Grenze zu überschreiten, welche die Macht sich selber setzt, und wer vermöchte den Mann zu bezwingen, der den heiligen Weg der Armut betreten hat?

Als ich vor Euch auf der Erde lag, wurde ich zur Schwelle, vor der Eurem Fuß Halt geboten ist,

solange noch ein Körnchen Macht an ihm haftet.

Nehmt denn, was Euch zukommt, die Leiber der Menschen, ihre Hütten und Städte, das Gold und Silber ihrer Gewänder, den unermeßlichen Reichtum der Welt.

Dies ist alles in Eure Hand gegeben.

Euch fällt zu, was dem Menschen gehört, aber was Ihr zurücklaßt, gehört keinem Menschen mehr.

Ich sitze auf diesem Hügel und warte, daß ich gefunden werde.

Ich warf mich dem Mächtigsten dieser Erde hin, ich verlor mich selbst.

So bin ich gesät und warte, daß ich Frucht trage,

so bin ich blind und warte, daß sich eine Hand auf meine Augen lege.

DER NEGER: Dann gehe ich fort mit Eurem Volk, Eurem Land, Eurem Reichtum, Eurem Sohn und Eurer Tochter, meine Konkubin.

Ich nehme alles in Bauch und trag alles fort in Bauch, tuttiquanti.

Ich laß zurück alles durcheinand, alles übereinand, alles untereinand, alles quer, alles tot.

Und mitten in Land voll Ratt, Mäus, Wanz ,Wurm, Mad,

in Weltall von Ruin, Ihr sitzt auf Hügel mit Nichts,

ein Klümpchen unter meinem Stiefel,

ein Rülpselchen von meinem Darm, ein Stäubchen,

das ich wirbel fort, wenn ich schneuz.

Vogel schwirr über Euch mit Bein im Schnabel und lach.

Mond schein in Euer Gesicht und lach.

Sonn funkel auf Euer Kron und lach.

Gott sitz auf Stern von Gold und lach, und großer General verdreh sein Aug und lach.

Alles lach.

Wallenstein klatsch in die Hand, Wallenstein wink seinem Roß, Wallenstein reit fort mit Soldat, mit Sklav, mit Henker, mit dickem Minister.

Wallenstein verschwind wie Gewitter, verroll wie Erdbeb, flut zurück wie Well vom Meer, verhall im Nichts wie böser Pfiff.

LUCIANUS: Der Herzog von Friedland entfernt sich.

DER NEGER *abtretend:* Kaputt!

DER SCHAUSPIELER: Und so verschwindet der Feldherr des Kaisers in der unerforschlichen Tiefe Eures zerstörten Landes.

Stille.

DER HERZOG: Verlaßt mich, meine Getreuen.

DER SCHAUSPIELER: Wir verlassen Euch alle.

Es gehen alle hinaus.

Der Herzog. Suppe. Später Negro da Ponte.

Die Bühne wird dunkel. Nur der Herzog ist beleuchtet. Von links kommt Suppe.

SUPPE: Eure Hoheit!

DER HERZOG: Wer ruft?

SUPPE: Die Dichtung ruft Euch!

Allein die Klarheit
birgt die Wahrheit,
die Erhabenheit des Nichts
und die Schönheit des Gedichts!

Letzter Chorgesang, letzte Strophe. Das ungeborene Kind ist tot, das Weib ist tot, Nestor ist tot, alles ist tot. Die Tragödie hat ein Ende genommen.

DER HERZOG: Es haben mich alle verlassen, wie ich es befohlen habe. Auch du sollst mich verlassen.

SUPPE: Ich bringe Euch etwas, Hoheit.

DER HERZOG: Was kannst du mir bringen, Dichter?

SUPPE: Die Wahrheit.

DER HERZOG: Es gibt nichts Größeres als die Wahrheit.

SUPPE: Sie ist das Höchste.

DER HERZOG: Du bist reicher als die anderen Menschen, Dichter, wenn die Wahrheit in deinem Besitze ist.

SUPPE: Ich besitze sie: Ich sehe.

DER HERZOG: Du siehst, weil du die Wahrheit hast.

SUPPE: Umgekehrt, Eure Hoheit. Ich besitze die Wahrheit, weil ich sehe. Ich werde Euch alles sagen, die ganze Wahrheit.

Aus dem Hintergrund ist Negro da Ponte gekommen, ohne daß ihn Suppe sieht. Er zückt den Degen und stellt sich hinter den Hofdichter.

DER HERZOG: Komm, Sehender, und knie vor mir, dem Blinden, nieder.

Suppe kniet vor den Herzog nieder.

DER HERZOG: Ich lege dir jetzt meine Hände auf die Schultern. Ich sitze vor dir, und deine Augen sehen mein erloschenes Antlitz. Um uns ist die Stille der Nacht und die Einsamkeit der Finsternis. Wir sind allein.

Du bist gekommen, mir jene Wahrheit zu bringen, die vom Menschen stammt.

Du bist gekommen, einen Becher von Gift an die Lippen eines Blinden zu legen.

Du bietest mir die Wahrheit und willst mir die Verzweiflung geben.

Denn wenn ein Blinder nicht allen glaubt, muß er an allem zweifeln.

So reichst du mir für meine Blindheit eine Nacht, die unendlich ist.

Du Tor, dessen Leib ich mit meinen Armen umfange,
was ist die Wahrheit, die du mir bringst?

Sie ist flüchtiger denn Wasser, veränderlicher denn Wind und wesenloser denn eines Trunkenen Lied.

Was willst du, daß ich mich um jene Welt kümmere, von der du kommst?

Wie kannst du glauben, du wissest vom Licht, weil du zwei Augen hast?

Du Narr, nur der Blinde sieht.

Meine Hände schließen sich um deinen Hals wie zum Gebet.

Du sinkst zurück, dein Leib fällt leblos hinab.

Du wolltest mir die Wahrheit eines Sehenden geben und hast die Wahrheit eines Blinden bekommen.

So wende ich mich ab von dir.

Empfange nun die Wahrheit, die allein nicht tötet, die allein nicht aus den Händen eines Menschen ist.

O Glaube, der mich leitet.

O Weg, der sich zum Ende neigt.

O heilige Blindheit, du Wasser, über das ich schreite, du Meer, über das ich wandle.

Er schreitet tastend hinweg.

Negro da Ponte. Der Schauspieler.

DER SCHAUSPIELER: Was habt Ihr da vor Euch, Herr?

NEGRO DA PONTE: Einen armen Sohn der Dichtkunst.

DER SCHAUSPIELER *untersucht ihn:* Ihr habt ihn erwürgt?

NEGRO DA PONTE: Der Blinde hat ihn erwürgt.

DER SCHAUSPIELER *verwundert:* Wozu?

NEGRO DA PONTE: Um die Wahrheit nicht zu hören, mein Freund. Doch nützt ihm dies nichts, er wird ihr nicht entgehen.

DER SCHAUSPIELER: Wie das? Er kann sie nicht sehen und will sie nicht hören. Unser Spiel ist erhaben, aber es findet keinen Abschluß.

NEGRO DA PONTE: Macht aus diesem Dichter einen tragischen Schauspieler, und der Blinde wird die Wahrheit fühlen.

DER SCHAUSPIELER: Was soll Euch diese traurige Leiche darstellen?

NEGRO DA PONTE: Eine Dame.

DER SCHAUSPIELER: Es ist ein stummer Schauspieler mit wenig Mitteln.

NEGRO DA PONTE: Ich denke an eine stumme Dame, die keine Mittel mehr braucht.

DER SCHAUSPIELER: Ihr meint ein stummes, frostiges und mittelloses Frauenzimmer, das eine geachtete Stellung unter denen einnimmt, die liegen?

NEGRO DA PONTE: Eine Dame, die wie ein Grab zu schweigen weiß.

DER SCHAUSPIELER: Ihr Name, mein General?

NEGRO DA PONTE: Der schönste Name: Octavia.

DER SCHAUSPIELER: Diese Leiche wird Euch die herrlichste Dame abgeben. Ich werde sie in den erbärmlichsten Mantel Eures Heeres hüllen.

NEGRO DA PONTE: Dann tragt den toten Dichter als tote Octavia in feierlichem Leichenzug vor den Blinden.

Der Schauspieler winkt zwei Kreaturen herbei, die Suppe hinaustragen.

DER SCHAUSPIELER: Ihr werdet mit dem Schauspiel zufrieden sein, Euer Gnaden.

Der Schauspieler geht links ab.

Negro da Ponte. Octavia.

Octavia tritt von rechts auf.

NEGRO DA PONTE: Seid willkommen in dieser Nacht, in der sich alles entscheidet, Octavia.

OCTAVIA: In dieser Nacht werde ich von Euch scheiden.

NEGRO DA PONTE: Wo wollt Ihr hin?

OCTAVIA: Das Tier hat seine Höhle, mein Vater seinen Gott, mein Bruder steigt in seine Verzweiflung hinab. Ich bin Euer Geschöpf, wohin soll ich nun gehen, Edelmann?

NEGRO DA PONTE: Lernt ins Grenzenlose gehen, und lernt ins Leere sehen.

OCTAVIA: Zeigt mir den Weg dorthin.

NEGRO DA PONTE: Er ist die Qual, die Ihr ertragen müßt.

OCTAVIA: Was gebt Ihr mir auf diesen Weg, Edelmann?

NEGRO DA PONTE: Ich habe Euch alles gegeben, was ich besaß. Ich kann Euch nichts mehr geben.

OCTAVIA: Ich habe Euch einen blinden Vater gegeben, einen verzweifelten Bruder, ein zerstörtes Land und mich selbst, nicht mehr als ein Tier. Was habt Ihr mir dafür gegeben?

NEGRO DA PONTE: Die Freiheit.

OCTAVIA: Ich bin frei geworden.

NEGRO DA PONTE: Ich machte Euch zu einem Weibe.

OCTAVIA: Ich bin ein Weib geworden.

NEGRO DA PONTE: Ich legte die Herrlichkeit der Welt in Eure Hände.

OCTAVIA: Ich habe alles genommen, was Ihr mir gegeben habt, ich wies keine Eurer Gaben zurück.

Meine Hände glitten über die Schätze dieser·Welt, und mein Leib erkannte ihre Lust. Ich verwandelte mich in tausend Gestalten, und ich verhüllte mein Antlitz mit farbigen Masken,

ich durchmaß die Nächte, ich schritt im Lichte des Monds und verbarg mich nicht vor der Sonne.

Ich sammelte die Früchte des Lebens.

Ich öffnete die geheimen Türen, die zum Reiche der Gedanken führen.

Ich stieg hinab.

Ihr gabt mir die Qual, und Ihr gabt mir den Stolz der Mächtigen, sie zu ertragen.

Ich gab Euch meinen Leib, aber ich gab Euch meine Liebe nicht; denn zwischen den Menschen soll nicht die Liebe sein, die vergänglich ist, sondern die Einsamkeit.

Ich hob die Faust gegen den Himmel und lachte.

Die Blitze durchfuhren mich und konnten mich nicht töten.

Der Donner rollte über mich, und meine Stimme hörte nicht auf, ihn zu verhöhnen.

Ich häufte ein Verbrechen auf das andere und eine Todsünde auf die andere, und nichts berührte meine Schönheit.

Ich bin so geworden wie Ihr, das Geschöpf Eures Geistes, die Tat Eurer Gedanken.

Eine steile Flamme, die im Leeren verlöscht, ein einsamer Schrei, der verhallt.

Ich gehe den Weg, den Ihr mir gewiesen habt.

Ich schreite ins Grenzenlose, ich blicke ins Leere.

Ich sehe ein Antlitz von Eis, eine gläserne Wand.

Die Bewegung meines Herzens erstarrt, und silberner Frost bedeckt meinen Leib.

Es umschließt mich Kreis um Kreis und Ring um Ring eine schweigende Kälte.

Palamedes, mein Bruder, du blutiger Leichnam, zerschellte Brücke zwischen mir und dem Vater.

Wie bin ich ganz ohne Gnade, ohne Hoffnung, ohne Glaube! Wie bin ich jetzt verloren, wie hat mich jetzt niemand gefunden! Wie senkst du dein Haupt, wenn ich mich zu dir wende, wie schweigst du, wenn ich rufe, wie gibst du mir keine Antwort, wenn ich frage!

NEGRO DA PONTE: Die Toten antworten nicht.

OCTAVIA: Nur noch die Toten können mir eine Antwort geben.

NEGRO DA PONTE: Es gibt keine Antwort.

OCTAVIA: So werde ich verstummen, Edelmann. Ich bin gekommen, Euch zum letzten Mal zu sehen. Das Geschöpf Eures Geistes wendet sich von Euch ab.

Ich werfe Euch hin, was Ihr mir gegeben habt, es ist nicht mehr, als was mir vorher gehörte: Das Leben eines Tieres.

Ihr habt mir alles gegeben, und ich habe nichts erhalten.

Ihr habt mir gereicht, was dem Menschen gehört, und Eure Hände waren leer.

So kehre ich zurück.

Ihr werdet mich wiedersehen, wenn ich Euch verlassen habe, ich werde zu Euch kommen, wenn Ihr nicht mehr zu mir kommen könnt.

Willkommen, mein Bruder!

Willkommen, mein Vater! Den ich nicht verstehe, der mir unbegreiflicher ist denn die Bahn der Gestirne.

Ich habe dein Gesetz gebrochen, ich habe deinen Namen verflucht, und ich habe dich verraten.

Ich will nun verflucht sein nach deinem Gesetz, und meinen Händen entfällt, ein zerrissenes Banner, der Haß.

Octavia will nach dem Hintergrund, da kommt ihr tastend der Herzog entgegen, der einen Augenblick unsicher stehenbleibt.

Die Vorigen. Der Herzog. Später das Gesindel. Dann der Schauspieler.

DER HERZOG: Ehrwürdige Mutter.

Octavia tritt langsam zum Herzog und ergreift seine ausgestreckte Hand.

DER HERZOG: Führt mich in meinen Palast, in die Unermeß-lichkeit meines Untergangs, in das ewige Schweigen meiner Ruinen.

Octavia führt den Herzog durch die Trümmer in den Vordergrund, wo er sich auf einen Mauerrest setzt.

DER HERZOG: Ich danke Euch, Gräfin.

Octavia geht langsam nach links hinaus.

NEGRO DA PONTE: Mein Herr.

DER HERZOG: Ich bin in mein Schloß zurückgekehrt, wie es Wallenstein befahl. Ich bin dort angelangt, wo ich ausgegangen bin. Der Kreis hat sich geschlossen.

NEGRO DA PONTE: Ich trete aus dem Dunkel in den Mond. Ich grüße Euch in derselben Fläche des Lichts.

DER HERZOG: Was bringt Ihr mir in dieser Stunde der Rück-kehr?

NEGRO DA PONTE: Was Euch geblieben ist, mein Herr. Eure Tochter Octavia, die sich Eurem Feinde hingab.

DER HERZOG: Führt sie zu mir. Wie sich der Vater erniedrigt hat, so erniedrigte sich auch die Tochter. Wir gaben uns beide unserem Feind, wir sind eins geworden. Ich habe sie verloren, als ich erhöht war, nun finde ich sie in der Tiefe meines Un-glücks wieder.

NEGRO DA PONTE: Der Chevalier wird sie vor Euch führen.

DER HERZOG: Ruft mein Volk herbei, die Getreuen, die mein Unglück teilen.

NEGRO DA PONTE: Ihr seid von Eurem Volk umgeben.

Das Gesindel ist hereingeströmt.

DER HERZOG: Ich vertraute Euch die Krone meines Reiches an, Statthalter.

NEGRO DA PONTE: Ich verwahrte sie wohl.

DER HERZOG: Laßt die Gräfin kommen, daß sie mich kröne.

Die Dirne kommt mit einer lächerlichen Krone.

DIE DIRNE: Edler Herzog?

DER HERZOG: Ihr allein seid würdig, mir die Krone auf die Stirne zu senken, ehrwürdige Mutter.

Die Dirne krönt ihn.

DER HERZOG: Ich danke Euch. Nun bin ich bereit, die Tochter, die ich liebe, in meine Arme zu schließen. Laßt sie vor mir erscheinen.

Vier zerlumpte Gestalten tragen einen mit einem zerfetzten Mantel verhüllten Leichnam herein, vor ihnen der Schauspieler.

DER SCHAUSPIELER: Der französische Chevalier grüßt Euch.

DER HERZOG: Ihr führt Octavia zu mir, Chevalier?

DER SCHAUSPIELER: Eure Tochter befindet sich vor Euch, Hoheit, in einem Kleid, das ihrer Lage angemessen ist.

Die Gestalten legen den Leichnam vor den Herzog nieder.

DER HERZOG: Ich habe dich erwartet, meine Tochter. Ich war immer bei dir, nun bist du gekommen.

DER SCHAUSPIELER: Eure Tochter ist stumm, Hoheit. Sie wird Euch keinen Gruß geben und keine Antwort, wenn Ihr sie fragt, und sie wird Eure Hand nicht ergreifen, wenn Ihr sie ausstreckt.

DER HERZOG: Dann habt ihr mir eine Tote gebracht, Chevalier.

DER SCHAUSPIELER: Sie starb durch eigene Hand. So ist sie als eine Leiche vor Euch gekommen.

DER HERZOG: Dann sei willkommen, tote Tochter, du Schwert, das mich durchfährt, du Wunde, die ich empfange. Ich nehme dich auf, ein Vater das Kind.

Du wußtest keinen Weg mehr, nun ist es an mir, für dein Verbrechen zu sühnen.

Du bist gestorben, nun ist es an mir, für dich zu leben.

Ich schließe deine Verzweiflung in mein Gebet.

Du bist meine Last geworden, die Schuld, die ich trage, die Strafe, die ich erleide, die Gerechtigkeit, die mir widerfahren ist, und die Hoffnung auf Gnade, die mich nie verläßt.

NEGRO DA PONTE: Du hast den Untergang deines Landes ertragen und den Tod deines Sohnes, den du gerichtet hast.

Dein Glaube hat dir geholfen.

Du hast dich vor deinem Feinde erniedrigt, und den Leichnam deiner Tochter empfängst du wie ein Fürst ein Geschenk.

Nun siehe zu, wie du meine Worte erträgst und wie du mich durch deinen Glauben widerlegst, versuche mir zu entgehen.

Ich falle dich an wie ein Tier, und ich komme über dich wie ein Schwert.

Ich gebe dir, was du nie gewollt hast, und ich zeige dir, was du nie gesehen hast: Die Wahrheit.

Ich zwinge dich, zwischen ihr und deinem Glauben zu richten, denn ich stelle dich der Wahrheit gegenüber wie einem Gegner, der gekommen ist, dich zu töten.

So empfange denn, was ich dir gebe, vernimm, was ich dir sage.

Octavia lebt.

Ich habe sie zu einem Weibe gemacht, und sie gehört mir Nacht um Nacht,

ein Geschöpf wie ich, ruhelos wie ich, ewig wie ich,

ein Fluch im Angesicht Gottes,

ein Mensch und nichts weiter, eine Flamme und nichts weiter, ein Lachen und nichts weiter, ein Wesen, das deine Liebe von sich geworfen hat wie ein unnützes Ding und das dich verspottet wie meine Geschöpfe, die dich umgeben,

wie dieser Schauspieler, der dein Chevalier war,

wie dieser Edelmann, der dich im endlosen Kreis durch die Trümmer führte,

wie dieser vollgefressene Musketier, triefend von Blut, der dein Bruder im Elend war,

wie mein Neger, vor dem du im Staub gelegen hast,

wie meine Dirne, die dich gekrönt hat.

Ich aber entrolle das Bild dessen, was dir geblieben ist.

Richte deine blinden Augen auf das, was war, als ich kam, und sein wird, wenn ich gehe, auf den Ort, den du nie verlassen hast, den allein deine Träume verwandelten und den ich jetzt mit meinen Worten wie durch Feuer erhelle!

Sieh, was dich umgibt:

Ein Wirrwarr zerbrochener Säle, ein Irrsal von Mord, ein Unding von Blut, ein zitternder Pesthauch, ein Leben des Todes! Nimm Besitz von dem, was in rotes Mehl zerfällt.

Schreite über deine zerschmetterte Herrlichkeit.

Betaste die Mauern voll Blut und umfasse die gestürzten Säulen.

Spiele mit den Trümmern deiner Türme, dies war das Reich, das du mir übergabst und das ich dir wieder zurücklasse!

Umgürte dich mit denen, die ich an die Stelle deines toten Volkes setzte, mit den Kreaturen der Finsternis.

Sie steigen herauf.

Sie speien in dein erblindetes Antlitz, gierig, dich zu verhöhnen!

Sie sind mit blutigen Lumpen bedeckt, und ihre Glieder sind verstümmelt.

Ihre Väter sind Gehenkte und ihre Söhne die Henker.

Ihre Mütter haben Kinder von fremden Soldaten, und ihre Töchter geben sich für ein Stück altes Brot.

Dies ist das Volk, das zu dir kommt.

Die Menschen, die dich nun in ihre Mitte nehmen, eine dunkle Wolke von Haß, eine unsägliche Masse an Elend.

eine Dornenkrone um dein Haupt, ein Fluch, der sich erfüllt hat –

So fasse denn nach dem, was vor dir liegt, greife nach der Leiche, die vor dich gebracht worden ist,

wage es, nach ihrem Gesicht zu langen, du Blinder!

Hinein in das Antlitz eines verendeten Mannes, hinein in dieses wächserne Fleisch, das noch nach dem Tode nach Schnaps stinkt, in dieses Abbild deiner Lächerlichkeit, hinein in diesen Beweis, daß Octavia lebt, hinein in diese Antwort auf deinen Glauben, die ich jetzt vor dir enthülle!

Er zieht den Mantel von der Leiche, und Octavia wird sichtbar.

NEGRO DA PONTE: Octavia!

DER SCHAUSPIELER: Wir brauchten kein Spiel, Herr, wir brauchten keinen Hofdichter: Octavia hat sich vor meinen Augen getötet.

NEGRO DA PONTE: Euch ist geschehen nach Eurem Glauben: Octavia ist tot.

DER HERZOG *ruhig:* Bringt meine Tochter hinaus. Begrabt sie
in diesen Trümmern, bedeckt sie mit meinem Schloß, hüllt sie
ein in die Erde meines Landes, in ein vergessenes Grab: So ruhe
sie in meinem Schweigen, und so lebe sie in meiner Liebe.

Das Gesindel trägt Octavia hinaus und verschwindet langsam.
Die Bühne wie zu Beginn.

Der Herzog. Negro da Ponte.

Negro da Ponte will nach rechts hinaus.
DER HERZOG: Ihr geht an mir vorbei.
NEGRO DA PONTE: Was wollt Ihr noch von mir?
DER HERZOG: Ihr geht an mir vorbei, mein Herr.
NEGRO DA PONTE: Ich gehe weiter.
DER HERZOG: Ich sitze hier inmitten meines zerstörten Schlos-
ses.
NEGRO DA PONTE: Ich sehe.
DER HERZOG: Um Euch breitet sich mein Land, eine Wüste.
NEGRO DA PONTE: Ich muß zurück in den Krieg.
DER HERZOG: Ich habe Euch zu meinem Statthalter gemacht,
italienischer Edelmann.
NEGRO DA PONTE: Ich wollte Euch den Tod geben, mein Herr.
DER HERZOG: Wer glaubt, überwindet den Tod.
NEGRO DA PONTE: Euer Glaube hat Euren Sohn und Eure
Tochter getötet.
DER HERZOG: Wer nicht das Leben hat, muß umkommen,
und wer nicht durch den Tod geht, wird nicht das Leben haben.
NEGRO DA PONTE: Ihr könnt mir nichts mehr geben, und ich
kann Euch nichts mehr nehmen.
DER HERZOG: Es ist von uns genommen, was wir hatten.
Unsere Stätte ist zerstört, über die leere Ebene schweifen die
Wölfe.
Wir sind dahingesunken, der Name unseres Landes ist vergessen.
Was zwischen Mensch und Gott war, ist zerbrochen.
Wie Scherben liegt die Größe des Menschen um uns her,
und in unser Fleisch ist der Weg gesprengt, den wir gehen müs-
sen, wie in einen Fels.

So haben wir erhalten, was uns zukommt.

So sind wir an den Platz zurückgewiesen, den wir einnehmen müssen.

So liegen wir zerschmettert im Angesicht Gottes, und so leben wir in seiner Wahrheit.

NEGRO DA PONTE: Ich aber gehe weiter. Ich ziehe ein durch die Pforten, die mich erwarten, ein Engel des Todes.

Ich gehe ein in die Länder, die mir gehören und die ich wie Sand zwischen meinen Fingern zerreibe.

Aufs neue streue ich meine Geschöpfe nach allen Teilen der Welt.

Ich weiche von Euch, tappend wie ein Blinder.

Ihr habt mir nicht widerstanden und habt mich überwunden.

Ich bin an dem zugrunde gegangen, der sich nicht wehrte.

Ich verlasse Euch nun, wie Satan Hiob verließ, ein schwarzer Schatten.

DER HERZOG: So geht denn von mir im Namen Gottes.

Negro da Ponte geht langsam hinaus.

KOMÖDIEN II

FRANK DER FÜNFTE

EINE KOMÖDIE

MIT MUSIK VON PAUL BURKHARD

BOCHUMER FASSUNG, 1964

PERSONEN

Frank der Fünfte
Seine Frau Ottilie
Sein Sohn Herbert [nachmals Frank der Sechste]
Seine Tochter Franziska
Der Prokurist Emil Böckmann
Der Personalchef Richard Egli
Frieda Fürst
Der Schalterbeamte Häberlin
Der Schalterbeamte Gaston Schmalz
Der Schalterbeamte Theo Kappeler
Päuli Neukomm
Heini Zurmühl
Der Kellner Guillaume
Der Maschinenfabrikant Ernst Schlumpf
Der Seiden-Meier
Die Stumpen-Gräulich
Die Hotelbesitzerin Apollonia Streuli
Der Staatspräsident Traugott von Friedmann
Trauergemeinde
Bankiers
Diener
Eine Krankenschwester

1. WIE HELDEN VON SHAKESPEARE

Der Personalchef Richard Egli tritt in feierlicher Kleidung vor den Zwischenvorhang und schiebt den Hut etwas nach hinten.

EGLI:
Leider habt ihr stets vernommen
Daß die Welt nicht nach dem Wunsch der Frommen
Daß die Reichen reich und die Armen arm
Und Gott erbarm
In Bälde sich unserer Kälte.

Doch nun laßt den romantischen Quark
Der Mensch ist nicht frei, er lebt im Geschäft
Von Wölfen umstellt, von Hunden umkläfft
Im Kollektiv gefangen
Vom Nächsten beschattet, den er selber bewacht
Mit allen gehangen
Wird er über Nacht
Um seine Menschlichkeit gebracht.

Seid daher stark
Hört zu erhöhten Eintrittspreisen
Teils als Tragödie, teils als Schwank
Die Komödie einer Privatbank.
Personen: Die ganze Bande
Vom Stift bis zum Prokurist
Ja, selbst den Direktor und dessen Frau
Seht ihr leiden in dieser Schau
Sowie einige Kunden, doch die nur am Rande.

Der Grund?
Kommt man euch mit Bettlern, heult jeder Hund
Nur vor unsresgleichen seid ihr objektiv
Mitleid verzerrt und Tränendunst
Armut macht schief
Erst von einer Million aufwärts gibt es klassische Kunst.

Erfahre denn, o Christenheit
Was *wir* hoffen und lieben
Vernimm, wie wir morden, schau, wie wir schieben
Und zieh den Hut ab, wenn wir fallen
Ehre sei uns allen.
Nicht nur Könige habens arg getrieben
Nicht nur Minister, nicht nur Generale
Wateten durch Blut, stanken Skandale
Ich bin der Personalchef, ich muß es ja wissen.
Es saust mit uns die Welt des Schwindelns und der Wucherzinsen
Unaufhaltsam in die Binsen
Wir sind die letzten Schurken weit und breit
Nach uns nur böse, öde Ehrlichkeit.

Drum
O Publikum
Freu dich noch ob uns auf Erden
Was jetzt nur schändlich ist, wird unerträglich werden.
Wag dich selbst zu sehn in unserem Handeln

Die wir wie Du hienieden wandeln
Verstrickt in Börsenstrategie.
Angepöbelt wie noch nie
Von jedem sozialen Wicht
Stehn wir fürchterlich vor Dir
Henker zwar, doch Götter schier
Minder groß und blutig nicht
Als die Helden von Shakespeare.

2. DER GROSSE DREH

*Am Quai, etwa zehn Uhr morgens. Rechts das kleine Kaffee, an-
gedeutet durch eine Wand und eine Türe sowie durch eine Inschrift
‚Chez Guillaume‘. Vor dem Kaffee stehn drei Tische. Links das
kleine Hotel, angedeutet wie das Kaffee durch Wand und Türe,
darüber die Inschrift: ‚Hotel‘. Im Hintergrund die Privatbank, mit
einer modernen Türe, die sich wie von Geisterhand selber öffnet.
Sonst ist die Fassade alt, leicht verwittert, doch durchaus liebenswürdig, in irgendeiner liebenswürdigen Altstadt einer mittleren
Großstadt denkbar. Personen: Heini Zurmühl, arbeitslos, hungrig
und hoffnungsvoll, lehnt sich gegen die Hotelfassade, der Kellner
Guillaume wischt seine Tische. Von links hinten kommt Päuli
Neukomm mit einem Köfferchen und in einem braven Anzug,
erblickt zufällig das kleine Kaffee. Leider.*
PÄULI: Ober, ein kleines Helles und ein Brötchen.
*Setzt sich an den mittleren Tisch. Guillaume bringt das Verlangte
und verschwindet dann im kleinen Kaffee. Päuli trinkt einen
Schluck Bier, ißt vom Brötchen, füttert die Möwen. Heini Zur-
mühl pfeift. Päuli schaut hin.*
HEINI: Ich komme aus Drosseldorf.
PÄULI *erfreut*: Ich aus Amseldingen.
Heini kommt hinüber.
HEINI: Da haben wir uns aus der gleichen Gegend hergestoh-
len.
Setzt sich zu ihm.

HEINI: Ich bin Zurmühls Heini. Gemeindeschreibers Siebenter. Die mit dem DKW.

PÄULI: Ich bin Neukomms Päuli. Mein Alter führt die Schlosserei. Die mit dem Schindeldach.

Füttert die Möwen.

HEINI: Die Möwen haben Hunger.

PÄULI: Du wohl auch?

Hält Heini das Brötchen hin.

HEINI: Pech gehabt.

Ißt.

HEINI: Bin Damenschneider.

PÄULI: Ich Schlosser.

HEINI: Auch rausgeschmissen?

PÄULI: Davongelaufen. Mein Beruf ist zum Kotzen.

HEINI: Zeitverschwendung. Bilde dich lieber und studiere die hoffnungsvollen Einrichtungen dieser Erde. Nimm dir ein Beispiel an mir. Seit Wochen beobachte ich die Privatbank da hinten, umschleiche sie, präge mir ihre Beamten und Kunden ein und bin zur Einsicht gekommen: Sie stellt ein schwerreiches Unternehmen dar. Weißt du, wer da eben hineingeht?

Ein Kunde geht in die Bank.

PÄULI: Keine Ahnung.

HEINI: Der Seiden-Meier, fünffacher Millionär.

Eine Kundin verläßt die Bank.

HEINI: Die Stumpen-Gräulich. Zehn Millionen.

Ein Kunde geht in die Bank.

HEINI: Schlumpf, Maschinenfabrik Belzendorf. Zwanzig Millionen.

PÄULI: Teufel.

HEINI: Realitäten!

Trinkt Päuli das Bierchen weg.

PÄULI: Zwanzig Millionen! Mensch, Heini, das gäb mehr her als ein kleines Helles.

HEINI: Siehst du, jetzt wirst du schon vernünftig. Da, meine letzte Zigarette.

Teilt sie.

HEINI: Wir haben die falschen Berufe. Als Damenschneider und als Schlosser werden wir nie reich, höchstens wohlhabend, und müssen ein Leben lang arbeiten, aber wenn wir Bankangestellte wären –

Gibt Feuer.

HEINI: Ich bin ein Denker, und du hast deine bestimmten praktischen Fähigkeiten. Wenn wir zwei in einer Bank angestellt wären, hättest du Zeit, einen Nachschlüssel herzustellen, dann müßten wir nur den richtigen Moment abwarten, den Tresor ausräumen, und wir hätten ausgesorgt.

PÄULI: Das wär eine Chance!

HEINI: *Die* Chance und das Schicksal wird uns helfen, hineinzukommen. Es ist dazu verpflichtet. Wir sind hungrig und benötigen Geld, die da drinnen sind satt und reich, folglich haben wir Anspruch auf den Eingriff der göttlichen Gerechtigkeit!

Die Türe der Privatbank öffnet sich, und Frank der Fünfte erscheint. Er ist etwa sechzig, ergraut, kräftig, glattrasiert mit einer randlosen Brille und äußerst gepflegt.

FRANK V.: Meine jungen Herren. Verzeihen Sie die Störung. Ich bin Frank der Fünfte, Direktor dieser ehrwürdigen Privatbank, und man nennt mich Frank der Menschenfreund.

Die beiden erheben sich verwirrt, verneigen sich. In der Türe erscheint Guillaume.

FRANK V.: Guillaume! Bring den beiden jungen Herren belegte Brötchen und Whisky und mir ein Mineralwasser.

Setzt sich.

GUILLAUME: Wie immer, Herr Direktor.

Serviert.

FRANK V.: Meine lieben jungen Herren. Ich bin alt. Hinter mir das Leben, vierzig Jahre Bankgeschäft, usw., vor mir der Tod, die Unendlichkeit usw., denn kaum ist der dritte Herzinfarkt mit knapper Not überstanden, meldet sich der vierte an. Doch es sei. Ich bin Idealist und kenne höhere Werte. Was ist denn? Ihr eßt nicht, ihr trinkt nicht? Donnerwetter, habt ihr denn noch nie einen Sterbenden gesehen?

Sie essen.

FRANK V.: Meine lieben jungen Herren. Ich will mich kurz fas-

sen. Wem der Tod nach der Gurgel greift, liebt nicht viele
Worte. Ich stand am Fenster meines Arbeitszimmers und sah
euch ankommen. Ihr seid zwei Jünglinge, ahnungslos aus euren
Dörfern in unsere liebe Hauptstadt verschlagen, die euch jetzt
gar verwirrend mit ihren Regierungsgebäuden, Palästen und
Finanzinstituten umgibt. Ich kenne die Jugend. Sie ist gut, doch
planlos, willig, doch ohne Ziel. Da heißt es, väterlich eingreifen,
liebreich lenken, sachte auf eine gute Bahn hinweisen. Wir haben Mitarbeiter nötig, meine jungen Herren, unserem diskre-
ten Gewerbe fehlt der idealistische Nachwuchs, und die Zeit ist
den Tüchtigen günstig gesinnt. Ich stelle euch an. Das Geschäfts-
leben wird aus euch echte Männer schaffen, die Börse wird euch
formen, die Kasse stählen, das Kapital erziehen. Ihr werdet
staunen, meine lieben jungen Herren.

Steht auf.

FRANK V.: Meldet euch beim Personalchef, er ist informiert.
Achthundert im Monat.

Preßt die Hand aufs Herz.

FRANK V.: Na, bis zur Chaiselongue in meinem Arbeitszimmer
wird's mit meinem alten Direktorenherzen wohl noch langen.
Alles auf meine Rechnung, Guillaume. Adieu, ihr lieben jungen
Herren. Ich gehe hin und sterbe.

*Wankt gefaßt nach hinten. Die Banktüre öffnet sich, er stockt
einen Augenblick, dann schließt sich die Türe. Heini und Päuli
glotzen der Erscheinung nach.*

HEINI: Verflucht.

PÄULI *andächtig:* Da hat die göttliche Gerechtigkeit machtvoll
eingegriffen.

HEINI: Der große Dreh beginnt!

*Vor die Fassade der Privatbank senkt sich ein großer schwarzer
Trauerflor, der nur die Türe freiläßt.*

PÄULI: Heini!

Sie springen auf, Päuli mit dem Köfferchen.

PÄULI: Jetzt hat's den Alten!

HEINI: An die Arbeit!

Geht gegen die Bank zu, Päuli ihm nach.

3. WIR SAUSEN ZU DEN AHNEN

*Wie sich der Zwischenvorhang mit der Projektionsfläche für die
Episodenüberschriften wieder hebt, hat sich die Bühne verwandelt.
Wir befinden uns im Frankschen Privatfriedhof. Spätnachmittag,
Abendsonne. Zwar stehen die beiden Wände und die beiden Türen
noch sowie die Fassade der Privatbank [wir lassen sie als Funk-
tionswände das ganze Stück hindurch stehen], auch den Trauerflor
brauchen wir noch nicht entfernt zu haben, aber vor der Banktüre
ragt nun ein marmorner schwarzer Auferstehungsengel in den
Abendhimmel, und vor ihm steht ein Marmorgrab, geöffnet, auf dessen Rand man dank einiger Stufen steigen kann. Während die erste
Strophe des Chorals gesungen wird, tragen die Schalterbeamten
Häberlin, Kappeler und Schmalz sowie Päuli Neukomm den Sarg
von rechts hinten herein, offensichtlich niedergeschlagen durch den
Tod ihres menschenfreundlichen Chefs, und legen ihn in die Mitte
des Vordergrundes auf den Boden, treten dann still links vorne an
die Wand, bilden eine Gruppe, unmittelbar gefolgt von Trauergä-
sten, die Kränze ans Marmorgrab legen und dann nach links hinten
treten, dort eine weitere Gruppe bilden. Dann kommt von rechts hinten der Personalchef Richard Egli, in tiefer Trauer, gefolgt von weiteren tieftrauernden Herren. Sie stellen sich an der rechten Wand
vorne auf. Die ganze Trauergemeinde ist feierlich gekleidet, schwarze
Mäntel und Hüte, einige Zylinder. Endlich führt der Prokurist
Emil Böckmann die verschleierte Witwe, Ottilie Frank, herein,
führt sie zum Sarg, tritt dann zu Egli.*

ALLE

O Mensch, der du gekrochen
Nach Monden und nach Wochen
Aus deiner Mutter Bauch
Was suchst du, Narr, hienieden
Gerechtigkeit und Frieden
Verlache all dein Planen
Du sausest zu den Ahnen
Und deine Kinder sausen auch.

OTTILIE: Frank der Fünfte. Ich bin dein Weib und weiß, was sich schickt. Keine Träne an deinem Grab, Anerkennung des Unabänderlichen, sich beugen unter das göttliche Gesetz, Haltung.

Man nimmt Haltung an.

OTTILIE: Es hat keinen Sinn, sich etwas vorzumachen. Die Zeit, die dich prägte, ist versunken. Dein Vater regierte die Wallstreet, dein Großvater hatte ganz China in Händen, du vermochtest am Ende deiner Herrschaft nicht einmal mehr ein mittleres Elektrizitätswerk zu finanzieren. Deine Macht schwand und dein Herz brach. Damit erlosch deine Dynastie. Wir, die wir bleiben, müssen nun in einer Welt von Zwergen ausharren. Herr Direktor der Staatsbank, Herr Direktor der Vereinigten Banken, Herr Direktor der Handels AG, ihr Herren Aufsichtsräte, Freunde, Mitarbeiter: Ich nehme Abschied vom letzten großen Privatbankier unserer Zeit: Gottfried, lebe wohl. In die Erde mit dir!

Der Prokurist Böckmann tritt zu ihr, führt sie nach rechts hinten hinaus. Die Trauergäste folgen, die drei Schalterbeamten und Päuli Neukomm versenken unter Aufsicht Eglis den Sarg.

ALLE:

So sinken Dynastien
Verstummen, die da schrien
So narrte sie das Licht
O fünfter Frank wie mächtig
War dein Geschlecht wie prächtig
Du letzter all der Großen
Bist nun ins Grab gestoßen
Und eine Rückkehr gibt es nicht

4. WAS WIR SCHIEBEN UND ERRAFFEN

Nach der Beerdigung folgt das Leichenmahl. Natürlicherweise. Vor der Bankfassade [mit dem Trauerflor] steht nun ein großer, reich gedeckter Tisch im Hintergrund, weißes Tischtuch, Fruchtschalen, halbvolle Rotweingläser, Kognakgläser usw. Darüber hängt ein brennender Lüster. Es ist spät, die Gäste haben sich schon verzogen, leere Stühle stehen unordentlich vor dem Tisch herum, die Mitglieder der Bank sitzen satt und rauchend beim Kaffee, behangen mit riesigen bekleckerten Servietten. Ganz links am Tischende, dem Publikum voll sichtbar, Schmalz, dann nach rechts Kappeler, Häberlin, Ottilie, ein unbesetzter Stuhl, Böckmann, Frieda Fürst und, eigentlich vor dem Tisch, aber so sitzend, daß man ihn von der Seite erblickt, Egli. Guillaume serviert. Durch die Türe links tritt zaghaft Päuli Neukomm, sein Köfferchen in der Hand.

OTTILIE: Treten Sie näher, Herr Neukomm.

PÄULI: Jawohl, Frau Direktor.

BÖCKMANN: Wir erwarteten Sie eigentlich zum Trauermahl, Herr Paul Neukomm, doch nun haben sich die Gäste schon empfohlen.

PÄULI: Ich danke Ihnen, Herr Prokurist, aber ich möchte kündigen.

EGLI: Kündigen.

PÄULI: Ich möchte nach Amseldingen zurück. Die Großstadt ist nicht das Richtige für mich.

EGLI: Möglich.

PÄULI: Ich mache mir auch Sorgen um meinen Freund Heini Zurmühl. Er ist seit drei Tagen verschwunden.

BÖCKMANN: Informieren wir die Polizei.

OTTILIE: Die kann sich ja dann auch noch gerade mit Ihnen beschäftigen.

PÄULI: Ich verstehe nicht, Frau Direktor.

OTTILIE: Mein lieber Junge, greife mal in deine rechte Seitentasche und übergib mir den Tresorschlüssel. Er ist zwar nicht das Original, sondern nach einem Abdruck hergestellt, doch da du ein tüchtiger Schlosser bist, auch so ganz brauchbar.

Päuli steht sehr erschrocken da.

OTTILIE: Nun?

PÄULI: Hier, Frau Direktor.

Übergibt den Schlüssel.

BÖCKMANN: Du wolltest dich eigentlich heute in unsere Bank einschließen lassen, deinem Freund Heini nachts die Türe öffnen und dich dann mit ihm und den Millionen aus dem Staube machen. Stimmt's?

PÄULI *niedergeschlagen:* Es stimmt, Herr Prokurist.
OTTILIE: Setz dich.
EGLI: Na, wird's?
   Päuli setzt sich.
PÄULI: Jawohl, Herr Personalchef.
OTTILIE: Vernimm nun unseren Urteilsspruch.
PÄULI: Bitte, Frau Direktor.
   Ottilie erhebt sich, ebenso das Personal, Päuli bleibt sitzen.
OTTILIE: Paul Neukomm. Du bist definitiv in unsere Bank
aufgenommen. Dein Einbruchsversuch war lobenswert, wenn
auch dilettantisch geplant, der Schlüssel tadellose Arbeit. Ri-
chard, trag ihn in die Personalliste ein.
EGLI: Schon eingetragen.
OTTILIE: Deine Kollegen, Paul Neukomm, sind von nun an
die Schalterbeamten Lukas Häberlin, Theo Kappeler und Ga-
ston Schmalz – sowie unsere treubewährte Angestellte Frieda
Fürst.
   Setzt sich, ebenso das Personal.
PÄULI *entsetzt:* Ihr seid eine Gangsterbank.
EGLI: Natürlich sind wir eine Gangsterbank.
PÄULI: Mein Gott, in welchen Sumpf bin ich da geraten!
OTTILIE *stolz:* Es bildet vor allem ein Ding den Stolz unseres
Hauses: Es wurde noch nie ein ehrliches Geschäft abgewickelt,
und dies in einem Staat, dessen Redlichkeit und Bürgerfleiß in
der ganzen Welt sprichwörtlich geworden und dessen Polizei
vorbildlich organisiert ist.
PÄULI *verzweifelt:* Und zu Hause betet eine Mutter für mich!
BÖCKMANN: Du kannst verschwinden.
OTTILIE: Ein bißchen plötzlich.
PÄULI: Wo ist mein Freund?
   *Er hat sich erhoben, doch gleich wieder gesetzt, wie erschrocken
   über seinen Mut.*
EGLI: Das geht dich nichts an.
PÄULI *störrisch:* Es geht mich was an. Ich bin vollwertiges Mit-
glied eurer verfluchten Bande und will die Wahrheit wissen.
Wo ist mein Freund?
   Schweigen.

BÖCKMANN: Schön.

EGLI: Wenn du's unbedingt willst.

OTTILIE: Gottfried, komm mal raus.

Aus der Türe rechts kommt Frank der Fünfte.

PÄULI *entsetzt:* Frank der Menschenfreund!

FRANK V.: Ich bin's.

PÄULI: Aber ich wohnte doch selbst Ihrer Beerdigung bei!

FRANK V.: Mit Tränen in den Augen. Ich sah dir, im Mausoleum versteckt, zu.

PÄULI: Und Ihre Herzinfarkte?

FRANK V.: Ich bin kerngesund.

PÄULI: Heini? Was habt ihr dann mit meinem Freund Heini gemacht?

FRANK V.: Wir brauchten dringend eine männliche Leiche.

Setzt sich zwischen Ottilie und Böckmann. Guillaume serviert.

GUILLAUME: Die Schildkrötensuppe, Herr Direktor.

FRANK V. *Suppe löffelnd:* Mein Sohn. Unsere Geschäftsmethoden lassen sich nicht mehr lange verheimlichen. Wir beschlossen daher, das Bankhaus Frank nach und nach zu liquidieren und das Erworbene in Sicherheit zu bringen. In wenigen Wochen feiert unsere Firma ihr zweihundertjähriges Bestehen, und kurz darauf wird auch meine liebe Gattin sterben. An einem Herzinfarkt wie ich. Guillaume, die Schildkrötensuppe war köstlich.

Wischt sich mit der Serviette den Mund. Guillaume serviert ab.

FRANK V.: Nach ihrer Beerdigung verbringen wir den Lebensabend gemeinsam unter einem anderen Namen in einem humaneren Klima. Schenk Burgunder ein, Guillaume.

Guillaume schenkt ein.

FRANK V.: Aber auch mein Personal wird spurlos verschwinden, ein jeder hat seine Flucht schon vorbereitet. So übernimmt der Staat notgedrungen die Schulden, und es kommt alles in Ordnung. Zu diesem Unternehmen, mein Sohn, war mein – Tod – der erste Schritt. Auf dein Wohl!

Trinkt ihm zu.

FRANK V.: Du hast Glück. Eigentlich hatten wir dich auserlesen, in meinem Sarge zu liegen, doch Heini wollte uns erpressen, und so mußten wir ihn umlegen. Schade, nun bist du eben am Leben geblieben, und der Personalmangel zwingt uns, dich zu einem ordentlichen Mitarbeiter zu erziehen.

GUILLAUME: Melone mit Rohschinken, Herr Direktor.
Serviert.

PÄULI: Mörder! Ihr seid nichts als gemeine Mörder!

FRANK V. *essend:* Nur Geschäftsleute in Bedrängnis, mein Sohn.

OTTILIE: Und du, Päuli, kommst nun in die große Lehre.

BÖCKMANN: Du bist der Buchhaltung zugeteilt.

EGLI: Marsch, deine Laufbahn beginnt.

PÄULI: Das ist ungerecht! Ich wollte nur mit einem großen Dreh reich werden wie ihr, aber sonst anständig bleiben!

OTTILIE:
Neukomm, welch geschwollner Ton!

FRANK V.:
Fälsche erst mal einen Check

BÖCKMANN:
Bring ein Defizit mir weg

EGLI:
Stiehl die Aktien von Herrn Cohn

HÄBERLIN:
Geh erst brav den krummen Pfad

KAPPELER:
Tausche erst mal falsches Geld

SCHMALZ:
Schaff'ne Leiche in die Welt

FRIEDA FÜRST:
Armut scheint dir dann als Gnad'

PÄULI:
Welcher Hohn!

FRANK V.:
Duck dich, Sohn!

OTTILIE:
Eines mußt du endlich wissen

PÄULI:
Was muß ich denn endlich wissen?

DIE EINEN:
Was wir schieben und erraffen

210

DIE ANDERN:
Was erpressen wir und schaffen
DIE EINEN:
Morden, prellen und betrügen
DIE ANDERN:
Wuchern, stehlen, hehlen, lügen
ALLE:
Tun wir nur, weil wir es müssen
Möchten Gutes tun. Doch eben!
Wollen wir im Wohlstand leben
Müssen wir Geschäfte machen

Und in dieser rohen Welt
Hat der Arme nur zu lachen
Für sein Geld.
PÄULI:
Ach, in dieser rohen Welt
Hat der Arme nur zu lachen.
ALLE:
Für sein Geld!

5. FRÜH MORGENS VOR UNSEREN MISSETATEN

Links das Hotel, rechts das Kaffee Guillaume, im Hintergrund die Bank. Vor dem Kaffee die drei Tische. Der Tisch links befindet sich beinahe in der Mitte der Bühne. Er ist feierlich gedeckt mit einer leeren Vase, Teekanne, Yoghurt, Toast, Zucker usw., auf dem mittleren Tisch ein Birchermüsli, auf dem Tisch rechts Kamillentee mit Knäckebrot, Vichywasser und Zwieback. Guillaume lehnt sich gegen den Türpfosten des Kaffees. Egli tritt mit einer roten Rose auf. Er geht von rechts hinten zum Hotel, aus dessen Türe Frieda Fürst kommt.
EGLI: Frieda.
FRIEDA: Richard.
EGLI:
Ich lag im Imperial bei der Millionärin aus Milwaukee

211

Die Vorhänge bewegten sich im Mondlicht
Doch ich dachte nur an dich.

FRIEDA:

Mein Leib ist noch warm vom Leibe des Tiefbauingenieurs
Ein Käuzchen klagte, und im Hofe stand ein blauer Chevrolet
Doch ich war nur bei dir.

EGLI: Ich wünsche dir einen schönen Morgen.

FRIEDA: Ich dir auch.

EGLI: Eine Rose.

FRIEDA: Ich danke dir.

Er reicht ihr den Arm, sie gehen ins Kaffee.

FRIEDA: Schwarztee und Yoghurt, Guillaume.

EGLI: Mir auch.

Guillaume weist hin.

GUILLAUME: Wie immer.

Sie setzen sich. Frieda stellt die Rose in die Vase.

FRIEDA: Vergiß deine Tropfen nicht.

Er tropft in ein Glas Wasser, sie schenkt Tee ein.

FRIEDA: Zucker.

EGLI: Zwei.

FRIEDA: Toast?

EGLI: Einen.

Sie rühren Tee.

FRIEDA: Meine Schwester in Anderthal hat ihr fünftes Kind bekommen. Einen Knaben.

EGLI: Mein Bruder in Maibrugg ist Gemeindepräsident geworden. Er hat es geschafft.

Sie trinken Tee.

FRIEDA: Zwanzig Jahre sind wir jetzt bei Frank.

EGLI: Zweiundzwanzig.

FRIEDA: Jedes Jahr wollten wir heiraten.

EGLI: Das Geschäft kam immer dazwischen.

FRIEDA: Die Bank ging nicht wie sie sollte.

EGLI: Aber nun wird sie liquidiert. Ich habe in Maibrugg ein Einfamilienhäuschen gekauft. In Obstbäumen versteckt. Mit grünen Fensterläden und rotem Riegelwerk.

FRIEDA: Wir werden viele Kinder haben.
EGLI: Alles Buben.
FRIEDA: Du wirst sehen. Ich schaffe es schon noch.
  Sie essen Yoghurt.
FRIEDA:
  Im kleinen Kaffee
  Neben der Privatbank am Quai
  Da träumen wir beide.
EGLI:
  Früh morgens vor unseren Missetaten.
FRIEDA:
  Doch gellt einer Möwe Schrei
  Vergoldet die Sonne das Münster
  Ist es wieder
EGLI:
  Immer wieder
BEIDE:
  Vorbei
  Einmal wird es anders sein
  Einmal liegen wir zu zwei'n
  Einmal wird es anders sein.

EGLI: Das Frühstück ist beendet.
  Sie erheben sich, Frieda nimmt die Rose zu sich.
FRIEDA: Wir müssen wieder auseinandergehen.
  Er gibt ihr den Arm, führt sie zum Hotel.
EGLI: Lebe wohl, Frieda.
FRIEDA: Lebe wohl, Richard.
EGLI: Mach's gut.
FRIEDA: Reg dich nicht auf.
  *Geht ins Hotel zurück, der Kellner Guillaume hat ein Glas Absinth
  auf den Tisch gestellt.*
EGLI: Absinth, Guillaume.
  Guillaume weist hin.
GUILLAUME: Wie immer, Herr Egli.
  *Egli zündet sich vor dem Hotel eine Zigarre an. Von links hinten
  kommt Gaston Schmalz mit einer Zeitung.*

SCHMALZ: Kamillentee und Knäckebrot, Guillaume.

Guillaume weist hin.

GUILLAUME: Wie immer, Herr Schmalz.

Schmalz setzt sich an den Tisch rechts, beginnt Kamillentee zu schlürfen. Egli geht auf und ab, beherrscht, der Personalchef in seinem Element.

EGLI: Herr Gaston Schmalz, ich sah dich eben deinen alten VW parkieren. Du willst dich offenbar nicht in Schulden stürzen, sparen, unabhängig von uns werden, keine Widerrede, du schaffst dir nächste Woche einen Mercedes an, der dich am Rande des Ruins halten wird, wie es sich gehört.

SCHMALZ: Na schön, Herr Egli. Werd's tun.

Entfaltet seine Zeitung. Von links hinten kommt Theo Kappeler.

KAPPELER: Vichywasser und Zwieback, Guillaume.

Guillaume weist hin.

GUILLAUME: Wie immer, Herr Kappeler.

Kappeler setzt sich zu Schmalz.

EGLI: Herr Theo Kappeler. Da gehe ich neulich im Stadtpark spazieren, denke an unser Geschäft und an sonst nichts Böses, und wer sitzt auf einer Bank? Du, Kappeler, mit deiner Freundin. Du willst das Mädchen wohl heiraten?

KAPPELER: Nächste Woche, Herr Egli. Sie ist schwanger.

EGLI: Schwanger! Das soll eine Entschuldigung sein, sich auf einmal wie ein grundanständiger Mensch zu benehmen? Und überhaupt! Kinder zeugen! Frank der Fünfte und seine Gattin haben auch keine Kinder, ich ziehe den Hut ab vor dieser Ehe. Kinderlos haben wir in die Hölle zu fahren, Kappeler. Du hast dein Mädchen sitzenzulassen, so viel inneren Anstand darf ich von dir noch verlangen.

KAPPELER: Herr Egli, ich werde mich zusammennehmen.

Von links hinten kommt Lukas Häberlin.

HÄBERLIN: Mein Birchermüsli, Guillaume.

Guillaume weist hin.

GUILLAUME: Wie immer, Herr Häberlin.

Häberlin setzt sich an den mittleren Tisch, beginnt sein Müsli zu löffeln. Egli setzt sich an den Tisch links.

EGLI: Kamillentee, Vichywasser, Birchermüsli. Wie in einem Sanatorium geht's zu. In meiner Jugend, heiliger Bimbam, da war um diese Zeit die ganze Bande knallbesoffen. Kein Wunder. Wir waren noch Kerle. Doch ihr?

HÄBERLIN: Zugegeben, Herr Egli, aber das waren damals auch noch gemütliche Zeiten, doch wir mit unserem modernen Tempo? Nein, Herr Egli, machen wir uns nichts vor. Wir sind morsch, müde und aufgerieben. Uns fehlt die berufliche Zufriedenheit, das seelische Gleichgewicht, der innere Friede, Werte, die wir weiß Gott nicht in Orgien, sondern nur noch hinter Zuchthausmauern finden können.

Die andern starren verwundert.

HÄBERLIN: Ich habe mich informiert. Das gleichmäßige Leben wirkt Wunder. Verdauungsbeschwerden, Nervenschwäche, Herz- und Kreislaufstörungen sind unbekannt. Wenn ich dagegen uns betrachte – wir führen ein Hundeleben und siechen dahin.

Stille. Die andern starren drohend.

EGLI *stinkfreundlich:* Das ist ja höchst interessant, Häberlin. Du beschäftigst dich mit Zuchthäusern in deiner Freizeit?

HÄBERLIN: Ein Licht ist mir aufgegangen, Herr Egli.

EGLI: Und sehnst dich womöglich noch nach solchen Örtlichkeiten?

HÄBERLIN *ahnungslos:* Mein Traum, Herr Egli. Die stillen Abende in der Zelle, das frühe Lichterlöschen, der immer dunkler werdende Himmel in der Fensterluke, die ersten Sterne, der sorglose Friede, der ruhige Schlummer. Keine Hast, keine Furcht vor einer Entdeckung, keine Angst vor Verrat. Das sind doch eigentlich ideale Lebensbedingungen, verglichen mit unserer Bankexistenz. Und dabei brauchen wir uns nicht einmal sonderlich um den Eintritt zu bemühen. Der ist bei unserem Vorleben kinderleicht durchzuführen. Ein Anruf beim Staatsanwalt genügt, und wir sitzen alle lebenslänglich, haben uns nicht mehr abzuplagen und strotzen vor Gesundheit.

EGLI *ruhig:* Das werde ich zu verhindern wissen, verlaß dich drauf. Schon mancher hat es schwer bereut, der ähnlichen Träumen nachhing. Und meine Arbeitsmoral lasse ich mir auch nicht rauben, da kannst du soviel von Zuchthäusern erzählen, wie du willst.

Steht auf.

EGLI *scharf:* Noch eins, Lukas Häberlin!

Häberlin erhebt sich.

EGLI: Ich traf dich letzten Sonntag in der Heilig-Geist-Kirche, was bildest du dir eigentlich ein, ich möchte dich scharf gewarnt haben! Hast schon unzählige Schurkereien auf dem Gewissen, doch du besuchst die Predigt, betest, singst ‚Eine feste Burg ist unser Gott‘, ich finde das ja unerhört. Tust, als ob du Prokurist oder gar Personalchef wärst. Bitte! Ich darf es mir leisten, in die Kirche zu gehen, ich habe laufend so ungeheure Verbrechen zu erledigen, daß ich überhaupt nicht in Gefahr komme, mich für anständig zu halten, doch bei euch drei Schalterbeamten –

Schmalz und Kappeler erheben sich.

EGLI: – auf eurem ruhigen Posten mit euren kleinen Schwindeleien ist die Gefahr, ehrlich zu werden, riesengroß, und dann haben wir die Schlamperei! Etwas Disziplin, meine Herren, Herrgott noch einmal, ist die Bank einmal liquidiert, könnt ihr meinetwegen allesamt in die Heilsarmee einrücken, aber bis dahin habt ihr Gangster zu bleiben, ich appelliere an euer Gewissen.

DIE DREI: Jawohl, Herr Egli.

EGLI: Marsch, an die Pflichten. Ein neuer Arbeitstag hat begonnen.

DIE DREI: Jawohl, Herr Egli.

Sie gehen in die Bank. Egli setzt sich wieder, Guillaume stellt ein Glas Wasser hin.

EGLI: Ich muß tropfen, Guillaume

GUILLAUME: Wie immer, Herr Egli.

EGLI: Ich habe mich doch aufgeregt.

6. DER PREIS DER LIEBE

Der Prokurist Emil Böckmann tritt vor den Zwischenvorhang.

BÖCKMANN: Meine Damen und Herren. Das war des Personalchefs Morgen. In Ordnung. Die tägliche Arbeit unserer Privatbank kann beginnen. Auch in Ordnung. Doch komme ich dem Wunsche der Direktion, Sie in das Wesen unserer Geschäfte einzuführen, nur zögernd nach. Die tägliche Arbeit in einem Finanzinstitut unserer Art geschieht im geheimen. Der Kampf ist verwickelt, unübersichtlich und grausam. Pardon wird nicht gegeben. Wir leben auf Messers Schneide. Eine verfehlte Aktion, eine allzu durchsichtig verschleierte Bilanz, und wir stürzen abgrundtief. Denn, meine Damen und Herren, machen wir uns keine Illusionen. Die Zeiten sind schlimm. Wir leben leider Gottes in einem Rechtsstaat. Uns fehlt durchaus der fördernde Hintergrund einer allgemeinen Korruption, auf die wir uns berufen könnten, unsere Geschäftsmaximen sittlich zu untermauern. Wir können mit keinen bestochenen Finanzministern oder obersten Polizeichefs aufwarten, nicht einmal mit bestechlichen Revisoren, nein, um uns herrscht die lauterste, brutalste Ehrlichkeit, mit gewissen Einschränkungen, möglich, doch nicht von uns aus feststellbar. Der Hölle erscheint die Erde als Paradies. Kurz, Sie werden uns dankbar sein, meine Damen und Herren, wenn wir Sie mit technischen Details nicht allzusehr belästigen, sondern im großen und ganzen mehr auf unsere rein menschlichen Sorgen und Konflikte eingehen. Die sind ja auch viel wichtiger. Nur das Innenleben zählt schließlich. Zugegeben: Es wäre für Ihre wirtschaftliche Bildung – wenn ich so sagen darf – durchaus fördernd, unsere genialen, wahrhaft durchdachten Geschäfte zu verfolgen, doch sind wir leider an gewisse dramatische Gesetze gebunden. Auf der Bühne wirkt nur, was der Zuschauer unmittelbar begreift. Nun kann aber der Ablauf eines wirklich raffinierten Geschäfts gar nicht unmittelbar durchschaut werden. Nicht nur Sie als Zuschauer kämen sonst dahinter, sondern auch dem Kunden ginge ein Licht auf, und das Geschäft würde platzen. Deshalb mußten wir uns denn notgedrungen mit einem Beispiel begnügen, bei dem Sie zwar nachkommen, auf das aber der Kunde hereinfällt; daß dies nicht unsere wichtigsten Geschäfte sind, die sich so abwickeln, liegt auf der Hand. Schön. Das wäre alles. Verzeihen Sie den persönlichen Ton, den kleinen Unterbruch der Handlung, doch Sie sind nun im Bilde und bereit, sich aufs neue zu unterhalten.

Der Zwischenvorhang geht auf. Links das Hotel, rechts das Kaffee,
mit nur einem Tisch davor. Am Tisch Schlumpf. Im Hintergrund
drei Schalter, vergittert, mit Überschriften von links nach rechts:
Kasse, Sparhefte, Titel.

BÖCKMANN: Im kleinen Kaffee sitzt Herr Schlumpf.
  Schlumpf grüßt.

BÖCKMANN: Maschinenfabrik Belzendorf, einer unserer
treuen alten Kunden, mit der Morgenausgabe unseres weltbe-
kannten Lokalblättchens beschäftigt, Kaffee trinkend, Milch-
kaffee.
  Frieda Fürst tritt auf.

BÖCKMANN: Aus ihrem Hotel kommt unsere Angestellte
Frieda Fürst, setzt sich neben den Industriellen, beginnt an einem
Babyjäckchen zu stricken. Guillaume bringt ihr einen Campari.
So. Nun dürften wir unsere kleine Demonstration vorführen.
Wir haben zu diesem Zweck die Bühne etwas umgebaut. Ich
befinde mich nun in unserer Schalterhalle, an der die Jahre, die
Erfolge, die Schicksale nicht spurlos vorübergegangen sind, sie
hat die Patina des Ruhmes angesetzt. Die Schalter öffnen sich,
die Schalterbeamten stimmen ihr fröhliches Morgenlied an, und
ich darf mich empfehlen.
  Nach links hinten ab. Schmalz öffnet den Schalter Kasse.

SCHMALZ:
  Nun bin ich vierzig Wochen hier
  Ein neuer Morgen kroch herfür
  So steinern, schaurig, traurig, fahl
  Und Gaunereien ohne Zahl
  Wird er bringen, wird er bringen

  Was ich im Leben nie bedacht
  Betrügen hundemüde macht
  Erfahre ich hier Stund um Stund
  Mein Geld ist falsch, mein Herz ist wund
  An der Kasse, an der Kasse
  Kappeler öffnet den Schalter Sparhefte.

KAPPELER:
  Nun bin ich vierzig Monde hier

Mich treibt die Angst, einst war es Gier
Was ich gemacht in dieser Zeit
Würd Zuchthaus für die Ewigkeit
Mir nun bringen, mir nun bringen

BEIDE:
Ihr kleinen Leute, die ihr harrt
Auf das, was ihr so hart erspart
Wie grausam narrt euch das Geschäft
Denn nichts bewahrt von eurem Heft
Unsre Kasse, unsre Kasse
Häberlin öffnet den Schalter Titel.

HÄBERLIN:
Nun bin ich vierzig Jahre hier
Einst war ich Mensch, nun bin ich Tier
Verkauft als echter Hundesohn
Der Aktienspekulation
Kann ich singen, kann ich singen

DIE DREI:
Ihr großen Leute, die ihr denkt
Daß euer Geld die Dinge lenkt
Ihr wißt nicht wie die Dinge stehn
Daß wir von hier die Dinger drehn
An der Kasse, an der Kasse.

Schlumpf schaut auf die Uhr, geht in die Bank.

HÄBERLIN: Herr Schlumpf?

SCHLUMPF: Na, Häberlin, was sagen Sie nun: Oppliger schwimmt.

HÄBERLIN: Tüchtig, Herr Schlumpf.

SCHLUMPF: Freudiger blecht.

HÄBERLIN: Mächtig, Herr Schlumpf.

SCHLUMPF: Hösler zieht an.

HÄBERLIN: Prächtig, Herr Schlumpf.

SCHLUMPF: Dreitausend.

HÄBERLIN: Einzahlen?

SCHLUMPF: Auszahlen. Soviel springt bei Hösler ja raus.
Legt einen Check hin.

HÄBERLIN: Auszahlen.

KAPPELER: Auszahlen.

SCHMALZ: Auszahlen.

Telephoniert.

HÄBERLIN: In Tausendernoten, Herr Schlumpf?

SCHLUMPF: In Hunderter.

Guillaume nimmt im Kaffee das Telephon ab.

SCHMALZ: Frieda Fürst.

GUILLAUME: Wie immer. Fräulein Frieda, Sie müssen.

Frieda Fürst nimmt noch einen Schluck Campari, packt das Strickzeug zusammen, geht in die Bank, wo Schlumpf sein Geld einsteckt.

SCHLUMPF: Na ja, Häberlin, meinen Laden habe ich zwar geschmissen, aber daneben lauter Sorgen. Man ist ja nicht nur ein Industrieller, sondern auch ein Mann, an den sich eine Familie klammert. Da hat man wie ein Fels zu stehen und wie ein Christenmensch auszuharren. Teure Gattin, Kinderchen, die sich kugelrund fressen und es mit dem Studium nicht eilig haben, und eine alte kranke Mutter – da braucht man seine Moneten.

Schaut Frieda Fürst nach, die an ihm vorbei zum Schalter links geht.

SCHLUMPF: Noch zweitausend.

Legt wieder einen Check hin.

HÄBERLIN: Auszahlen.

KAPPELER: Auszahlen.

SCHMALZ: Auszahlen.

Zeigt Frieda Fürst mit der gespreizten Hand an, daß Schlumpf im ganzen fünftausend bezogen hat.

SCHMALZ: Donna Inez?

FRIEDA: Ist der Check aus Sevilla eingetroffen?

SCHMALZ: Check aus Sevilla?

KAPPELER: Check aus Sevilla?

HÄBERLIN: Bedaure.

KAPPELER: Bedaure.

SCHMALZ: Wir bedauern, Donna Inez. Der Check aus Sevilla ist immer noch nicht eingetroffen.

FRIEDA: Sie dürfen mich doch nicht im Stich lassen. Ich bin die einzige Tochter des alten Grafen Rodrigo und kenne in dieser Stadt keinen Menschen.

SCHMALZ: Wir sind verpflichtet, uns nach den allgemeinen Bankvorschriften zu richten.

FRIEDA: Bitte.

SCHMALZ: Tut uns leid, Donna Inez. Die gesetzlichen Bestimmungen lassen es nicht zu.

FRIEDA: Wechseln Sie meine letzten Peseten.

Legt eine Handvoll Geld hin.

SCHMALZ: Peseten.

KAPPELER: Peseten.

HÄBERLIN: Peseten.

FRIEDA: Meine Mutter wurde in diesem Lande geboren, und was finde ich? Nichts als Gesetze, Verordnungen, Reglemente!

Schlumpf stellt sich vor.

SCHLUMPF: Mein Name ist Schlumpf. Ernst Schlumpf. Ich besitze eine Maschinenfabrik in Belzendorf.

FRIEDA: Was wollen Sie?

SCHLUMPF: Etwas Selbstverständliches. Helfen.

FRIEDA: Helfen?

SCHLUMPF: Sie machen sich ein grundfalsches Bild von unserem schönen Lande, Donna Inez. Lassen Sie mich dieses Bild korrigieren, ein wenig ins richtige Licht rücken. Als Patriot. Als Vertreter der Schwerindustrie. Ihren Arm, wir promenieren ins kleine Kaffee hinüber und überlegen, wie wir Sie wieder flott bringen.

FRIEDA: Aber meine Peseten –

SCHLUMPF: Lassen Sie das Kleingeld ruhig liegen.

Sie gehen ins kleine Kaffee hinüber, die Schalter schließen sich wieder.

SCHLUMPF: Kellner, eine Flasche Heidsieck.

FRIEDA: Aber Herr Schlumpf –

SCHLUMPF: Nicht Herr. Das will ich gar nicht hören. Nennen Sie mich schlicht und einfach Schlumpfi, Donna Inez, wie alle meine Freunde.

Sie setzen sich an den Tisch.

SCHLUMPF: Einschenken.

GUILLAUME: Bitte, mein Herr.

Schenkt Champagner ein.

SCHLUMPF: Abhauen.

GUILLAUME: Jawohl, mein Herr.

Verzieht sich.

SCHLUMPF: Einsam?

FRIEDA: Einsam.

SCHLUMPF: Auch einsam. Trotz der Schwerindustrie. Auf Ihr Wohl, Donna Inez.

FRIEDA: Auf Ihr Wohl, Herr Schlumpf.

SCHLUMPF: Und nun, mein Kind, wollen wir ehrlich und handfest die Lage sondieren. Das mit dem Check, vorhin in der Bank, war nackter Schwindel. Erraten?

FRIEDA: Herr Schlumpf –

SCHLUMPF: Schlumpfi, zum Teufel.

FRIEDA: Schlumpfi, ich –

SCHLUMPF: Na, raus mit der Sprache. Vor mir brauchst du dich doch nicht zu genieren. Bist eben nach Strich und Faden pleite und wolltest die Bank hochnehmen.

FRIEDA: Ja, Schlumpfi.

SCHLUMPF: Mein Engel, auf diesen faulen Zauber fällt keine Bank der Welt mehr herein, am allerwenigsten eine, der *ich* mein Geld anvertraue – und eine Donna bist du hinten und vorne nicht, Schlumpfi läßt sich punkto Weiber nichts vormachen. Das mit deinem braven Herrn Papa zum Beispiel, dem alten Grafen Rodrigo, kannst du meinetwegen in einer Kleinstadt erzählen, aber doch nicht hier, Kindchen, so unter Großstädtern. Nun?

FRIEDA: Mein Vater war Taxichauffeur in Santander.

SCHLUMPF: Siehst du. Und deine werte Frau Mama?

FRIEDA: Wohnte hier in der Metzgergasse.

SCHLUMPF: Und siedelte dann in ein spanisches Puff über? Hat Schlumpfi nicht recht?

FRIEDA: Ich schäme mich ja so.

SCHLUMPF: Brauchst dich nicht zu schämen. Schlumpfi kennt das Leben, dem Schlumpfi ist nichts Menschliches fremd. Aber

Kindchen, nun doch nicht gleich Tränen. Ich verstehe dich doch, hast doch alles nur aus lauter Einsamkeit getan.

FRIEDA: Sie sind so nett zu mir, Schlumpfi.

SCHLUMPF: Na na na. Nun wollen wir aber nicht gleich übertreiben. Bin nur human. Wer schwindelt nicht. In diesem Punkt ist Schlumpfi grundehrlich. Wenn ich denke, wie ich manchmal meine Geschäfte abwickle, Donnerwetter, das sind schon Schwindeleien von beinah weltpolitischem Format. Aufs Herzchen kommt's an, sapperlot, aufs Herzchen, nicht auf die Gesetze.

FRIEDA: Ja, Schlumpfi.

SCHLUMPF: Schön. Die Lage wäre sondiert, und nun kann die Hilfsaktion gestartet werden.

FRIEDA: Ja, Schlumpfi.

SCHLUMPF: Wollen sehn, wie wir dich einige Zeit über Wasser halten.

FRIEDA: Ja, Schlumpfi.

SCHLUMPF: Du bist einsam und ich bin einsam.

FRIEDA: Ja, Schlumpfi.

SCHLUMPF: Und nun?

FRIEDA: Und nun

> Sie sehn mich an so heiß und fremd
> Begreifen, was ich will
> Die Liebe teilt ihr letztes Hemd
> Mit dem, der sich nicht ihrer schämt
> Mein Herr,
> Sie fragen jetzt, wieviel?
>
> Die Liebe, Senor, die fordert schwer
> Das ist alles, was ich weiß
> Und jeder Mensch
> Gibt sich zum höchsten Preis

Fünftausend!

SCHLUMPF: Abgemacht?

FRIEDA: O.K.

SCHLUMPF: Kellner, zahlen! Na, wohin denn mit uns beiden, meine Kleine?

FRIEDA: Ins Hotel, mein Dicker.

7. IM SCHATTEN DER AHNEN

Saal im Frankschen Familiensitz. An der linken Wand ein Sofa und zwischen ihm und der Türe ein kleiner Tisch. An der rechten Wand ein weiteres Sofa. Im Hintergrund vier gigantische Ahnenbilder, vom Fußboden bis zur Decke reichend. Wie dunkle Riesen stehen die mächtigen Vorfahren da. Frank der Fünfte wandelt, als Priester verkleidet, sinnend auf und ab.

FRANK V.:

Frank der Erste, Ahn, entstiegen bleich
Aus der Armut namenlosem Reich
Siehst entstellt mich, qualvoll, alt und weich
Dir entstammt, doch dir in nichts mehr gleich

Wurdest reich im Sklavenhandel
Deine Flotte stach in See
Blutrot war dein Lebenswandel
Deine Huren weiß wie Schnee
Hast die Kunden wund geschunden
Nimmer wandte sich dein Glück
Ach die Zeit ist nun verschwunden
Kehrt o kehrt nicht mehr zurück

Hättest, Frank der Zweite, du die Bank
Deines besten Freundes, als er krank
Ausgeplündert, ahntest du, daß dank
Meiner Schulden ich in Armut sank?

Selbst den Papst hast du bestochen
Und der Adel kam zu dir
Oder von dir in die Wochen
Kriege dienten deiner Gier

Über Leichen gingst gelassen
Völker darbten für dein Glück
Deine Zeit hat mich verlassen
Kehrt o kehrt nicht mehr zurück.

In der Türe rechts erscheint Ottilie mit einigen Büchern.

OTTILIE: Gottfried!

Schließt die Türe vorsichtig.

OTTILIE: Welche Unvorsichtigkeit, in deinen Familiensitz zu
schleichen. Wenn dich jemand entdeckt, fliegen wir auf!

Frank setzt sich aufs Sofa links.

FRANK V.: Ich halte es in der Bank einfach nicht mehr aus! Ich
bin dort einsam und verloren!

*Ottilie trägt die Bücher zu Frank hinüber, legt sie auf den kleinen
Tisch.*

OTTILIE: Frank! Es ist schließlich auch kein Vergnügen, deine
Witwe zu sein.

FRANK V.: Meine Beerdigung vertrieb den letzten Funken Be-
sinnlichkeit aus meinem Dasein.

Ottilie setzt sich zu ihm aufs Sofa.

OTTILIE: Das Geschäft verlangte es. Die Versicherung zahlte
dreihunderttausend.

FRANK V.: Und dafür muß ich nun als Priester herumschlei-
chen, damit mich niemand erkennt! Noch nie stand es um die
Franksche Privatbank so schlecht, und dies unter meiner Direktion! Ich habe versagt, unendlich versagt!

OTTILIE: Unsinn.

Frank springt auf.

FRANK V.: Ich bin kein Bankdirektor, ich bin leider ein durch
und durch guter Mensch.

Wandert klagend durch den Saal, setzt sich auf das Sofa rechts.

FRANK V.:

Frank der Dritte, als Genie allein
Gründer vom Hongkonger Bankverein
Warst als Chinaboß so hart wie Stein
Gingst als Held in die Geschichte ein.

Rauschgift war dein Haupteinkommen
Weltenweit dein böser Trust
Milliarden eingenommen
Hast du mit dem Preis der Lust
Saß noch selbst auf deinen Knieen
Sangest du von deinem Glück
Ach die Zeit muß weiterfliehen
Kehrt o kehrt nicht mehr zurück.

Ottilie trägt ihm die Bücher nach, setzt sich zu ihm.

OTTILIE: Reg dich nicht auf. Komm. Lies in deinem Goethe oder nimm die Mörike-Studien wieder in Angriff.

Er nimmt zwei Bücher.

FRANK V.: Goethe! Mörike! Ich bin jetzt einfach nicht fähig, mich auf diese reine Welt des Geistes zu konzentrieren. Wenn ich meine Ahnen erblicke, sinke ich in den Boden vor Scham.

Springt auf.

FRANK V.: Die Literatur war ihnen schnuppe. Das Wort Wohltätigkeit haben sie nie gehört, das Innere einer Kirche nie erblickt, aber sie strotzten vor Lebenskraft. Dagegen ich? Sie leiteten Spielhöllen, ich bin Präsident des kirchlichen Hilfsvereins, sie stampften Bordelle aus dem Boden, ich veranstalte Dichterabende!

Schmettert die beiden Bücher auf den Boden.

FRANK V.: Und erst ihre Disziplin! Sie ruinierten Kontinente durch ihre Machenschaften, aber ihre Angestellten waren ausnahmslos anständige Leute. Bei mir? Alle gaunern, sogar die Putzfrau stiehlt, und ich wage ihr nichts zu sagen aus Furcht, sie könnte etwas wissen. Ach, warum kann ich nicht einer der gesunden starken Geschäftsmänner sein, wie es meine Väter waren!

Sinkt wieder aufs Sofa links.

FRANK V.:

Schaust du, Frank der Vierte, nieder jetzt
Siehst du deinen Sohn von Reu zerfetzt
Menschlichkeit hat ihn so schwer verletzt
Daß nun Trän auf Trän die Wange netzt

Stürztest Dupont im November
Kamst in Essen an die Macht
Schobst in Erdöl im Dezember
Und im Jänner schon mit Schacht
Was du triebst, das triebst du munter
Wer sich wehrte, brach in Stück
Ach, auch deine Zeit ging unter
Kehrt o kehrt nicht mehr zurück.

Es klopft an die Türe rechts. Frank und Ottilie springen auf.

FRANK V. : Das Dienstmädchen!

OTTILIE : Wenn Emmi dich erblickt, ist alles aus!

FRANK V. : Ermorde sie auf der Stelle.

OTTILIE : Morden! Immer soll ich morden. Morde doch du einmal.

FRANK V. : Ich kann's nicht, Ottilie, ich kann's nicht.

OTTILIE : Und dazu noch das Dienstmädchen, jetzt, wo die so rar sind.

FRANK V. : Es muß sein.

OTTILIE : Geh ins Nebenzimmer. Dann sieht sie dich nicht.

FRANK V. : Das nützt doch nichts, sie hat mich ja gehört. Erdroßle sie, die arme, arme Emmi.

Es klopft wieder. Frank geht durch die Türe links. Ottilie nimmt ihren Seidenschal von den Schultern, setzt sich auf das Sofa links, bereitet das Erdrosseln vor. Es klopft ein drittes Mal.

OTTILIE : Herein.

Durch die Türe rechts kommt Böckmann.

BÖCKMANN : Gnädige Frau.

OTTILIE *erleichtert:* Böckmann!

Frank kommt aus der Türe links.

FRANK V. : Unser Prokurist! Mein bester Freund! Gott sei Dank, Emmi ist gerettet.

Setzt sich zu Ottilie, gibt Böckmann ein Zeichen, der sich aufs Sofa rechts setzt.

FRANK V. : Was ist los, Böckmann, warum noch so spät?

BÖCKMANN : Mein Leben ist verpfuscht.

FRANK V. : Verpfuscht?

BÖCKMANN: Jahrzehnte habe ich der Frankschen Privatbank treu gedient, und nun muß ich den Sündenlohn einkassieren. Ich suchte heute unseren Vertrauensarzt auf. Er schleuderte mir die Wahrheit ins Gesicht.

Schweigen.

BÖCKMANN: Ich sage euch nichts Neues, nicht wahr?

OTTILIE *empört:* Böckmann –

BÖCKMANN: Da behauptet man immer, meine Magenbeschwerden seien harmlos, schwört bei allen Himmeln, und auf einmal ist es zu spät.

FRANK V.: Doktor Schlohberg ist ein Ehrenmann.

BÖCKMANN: Sicher. Er hat noch jeden unserer Morde durch ein Attest gedeckt.

FRANK V.: Jeder Arzt kann sich täuschen.

BÖCKMANN: Er hat nicht sich, sondern mich all die Jahre getäuscht. Das wißt ihr genau.

FRANK V. *empört:* Du willst doch nicht behaupten –

BÖCKMANN *bestimmt:* Doch.

Schweigen.

FRANK V. *würdevoll:* Wenn es unbedingt sein muß. Rede, Ottilie.

OTTILIE: Immer ich.

FRANK V.: Ich kann es einfach nicht. Böckmann ist mein Freund. Mein einziger Freund.

OTTILIE *sucht nach Worten:* Böckmann – Doktor Schlohberg – siehst du, Doktor Schlohberg hat uns schon vor zwei Jahren –

BÖCKMANN: Vor zwei Jahren?

OTTILIE: Doktor Schlohberg riet dringend zu einer Operation, doch wir haben befürchtet –

BÖCKMANN: Was habt ihr befürchtet?

OTTILIE: Böckmann, wir haben befürchtet, daß du in der Narkose gewisse Aussagen – Doktor Schlohberg operiert selber nicht, und wir hätten dich in eine Klinik schaffen müssen, und das wagten wir eben nicht.

Schweigen.

BÖCKMANN: Aus Furcht laßt ihr mich sterben.

FRANK V.: Böckmann, ich –

BÖCKMANN: Aus Furcht. Alles, was wir tun, tun wir aus Furcht. Aus Furcht vor einer Entdeckung, aus Furcht vor dem Gefängnis, und nun stehe ich auf einmal vor dem Tod, und nun hat mich auf einmal die Furcht eingeholt.

FRANK V.: Böckmann, Goethe sagt in seinen Maximen –

BÖCKMANN: Laß mich mit deinem Goethe in Ruh!

OTTILIE: Böckmann. Ich will Gottfried und mich nicht verteidigen. Du bist unser bester Freund, und wir haben dich verraten. Gut. Aber es geschah nicht nur aus Furcht. Du hast die Wahrheit über dich erfahren, Böckmann, nun sollst du auch die Wahrheit über uns erfahren. Wir haben Kinder, Böckmann.

Böckmann starrt die beiden an.

BÖCKMANN: Kinder?

OTTILIE: Zwei.

FRANK V.: Herbert ist zwanzig Jahre alt und studiert in Oxford. Nationalökonomie.

OTTILIE: Franziska ist neunzehn und wird in Montreux erzogen. In einem Pensionat.

BÖCKMANN: Wissen sie von unseren Geschäftsmethoden?

FRANK V.: Sie wissen nichts von unserer Bank.

OTTILIE: Wir haben am Bodensee eine Villa gemietet und empfangen sie bisweilen zum Wochenende und in den Ferien.

FRANK V.: Wir führen dann den Namen Hansen.

BÖCKMANN: Hansen.

FRANK V.: Unter diesem Namen haben wir auch in Spanien eine Besitzung gekauft.

BÖCKMANN: Eure Kinder halten euch für ehrliche Leute?

OTTILIE: Sie glauben an uns.

FRANK V.: Sie ehren uns.

OTTILIE: Sie lieben uns.

FRANK V.: Wir führen ein glückliches Familienleben.

BÖCKMANN: Ein glückliches Familienleben. Und damit ihr dieses glückliche Familienleben weiterführen könnt, laßt ihr mich krepieren.

OTTILIE: Böckmann! Ich bin aufgerieben wie du von unserem bösen Geschäft, eine alte Frau, die sich seit Jahren mit Morphium durch ein ekelhaftes Leben schleppt. Ich bin verloren, ich bin verflucht, Gott mag mit mir verfahren nach seinem Willen, aber meine Kinder sollen nicht so leben müssen wie ich, sie sollen anständige Menschen sein dürfen, Gott gefällig und den Menschen.

FRANK V.: Was wir taten, haben wir für unsere Kinder getan. *Schweigen.*

BÖCKMANN: Ihr habt Kinder. Das konnte ich freilich nicht ahnen. Verzeiht. Ihr seid eben glücklicher als ich. Auch für mich bedeuten Kinder das Höchste, Reinste, Unschuldigste, das darf ich euch ja nun gestehen. Ich habe mich immer nach Kindern gesehnt, seit Jahren. Nicht nach eigenen, als Prokurist ist man ja etwas skeptisch seiner Erbmasse gegenüber, aber nach einem Kinderheim oder so. Ich wollte immer eines gründen und dachte nun, bald wäre es soweit. Doch jetzt ist dies alles ja vorbei. Ich bin erledigt. Ausgespielt. Die Bank war stärker als ich.

Er erhebt sich.

BÖCKMANN: Lebt wohl. Ihr findet mich morgen wieder. In der Buchhaltung. Auf meinem Posten.

Geht durch die Türe links ab.

FRANK V.: Und da sage mir einer, die Geschäftswelt habe nicht ihre Größe.

Nimmt ein Buch vom kleinen Tisch, beginnt zu lesen.

OTTILIE *sinnend:* Böckmann hinterläßt zwei Millionen. Die werden uns zufallen.

FRANK V. *ohne aufzuschauen:* Ottilie! Du bringst mich immer wieder geistig in eine schiefe Lage. Wie stehe ich nun da mit meinem besten Freund.

OTTILIE: Du willst sein Geld nicht nehmen?

FRANK V. *umblätternd und weiterlesend:* Nicht für uns, Ottilie, das weißt du ganz genau. Für unsere Kinder.

Friedhof. Nacht. Mondlicht. Aus dem aufgebrochenen Grab Franks des Fünften, auf dem noch einige Kränze liegen, stemmt sich keuchend Herbert.

HERBERT: Nicht Pappi.

Setzt sich erschöpft auf den Marmorrand des Grabes, läßt die Beine hineinbaumeln. Aus dem Grabe stemmt sich keuchend Franziska.

FRANZISKA: Wird die Leiche Heini Zurmühls sein.

Setzt sich neben Herbert. Beide ziehen rote Gummihandschuhe aus.

HERBERT: Ahnte gleich, an der Beerdigung sei etwas faul.

FRANZISKA: Ein Glück, daß wir Vaters Aufzeichnungen gefunden haben.

HERBERT: Typisch für unseren Alten: Er will uns seine Bank geheimhalten, aber Tagebücher! Die muß er führen!

FRANZISKA: Nun sind wir endgültig hinter den Schwindel gekommen.

HERBERT: Die machen uns nichts mehr vor!

FRANZISKA: Die wollen türmen!

HERBERT: Ohne uns!

FRANZISKA: Höchste Zeit, den Laden zu übernehmen, Brüderlein!

HERBERT: Höchste Zeit, die Alten hinauszufeuern, Schwesterlein!

Tanzt auf dem Grab.

HERBERT:

In Oxford wurde ich erzogen
Da lernt ich, was das Leben ist
Die Ideale sind erlogen
Gesetz ist nur, daß keines ist.
Doch braucht es Ordnung in dem Stall
Die Schweine suchen ihre Koben
Und wer da schwach ist, kommt zu Fall
Drum bleib, wer kann, nur immer oben
Halt eisern dich an meine Regel
Nimm guten Wind zum bösen Segel

Mit *der* Erkenntnis geht's voran
Mein Schwesterlein, es sei getan
Denn morgen fängt die Zukunft an.
Springt vom Grab und tanzt an der Rampe.

HERBERT:

Hei, ein neuer Ton
Die uns gezeugt, die kamen nicht sehr weit
Ihr saht die Blamage
Drum schmeißt die junge Generation
Zu zweit
Hinaus die Bagage!

*Franziska tanzt auf dem Grab und stößt mit dem Fuß einen Kranz
hinunter, der über die Bühne rollt.*

FRANZISKA:

In Montreux wurde ich erzogen
Da lernt ich, was die Liebe ist
Ob Leid ob Freud, es ist gelogen
Gefühle? Wirf sie auf den Mist
Ich gab dem Manne mich, dem Weib
Die Leiber wechseln, Lust bleibt ständig
Nimm Geld für diesen Zeitvertreib
Denn nur als Profi bleibst du wendig
Halt eisern dich an mein Erkennen
Und penn mit jedem, willst du pennen
Mit *dem* Berufe geht's voran
Mein Brüderlein, es sei getan
Denn morgen fängt die Zukunft an

Springt vom Grab und tanzt an der Rampe.

FRANZISKA:

Hei, ein neuer Ton
Die uns gezeugt, sie kamen nicht sehr weit
Ihr saht die Blamage
Drum schmeißt die junge Generation
Zu zweit
Hinaus die Bagage.

Die beiden tanzen auf dem Friedhof.

DIE BEIDEN:

Wir sind die Jungen, die da kommen
Geschlüpft aus eurer Weiber Schoß
Vor uns hat Gott Reißaus genommen
Der Teufel schreit: Was ist denn los?
Wir stürzen euer Babylon
Errichten unsre eignen Tempel
Die Tochter eine Hur, der Sohn
Gibt seinem Vater ein Exempel
Es treibt euch jetzo ab, ihr Lieben
Was einst ihr nicht habt abgetrieben
Mit diesem Spruche geht's voran
Die Erde wird uns untertan
Denn morgen fängt die Zukunft an

Hei, ein neuer Ton
Die uns gezeugt, sie kamen nicht sehr weit
Ihr saht die Blamage
Drum schmeißt die junge Generation
Zu zweit
Hinaus die Bagage.

9. WO PROFIT LOCKT

,*Chez Guillaume'. Päuli sitzt am Tisch links, am Türpfosten
lehnt Guillaume, aus der Bank saust Egli mit einer Mappe.*

EGLI: Päuli Neukomm. Wie jeden schönen Nachmittag haben wir uns um die geschäftlichen Möglichkeiten unserer Bank
zu kümmern.

Setzt sich zu Päuli.

EGLI: Ich erwarte heute die Hotelbesitzerin Apollonia Streuli.
Der wackeren Dame las eine Wahrsagerin aus dem Horoskop,
sie würde ihr Glück vor dem Kaffee Guillaume mit einem
Brasilianer machen. Die Wahrsagerin ist von mir bestochen,

der Brasilianer bin ich, ein gutes Geschäft entsteht auf Grund einer Kollektivarbeit. Guillaume, stelle Champagner kalt.

GUILLAUME: Wie immer, Herr Egli.

EGLI: Du hingegen hast deine erste selbständige Arbeit im Außendienst zu liefern. Es hat keinen Sinn, sich etwas vorzumachen. Deine Lage ist mehr als bedenklich. In der Buchhaltung warst du eine Niete und in der Urkundenfälscherei ein reiner Versager. Doch haben wir auf deine geistigen Fähigkeiten Rücksicht genommen und die Schwierigkeiten stark vermindert, wir sind keine Unmenschen: Du hast mit einem Uhrenfabrikanten zu verhandeln. Ein Kinderspiel. Notiere.

Päuli schreibt in ein Notizbüchlein.

EGLI: Der gute Mann heißt Piaget. Gestern abend in der Fantasio-Bar hat ihm unser Schmalz bei drei Whisky-Soda eingeredet, am großen Haxl in den Ostalpen sei Uran gefunden worden, und heute morgen, wen trifft Piaget zufällig in der Hotelhalle? Unseren Freund Theo Kappeler. Der schwindelt ihm vor, im Kaffee Guillaume treibe sich ein Stammkunde namens Stuber herum, der die Aktien eines Bergwerks zu verkaufen habe. Kommst du darauf, wo dieses schöne Bergwerk liegt, mein Sohn? Auch am großen Haxl. Und weißt du, wer der Stammkunde Stuber ist? Du, Päuli Neukomm. Hier hast du hundert Aktien. Biete sie Piaget an. Mit Fantasie, mein Junge, mit Fantasie.

Übergibt ihm ein Aktienpaket.

EGLI: Fünfhundert pro Aktie. Kauft er, machen wir ein Bombengeschäft, das Bergwerk enthält in Wirklichkeit nichts als wertlosen Schwefelkies. Und er wird kaufen. Wo Profit lockt, wird die Handlungsweise des Menschen vorausbestimmbar. Doch da kommt der Uhren-Piaget schon angewandelt. Beginne.

Von links hinten schlendert Piaget heran, Egli setzt sich an den Tisch rechts.

PÄULI: Guillaume, einen Teller Bündnerfleisch.

EGLI: Sehr schön.

Guillaume stellt Päuli einen Teller hin, der mit dem Fleisch die Möwen zu füttern beginnt. Piaget schaut verwundert zu, setzt sich zu ihm.

PIAGET: Was tun Sie denn da?
PÄULI: Ich füttere Möwen.
PIAGET: Mit Bündnerfleisch?
PÄULI: Nur das Beste ist gut genug.
PIAGET: Ein teurer Spaß.
PÄULI: Wenn schon. Ich kann ein kleines Bergwerk verkaufen.
PIAGET: *pfiffig:* Das Bergwerk am großen Haxl?
PÄULI: Stimmt.
   Tut, als stutze er.
PÄULI: Donnerwetter, wie kommen Sie darauf?
PIAGET *scheinheilig:* Nur so. Habe eben meine Witterung.
PÄULI: Das Bergwerk war eine wahre Katastrophe, mein Herr. Ich versuchte vergeblich, Gold aus dem Schwefelkies zu gewinnen, die Zufahrtswege waren viel zu schlecht, nichts rentierte, und ich saß mit meinem Aktienpaket da. Doch heute? Ein Anruf meiner Bank. Sie will kaufen. Um mir aus meinen finanziellen Schwierigkeiten zu helfen.
PIAGET: Eine soziale Bank.
PÄULI: Es kommt mir wie im Märchen vor.
PIAGET: Wieviel bietet sie?
PÄULI: Zweihundert pro Stück.
   Piaget erhebt sich.
PIAGET: Ober, auch Bündnerfleisch.
GUILLAUME: Schon bereit.
   Überreicht Piaget einen Teller mit Bündnerfleisch, der damit zum Quai geht. Päuli erhebt sich. Egli will ihn auf seinen Irrtum aufmerksam machen, Päuli winkt siegessicher ab, geht zu Piaget an den Quai, wo die beiden nun Möwen füttern.
PIAGET: Piaget.
PÄULI: Stuber.
PIAGET: Wieviele Aktien besitzen Sie denn?
PÄULI: Hundert.
PIAGET: Dann bietet die Bank also zwanzigtausend.
PÄULI: Genau.
PIAGET: Und wenn ich einundzwanzig biete?
   Päuli hört scheinbar erstaunt auf, Möwen zu füttern.

PÄULI: Einundzwanzig?

PIAGET: Ich bin eben auch sozial.

PÄULI: Da stimmt etwas nicht, Herr Piaget. Die Angelegenheit kommt mir auf einmal höchst verdächtig vor.

PIAGET: Zweiundzwanzig?

Nimmt Banknoten aus der Tasche.

PÄULI: Nehmen Sie es mir nicht übel, Herr Piaget, aber ich muß mich mal vorher genau informieren.

PIAGET: Dreiundzwanzig in Ihre Hand.

Legt Päuli die Banknoten auf den Teller.

PÄULI: Dreiundzwanzigtausend?

Übergibt Piaget das Aktienpaket.

PÄULI: Der Schwefelkies am großen Haxl gehört Ihnen, Herr Piaget.

PIAGET: Herr Stuber, Sie werden noch von mir hören.

Legt eine Banknote auf seinen Teller und übergibt ihn Guillaume.

PIAGET: Ober, zahle alles!

Geht nach rechts hinten ab. Päuli winkt Egli triumphierend mit den Banknoten zu, der wütend aufgesprungen ist, doch schon kommt von links erwartungsvoll Apollonia Streuli. Egli setzt sich geistesgegenwärtig an den Tisch links.

FRAU STREULI: Gestatten?

EGLI: Bitte, gnädige Frau.

Sie betrachtet Egli geheimnisvoll, setzt sich dann zögernd zu ihm.

FRAU STREULI: Ober, einen Espresso.

EGLI: Champagner. Vom besten.

Guillaume serviert. Päuli setzt sich an den mittleren Tisch, begierig, etwas von der Schwindelkunst seines Lehrmeisters zu profitieren.

FRAU STREULI: Sie feiern wohl?

EGLI: Man hat so seine Einkünfte bisweilen.

Steckt sich eine Zigarre in Brand.

FRAU STREULI: Import?

EGLI: Aus meiner Heimat.

FRAU STREULI *freudig:* Brasilianer?

EGLI: Aus Rio.

FRAU STREULI: Ich bin aus Steffigen. Ich heiße Apollonia Streuli.

EGLI: Lopez.

FRAU STREULI *geheimnisvoll:* Ich bin Löwe.

EGLI: Ich auch.

FRAU STREULI: Auch?

EGLI: Und ich hoffe, daß Ihnen die Gestirne ebenso Glück bringen wie mir, gnädige Frau.

FRAU STREULI: Ach, Herr Lopez.

EGLI: Sorgen?

FRAU STREULI: Ich besitze das Hotel Alpenglühen. Sie werden's nicht glauben, aber einmal war Steffigen hochberühmt, lauter Lords und so, aber nun ist mein Jugendstiltempel schon das zweite Jahr geschlossen.

EGLI: Meine liebe Frau Streuli, da kann man nur hoffen, der Blitz funke mal gründlich in Ihr Palais hinein.

FRAU STREULI: Das bete ich täglich, Herr Lopez.

Päuli hat sich auf einen fürchterlichen Blick Eglis an den Tisch rechts verzogen.

EGLI: Wenn ich einen Rat geben darf, meine Verehrte, ganz unverbindlich, versichern Sie Ihr Hotel für vier Millionen. Ich kenne eine kleine Versicherungsgesellschaft – Eirene heißt sie – mit der sollten Sie mal einen Vertrag abschließen.

Frau Streuli stutzt.

FRAU STREULI: Wozu denn?

EGLI: Eine Brandversicherung ist spottbillig. Viertausend im Jahr für vier Millionen. Bitte.

Zählt vier Tausendernoten auf den Tisch.

FRAU STREULI: Viertausend. Und die legen Sie einfach so – so hin?

EGLI: Sie haben sich über meinen Champagner gewundert. Sehn Sie, ein weitläufiger Bekannter von mir war in einer ähnlichen Lage wie Sie, besaß eine wertlose Fabrik im Allgäu. Er ließ sie bei der Eirene für zwei Millionen versichern, die Fabrik brannte nieder, die Versicherung mußte zahlen, ich erhielt eine Provision, und nun baut sich der Bekannte eine Villa.

FRAU STREULI: Und dafür kriegen Sie eine Provision?

EGLI: Ich war schließlich zwanzig Jahre Professor der Chemie auf der Universität Rio de Janeiro, Abteilung explosive Stoffe, Frau Apollonia Streuli.

FRAU STREULI: Ober, auch Champagner.

GUILLAUME: Schon bereit.

Hat ein Glas Champagner hingestellt.

FRAU STREULI: Lopez.

EGLI: Apollonia?

FRAU STREULI: Ganz konkret geredet: Würde die Sache auch bei meinem Hotel klappen?

EGLI: Ich bin Wissenschaftler.

Sie trinken.

FRAU STREULI: Professor, nehmen Sie Ihr Geld zurück. Die viertausend für die Eirene zahle ich selber.

EGLI: Sie werden es nicht zu bereuen haben. In einer Woche treffen wir uns in diesem Kaffee, Sie übergeben mir den Schlüssel Ihres Hotels, Ihr Jugendstiltempel löst sich in Asche auf, und Sie sind eine reiche Frau. Auch mit einer Villa.

FRAU STREULI: Ich brauche keine Villa. Ich will reisen. Zu meinen Lords.

EGLI: Sie reisen, Frau Streuli.

FRAU STREULI: Ober, zahle alles.

Legt das Geld hin, sie erheben sich.

EGLI: In einer Woche, Apollonia.

FRAU STREULI: In einer Woche, Lopez.

Geht nach links hinten, kehrt sich noch einmal um, winkt.

FRAU STREULI: Die Sterne lügen nicht.

Nach hinten links ab.

EGLI *freundlich:* Nun, Päuli, vergleichen wir mal unsere Geschäfte.

Setzt sich an den mittleren Tisch, Päuli setzt sich zu ihm.

PÄULI: Meines hat großartig geklappt, Herr Egli. Dreiundzwanzigtausend.

EGLI *stinkfreundlich:* Dreiundzwanzig.

PÄULI: Dreiundzwanzig – ist etwas nicht in Ordnung?

EGLI *ruhig:* Päuli, wieviel solltest du für eine Aktie verlangen?

PÄULI: Zweihundert.

EGLI: Wieviel hast du aufgeschrieben?

Päuli schaut im Notizbüchlein nach, erschrickt.

PÄULI: Fünfhundert.

EGLI *unheimlich ruhig:* Päuli – ich beherrsche mich schon die ganze Zeit. Beherrsche mich bis zum Rasendwerden.

PÄULI: Herr Egli –

EGLI *ungeheuerlich ruhig:* Kein Wort mehr. Es ist unmenschlich, was ich durchmache, es geht über meine Kraft. Ich begehe Selbstmord, wenn ich mich nicht beherrsche, ich begehe Selbstmord. Siebenundzwanzigtausend können wir in den Kamin schreiben. Du hattest den Auftrag für fünfzigtausend zu verkaufen.

PÄULI: Herr Egli! Und was haben Sie mit Frau Streuli gemacht? Das war doch ganz sinnlos, was Sie da taten, daran kann doch die Bank nichts verdienen.

EGLI: So. Nichts verdienen. Päuli: Du wohntest eben dem geistreichsten Geschäft unserer Tage bei. Ohne es zu bemerken.

Springt auf, schlägt die Faust auf den Tisch, schreit auf.

EGLI: Ohne es zu bemerken!

Beruhigt sich wieder.

EGLI: Päuli: Die Versicherungsgesellschaft Eirene gehört unserer Bank, und die verkrachte Hotelbesitzerin besitzt ein Konto auf den Vereinigten Banken über zweihunderttausend. Gehen dir endlich die Augen auf? Ihr Hotel wird niederbrennen, aber die Versicherungsgesellschaft Eirene wird hinter den Schwindel kommen, und wir haben die saubere Dame aus Steffigen in unserer Gewalt.

Setzt sich an den Tisch links.

EGLI: Kein Wort mehr, Neukomm, diskutieren wir nicht mehr darüber, mein Herz schlägt schon ganz unregelmäßig. Du hast versagt, Päuli, grausam versagt. Steige jetzt wenigstens in den Keller hinunter.

Päuli erschrickt.

PÄULI: Was soll ich denn im Keller, Herr Egli?

EGLI: Ich schicke dir Häberlin heute nacht. Der schwärmt mir zuviel von Zuchthäusern.

Schweigen.

PÄULI: Den soll ich?

EGLI: Den sollst du.

Schweigen.

PÄULI: Das können Sie doch nicht von mir verlangen, Herr Egli –

EGLI: Glaubst du, dein Freund Heini sei nur eine Ausnahme gewesen? Wir haben alle mal damit angefangen, jeder von uns saß einst wie du in diesem kleinen Kaffee, am Morgen noch beinahe unschuldig, mittags schon als Gauner, um sich mitternachts mit einer Serviette das Blut von den Händen zu wischen.

Erhebt sich.

EGLI: Siebenundzwanzigtausend. Einfach dahin.

Wankt in die Bank.

EGLI *trostlos:* Und dabei darf ich mich nicht einmal aufregen.

10. DIE FREIHEIT IST SCHÖN

Päuli kommt vor den Zwischenvorhang, tritt durch die Mitte auf.

PÄULI *vor sich hin:* Töten. Auf einmal soll ich töten. Auf einmal wollen sie aus mir einen Schwerverbrecher machen. Aber sie sollen sich wundern. Ich gehorche nicht.

Links taucht Herbert auf.

HERBERT: Päuli Neukomm.

PÄULI: Wer sind Sie?

HERBERT: Unwichtig.

PÄULI: Was wollen Sie?

HERBERT: Mich deiner bedienen.

PÄULI: Wozu?

HERBERT: Die Bank zu erpressen.

PÄULI: Ich bin kein Verräter.

Herbert tritt zu ihm.

HERBERT: Warum nicht, wenn du doch bald ein Mörder bist. Es bleibt dir nichts anderes übrig. Du weißt, was mit denen geschieht, die nicht gehorchen. Man steigt besser als Henker in den Keller, denn als Opfer. Also gehorche auch mir, wenn du schon gehorchen mußt. Du bist mir einmal dankbar und ich dir auch.

PÄULI: Lumpenhund.

HERBERT: Einverstanden?

PÄULI: Einverstanden.

Herbert geht an ihm vorbei.

HERBERT: Du hast vorerst nur diesen Brief auf den Schreibtisch der Direktion zu zaubern. Kapiert?

*Hält ihm einen Brief hin. Päuli zögert, macht dann einen Schritt
und nimmt den Brief zu sich. Herbert geht nach rechts ab.*

PÄULI: Kapiert.

Durch die Mitte ab.

*Der Zwischenvorhang geht in die Höhe. Im Bankhaus Frank findet
an einem langen Tisch eine nächtliche Sitzung statt. Der Tisch ist im
Vordergrund der Rampe entlang aufgestellt. Von links nach rechts:
Päuli, Schmalz, Kappeler, Ottilie, Frank V., Böckmann, Egli und
Frieda Fürst. Frank erhebt sich.*

FRANK V.: Mitarbeiter. Ich sehe mit innerer Bewegung, wie
wenige wir geworden sind. Als ich vor vierzig Jahren die Bank
meiner Väter übernahm, standen mir über hundert Angestellte
zur Verfügung. Nun sind es noch sechs. Gar grausam hat der
Tod gewütet, gar manchen treuen Mitarbeiter haben wir verloren, noch vorgestern den guten alten Kassierer Häberlin.

Alle erheben sich.

FRANK V.: Friede seiner Asche.

Macht ein Zeichen, die andern setzen sich wieder.

FRANK V.: Doch, Freunde, wir haben uns in dieser nächtlichen
Stunde nicht versammelt, unsere lieben Toten zu beklagen.
Etwas Unerwartetes ist eingetroffen, die Liquidierung der Bank
mit einem Schlag in Frage gestellt. Die Direktion hat einen Brief
erhalten. Ein Unbekannter weiß alles über uns. Ein Unbekannter droht, uns der Polizei zu übergeben, wenn wir ihm nicht in
einer Woche zwanzig Millionen zahlen.

Stille.

PÄULI: Verflucht.

SCHMALZ: Hauen wir doch jetzt ab.

KAPPELER: Unsere Flucht ist vorbereitet.

SCHMALZ: Wozu erst das Jubiläum abwarten. Seien wir doch
nicht romantisch.

FRANK V.: Mitarbeiter. Wir können nicht fliehen. Der Unbe-
kannte ist nicht nur über meine falsche Beerdigung unterrichtet,

er kennt auch den Ort, wo ich mit meiner Gattin untertauchen wollte.

Gibt den Brief zu Päuli, Schmalz und Kappeler hinüber.

SCHMALZ: Verdammt.

KAPPELER: Dann weiß er auch, daß ich mich nach Teneriffa absetzen will.

SCHMALZ: Und ich nach Kanada.

Sie geben den Brief zurück.

FRANK V.: Freunde. Es bleibt uns vorerst nichts anderes übrig, als abzuwarten. Wir wissen nicht, wer der Erpresser ist, wir wissen nicht, ob er ein Fremder ist, oder – auch das ist leider möglich – einer unter uns.

Stille.

SCHMALZ: Neukomm. Das ist doch klar. Der Neue.

KAPPELER: Oder du, Schmalz.

EGLI: Am meisten habe ich dich eigentlich in Verdacht, Kappeler, mit deiner schwangeren Freundin. Eine Vaterschaft macht geldgierig.

KAPPELER: Herr Egli –

FRANK V.: Freunde. Wir wissen nur eines: Der Kampf wird unbarmherzig sein. Ich erteile nun unserem Prokuristen das Wort. Er wird kurz die wirtschaftliche Lage erörtern. Unser langjähriger treuer Mitarbeiter, der unermüdlich unsere falsche Buchhaltung in Ordnung hält: Emil Böckmann.

Setzt sich, man klopft Beifall, Böckmann erhebt sich.

BÖCKMANN: Mitarbeiter, Freunde. Zwanzig Millionen werden verlangt. Sind wir in der Lage, diese Summe zu zahlen, falls es zum Schlimmsten kommt, denn auch mit dem Siege des Erpressers müssen wir leider rechnen? Ich will nun nicht von den Schulden reden, die noch aus der Zeit Franks des Vierten, ja Franks des Dritten stammen, die ja schon längst die Fünfhundert-millionen-Grenze überschritten haben; wen hätte deren Mä-tressen-Wirtschaft nicht schon ruiniert! Nein. Wir müssen vielmehr unsere Aufmerksamkeit auf die Reserve richten. Freunde, Mitarbeiter. Unsere Reserve sollte vierzig Millionen betragen, sollte, heute weist sie knapp fünf Millionen auf, zäh-len wir die anderthalb Millionen mit, die uns der arme, gute

Häberlin vermachte. Den Grund wißt ihr alle. Jeder von uns hat sich heimlich einen Tresorschlüssel angeschafft und die gemeinsame Kasse geplündert. In Ordnung. Das Geld ist hin. Doch fehlt es nun entscheidend zu den zwanzig Millionen. Seien wir ehrlich. Nicht alles wurde verjubelt, ein jeder hat sich seinen Teil auf die Seite geschafft. Es gibt deshalb nur eine Lösung. Wir müssen unsere Ersparnisse abliefern.

Setzt sich.

KAPPELER: Ich habe nichts auf der Seite.

SCHMALZ: Was verdienen wir schon, das ist doch lächerlich.

FRANK V.: Ich übergebe meiner lieben Gattin das Wort: Unsere tapfere Mitkämpferin, Frau Direktor Ottilie Frank.

Man klopft Beifall, Ottilie erhebt sich mit einem Notizbuch.

OTTILIE: Freunde. Ich habe unsere Ersparnisse notiert. Frank und ich vertrauten fünf Millionen den Vereinigten Banken an, teils auf Sparheften, teils in Privatkonten, Obligationen, Aktien und Hypotheken waren uns aus steuerrechtlichen Gründen zu riskant, Böckmann legte zwei Millionen bei der Staats- und Egli dreieinhalb Millionen bei der Regionalbank an, ebenfalls hat auf dieser Bank Frieda Fürst fünfhunderttausend liegen. Kappeler brachte seine Million bei der Bankunion unter, dazu weitere vierhunderttausend bei der Handels AG, Schmalz achthunderttausend bei der Pecunia und Neukomms zweihunderttausend, die er uns gestern aus der Pensionskasse stahl, befinden sich noch unter seinem Bett. Das Geld ist in fünf Tagen abzuliefern.

Setzt sich.

FRANK V.: Ebenso die Nachschlüssel.

Stille.

KAPPELER: Abliefern?

SCHMALZ: Was ich mir vom Munde absparte?

FRIEDA: Was ich so sauer verdiente?

Päuli springt auf.

PÄULI: Die zweihunderttausend soll ich hergeben? Ich? Was tat ich nicht alles für euch, ihr Ehrenmänner! Ich ermordete für euch den alten Kassierer Häberlin und dann?

Als Miss Stähli
Aus New Delhi
Ihre Konten heben wollte
War nur ich es, der sich trollte
Und sie unters Auto rollte
Sie ging in die Ewigkeit
Ihr mußtet nicht blechen
Doch ich? Schlaflosigkeit!

Setzt sich wieder.
FRIEDA: Schlaflosigkeit!
Alle brechen in ein Gelächter aus. Ottilie erhebt sich.
OTTILIE: So. Unter Schlaflosigkeit leidet das Bürschchen! Ich
will dir mal erzählen, was ich geleistet und gelitten habe!

Als Lord Leicester
Aus Manchester
Seine Erbschaft einst verlangte
Und das ganze Bankhaus bangte
Weil das Bargeld uns nicht langte
Macht' den Hund ich selber stumm
Ihr wurdet gerettet
Doch ich? Morphium!
Setzt sich wieder.
ALLE:
Die Freiheit ist schön, ach, das wissen wir alle
Doch willst du sie greifen, vergeht sie im Nu
Denn wer am Speck sitzt, sitzt in der Falle
Und willst du hinaus, klappt die Falle zu.
Kappeler springt auf.
KAPPELER:
Als Niels Magen
Kopenhagen
Die Bilanz bezweifelt hatte
Packte ich ihn nicht in Watte
Schickte Gift der alten Ratte
Mit dem Zweifeln war es Schluß

Ihr wurdet erlöst so
Doch ich? Darmverschluß!

Bleibt stehen, weil Egli aufspringt.
EGLI: Darmverschluß! Darmverschluß! Ein Vermögen gäb ich
her, wenn ich nur einen Darmverschluß hätte!

Als Herr Glauser
Der Schaffhauser
Ständerat sein Geld vermißte
Stopft' ich ihn in eine Kiste
Die ich in die Limmat hißte
Und die Lage war erstarkt
Ihr kamet davon noch
Doch ich? Herzinfarkt!

Bleibt stehen, weil Schmalz aufspringt.
SCHMALZ: Kommen Sie mir doch nicht immer mit Ihrem
Herzinfarkt, Herr Egli. Ich an Ihrer Stelle –
Frieda Fürst springt auf.
FRIEDA: Herr Gaston Schmalz. Richard reibt sich auf, weiß
Gott, er tut seine Pflicht, und ich – ich will dir mal was berichten,
mein Süßer, hör mal genau zu:
Hans von Pahlen
Aus Westfalen
Roch, daß ich mit euch verbunden
Hat mich an das Bett gebunden
Brauchte mich zu allen Stunden
Grausam war der böse Bock
Ich habe geschwiegen
Doch dann? Elektroschock!

Kappeler rennt vom Tisch nach links.
KAPPELER: Jetzt fängt auch noch die Hure an zu jammern!
Egli brüllt auf.
EGLI: Herr Theo Kappeler!
Schmalz rennt vom Tisch nach rechts.

SCHMALZ: Elektroschock, das bißchen Elektroschock, das ist doch Mumpitz

Als die Diva
Von der Scala
Ich ins nahe Wäldchen steure
Seh mich noch, wie jetzt ich feure
Auf die Leiche Schwefelsäure
Ringsherum da war es Lenz
Ihr Schmuck war für euch nur
Doch ich? Impotenz!

Egli geht auf Schmalz los.
EGLI: Schweig doch Schmalz, das interessiert wirklich keinen Menschen!
SCHMALZ: Aber mich interessiert es, Herr Personalchef!
Schmalz geht auf Egli los.
OTTILIE: Ruhe! Ist das eine Sitzung? Auf die Plätze!
Sie gehen auf die Plätze, setzen sich kleinlaut, singen leise den Refrain.
ALLE:
Die Freiheit ist schön, ach, das wissen wir alle
Doch willst du sie greifen, vergeht sie im Nu
Denn wer am Speck sitzt, sitzt in der Falle
Und willst du hinaus, klappt die Falle zu.

Böckmann erhebt sich.
BÖCKMANN:
Als aus Olten
Herbert Molten
Meine Bücher revidierte
War ich es, der sich nicht rührte
Als man ihn hinunterführte
Gnade meiner Tat –

Frank springt auf.
FRANK V.: Genug jetzt! Schämt ihr euch nicht?

Böckmann setzt sich verschüchtert.

FRANK V.: Das sind doch Lappalien!

All die Klagen
All die Plagen
Nichts sind sie vor meinen Leiden
Meinen Goethe muß ich meiden
Und von Mörike gar scheiden
Bin vom Bankgeschäft verreist
Ihr leidet am Leib nur
Doch ich am Geist!

ALLE *wild:*
Die Freiheit ist schön, ach, das wissen wir alle
Doch willst du sie greifen, vergeht sie im Nu
Denn wer am Speck sitzt, sitzt in der Falle
Und willst du hinaus, klappt die Falle zu.

Egli springt auf, geht zur Wand links hinüber.

EGLI: Herrschaften! Ich finde eure Haltung ja hundserbärm-
lich. Da werdet ihr mit Freunde und Mitarbeiter angeredet –
na schön, das ist Sache der hohen Direktion –, aber ich als euer
Personalchef mache da nicht mit. Ihr seid Schurken, habt aus
beruflichen Gründen Schurken zu bleiben, und so will ich denn
mit euch in einer ganz anderen Sprache reden.

*Zieht zwei Revolver hervor, Päuli, Schmalz und Kappeler halten
die Hände hoch.*

EGLI: In fünf Tagen kommt mir jeder mit den Moneten an-
marschiert, verstanden? Und daneben wird wieder einmal hart
gearbeitet. Auch mit unseren Ersparnissen fehlen mehr als sieben Millionen. Die müssen rein, und wenn wir die ganze City
auszuplündern haben, und will jemand mit seinem Ersparten
abhauen, nach Teneriffa oder so, die hohe Direktion im Stich
lassen, soll er gleich die Rechnung mit dem Himmel machen.
Pflichtbewußtsein, ihr Gauner, Kameradschaftsgeist, ihr Halun-
ken, Verantwortungsgefühl, ihr Mörder! Oder ich knalle euch
alle über den Haufen!

Frieda Fürst springt auf.

FRIEDA: Richard! Ich gebe mein Geld nicht her.

Egli läßt den Revolver fassungslos sinken.

EGLI: Frieda.

FRIEDA: Schon seit Jahren will man mit der Bank Schluß machen, und immer kommt etwas dazwischen. Jetzt diese Erpressung! Wer sagt uns denn überhaupt, daß dies stimmt?

FRANK V.: Aber Fräulein Frieda!

BÖCKMANN: Der Brief des Erpressers ist schließlich eine Tatsache!

FRIEDA: Dieser Brief kann gerade so gut von der Direktion abgefaßt worden sein, um uns weiterhin vor den Karren zu spannen. Das Personal mag handeln, wie es will. Ich gebe mich dazu nicht her, ich habe all die Phrasen satt. Meine Fünfhunderttausend bleiben, wo sie sind: Auf der Regionalbank.

Setzt sich wieder. Alle schauen auf Frank.

FRANK V.: Ottilie, rede du.

OTTILIE *leise:* Immer ich.

Erhebt sich majestätisch.

OTTILIE *in eiskalter Ruhe:* Fräulein Frieda Fürst. Sie lassen uns also im Stich, ja, Sie werfen uns sogar Betrug vor. Reden wir ehrlich miteinander. Ich will jetzt Ihre himmeltraurige, innere Einstellung übersehen und nur von Ihren beruflichen Fähigkeiten reden: Die lassen enorm zu wünschen übrig, Fräulein Frieda Fürst. Ich erwähne den Fall Schlumpf. Statt fünftausend brachten Sie dreitausend mit der erstaunlichen Begründung, der Betreffende habe eine kranke Mutter zu unterhalten und spüre überhaupt das Nachlassen der Konjunktur. Weiter: Vom Tiefbauingenieur letzthin heimsten Sie gar nur zweitausend ein und gaben zur Antwort, dessen Lungen seien angegriffen. Ich bringe nur diese zwei Beispiele, Fräulein Frieda Fürst. So geht das nicht weiter. Ihre Sentimentalitäten ruinieren uns.

FRIEDA: Frau Ottilie Frank. Ich bin zweiundzwanzig Jahre –

OTTILIE *gefährlich:* Ich weiß, Fräulein Frieda Fürst. Zweiundzwanzig Jahre üben Sie in unserem Geschäft Ihr Metier aus. Doch würde ich mich an Ihrer Stelle nicht damit brüsten. Es tut mir leid, wir müssen eine jüngere Kraft suchen. Die Annonce ist bereits aufgegeben.

Setzt sich. Stille. Frieda Fürst erhebt sich.

FRIEDA *ruhig und entschlossen:* Frau Frank. Ich weiß, was eine Entlassung in dieser Bank bedeutet. Sie wollen mich umbringen lassen, wie man alle umbrachte, die man nicht mehr brauchen konnte. Ich soll in den Keller. Frau Frank, ich bin keine Frau wie Sie, ich bin keine Dame. Was ich tat, tat ich aus Liebe. Ich will einmal Richard Egli heiraten. Sie werfen mir mein Alter vor, Frau Frank. Es stimmt, ich bin vierzig, aber darum lasse ich mir keine Stunde mehr von Ihnen rauben, denn ich will noch Kinder bekommen, Frau Frank, mit meinem Richard eine Familie gründen. Sie glauben, mit mir wie mit anderen verfahren zu können. Sie täuschen sich gewaltig, Frau Frank. Sie kennen nichts anderes als Ihr Geschäft und Ihr Geld. Aber nun sollen Sie die Macht der Liebe erfahren. Richard wird mich beschützen, Frau Frank. Ich pfeife auf Ihre Drohung!

Setzt sich. Schweigen.

OTTILIE: Gottfried, hebe die Sitzung auf.

Frank erhebt sich.

FRANK V.: Meine Herren, die Sitzung ist beendet.

Die andern erheben sich ebenfalls. Frank führt Ottilie nach links hinten ab, die andern folgen, nur Frieda Fürst bleibt an ihrem Platz am rechten Ende des Tisches, Egli setzt sich langsam ans linke Ende, so daß zwischen den beiden der große lange Sitzungstisch ist.

FRIEDA: Das habe ich ihr aber gegeben. Ganz bleich ist sie geworden und nur so hinausgetaumelt.

EGLI: Ich weiß nicht, Frieda.

FRIEDA: Richard. Wir müssen fliehen. Noch in dieser Stunde. Wir müssen aus dieser Stadt, aus diesem Lande, irgendwohin, wir haben ja Geld.

EGLI: Schau Frieda –

FRIEDA: Wir lieben uns, Richard. Ich bin in Gefahr, wenn ich nicht fliehe. Sie werden mich in ihrem gräßlichen Keller ermorden.

EGLI: Das bildest du dir doch nur ein, Frieda.

FRIEDA: Alle haben sie ermordet!

EGLI: Ich kann die Bank doch jetzt unmöglich im Stich lassen,

Frieda, das mußt du einsehen, das Geschäft macht wirklich eine schwere Stunde durch, Herrgottnocheinmal!

Frieda starrt ihn an.

FRIEDA: Richard, du stellst dich auf die Seite der Bank?

EGLI: Frieda, du mußt verstehen –

FRIEDA: Du willst nicht mit mir fliehen?

EGLI: Frieda, du weißt, ich darf mich unter keinen Umständen aufregen. Ich bitte dich, mach's mir nicht schwer.

Frieda wagt kaum zu atmen.

FRIEDA: Was soll ich dir nicht schwer machen, Richard?

EGLI: Du weißt genau, was ich meine.

Wird vorwurfsvoll.

EGLI: Siehst du, jetzt muß ich schon wieder tropfen.

Nimmt ein Stück Zucker, zählt die Tropfen ab. Sie begreift.

FRIEDA: Ich verstehe.

EGLI: Es muß eben sein, Frieda.

FRIEDA: Verzeih, daß ich dich aufgeregt habe.

EGLI: Es fällt mir schwer, Frieda. Wirklich.

FRIEDA: Im Keller?

EGLI: Wie immer.

FRIEDA: Gleich?

EGLI: Bald.

FRIEDA: Kalt ist es auf einmal.

EGLI: Der Morgen ist gekommen.

Erhebt sich.

FRIEDA: Ich will mich nur noch schminken.

Er wartet. Sie nimmt aus dem Täschchen ihr Sparheft, schiebt es über den Tisch.

FRIEDA: Hier hast du mein Sparheft.

EGLI: Ich danke dir.

Nimmt es entgegen. Sie steht auf.

FRIEDA: O.K. Gehn wir in den Keller.

Sie gehen nach rechts hinten.

Vor dem Zwischenvorhang geht Egli von links nach rechts, wo er
Ottilie abholt und sie der Rampe entlang zurück nach links führt.
Ottilie trägt eine große Handtasche.

EGLI: Madame, unsere Absicht, ins Ölgeschäft hineinzusteigen,
ist leider vereitelt, die Millionärin reiste nach Milwaukee zurück. Dafür aber hatten meine Bemühungen, den nötigen
Nachwuchs herzuschleppen, endlich Erfolg. Zwar erwies sich
der Banknotenfälscher aus Linz als eine Niete, der Schuft ist
ein ehrlicher Graphiker geworden, und der Taschendieb aus
Augsburg tritt jetzt im Zirkus auf, aber ich habe eine neue
tüchtige Angestellte aufgetrieben.

OTTILIE: Ihr Name?

EGLI: Den würden wir schon noch kennen lernen, sagte sie.
Wir dürfen aufatmen, Madame. Sie sprach mich im Stadtpark
an, auf der Bank vor dem Heldendenkmal verschwand meine
goldene Uhr, beim Imbiß in der ‚Ewigen Lampe‘ meine Brieftasche, und als wir im kleinen Hotel beieinanderlagen, hatte ich
ihr vor Begeisterung einen Vorschuß von fünfzigtausend versprochen.

OTTILIE: Die goldene Uhr kannst du auf die Spesen setzen.

EGLI: Danke, Madame.

OTTILIE: Den Vorschuß mußt du ihr selber wieder abknöpfen.

EGLI: Nicht nötig, Madame. Ich habe ihr den Check auf unsere
Bank ausgestellt, und da wird sie was erleben, will sie einkassieren.

OTTILIE: Getreuer Richard, lebe wohl.

Die beiden links ab.

Der Zwischenvorhang hebt sich. Das Schlafzimmer Böckmanns.
Im Hintergrund ein riesiges Butzenscheibenfenster. Das Bett mit
Böckmann vorne etwas gegen rechts, mit dem Kopfende gegen das
Publikum, so daß man nur Böckmanns Hände sieht, die sich vor
Schmerz ins Eisengitter verkrallen. Links vom Bett ein Stuhl,
rechts neben dem Kopfende ein Nachttisch. Hinten rechts ein Tisch.
Durch die Türe links kommt Frank als Priester verkleidet zu sei-
nem sterbenden Freunde.

BÖCKMANN: Hochwürden! Dank, daß Sie gekommen sind.

FRANK V.: Böckmann. Ich bins doch, Frank, dein bester Freund. *Schließt die Türe vorsichtig.*

BÖCKMANN: Die Schmerzen.

FRANK V.: Nur Mut.

BÖCKMANN: Die Angst.

FRANK V.: Nur Mut.

BÖCKMANN: Ich sterbe.

FRANK V.: Nur Mut.

BÖCKMANN: Du nennst dich mein bester Freund und kommst als falscher Priester zu mir.

FRANK V.: Böckmann. Ich muß dies doch tun, man darf mich doch nicht als Frank erkennen, das wäre doch unser aller Ende.

BÖCKMANN: Unser aller Ende. Ich nehme ein Ende, ob du dich nun verstellst oder nicht, falscher Priester. Du glaubst, dein Kleid sei notwendig, wie alle unsere Verbrechen. Nichts war notwendig, falscher Priester, nicht der kleinste Betrug, nicht ein einziger Mord.

Frank setzt sich ans Bett.

FRANK V.: Aber Böckmann. Wir konnten doch nicht anders. Das Erbe war allzu bitter. Du kennst sie ja, die unvorstellbaren Gaunereien unserer Väter, du weißt es doch, daß uns keine andere Wahl blieb, als weiterzumorden und zu betrügen, daß es unmöglich war, umzukehren.

Böckmann packt Frank am Priesterrock.

BÖCKMANN: Du lügst. In jeder Stunde hätten wir umkehren können, in jedem Augenblick unseres bösen Lebens. Es gibt kein Erbe, das nicht auszuschlagen wäre, und kein Verbrechen, das getan werden muß. Wir waren frei, falscher Priester, in Freiheit erschaffen und der Freiheit überlassen!

Sinkt wieder zurück.

BÖCKMANN: Hebe dich von meinem Sterbebette, du Gespenst, stürze dich in dein Grab zurück, gleich wird Pfarrer Moser kommen.

Frank erhebt sich erschrocken.

FRANK V.: Du hast einen Priester kommen lassen?

BÖCKMANN: Ich will sterben, wie meine Väter starben.

FRANK V.: Du willst beichten?

BÖCKMANN: Ich will Buße tun. Ich bereue mein Leben. Ich will diese höllischen Schmerzen nicht auch noch in der Ewigkeit erleiden.

FRANK V.: Aber Böckmann. Gott ist doch ganz von selber gnädig, du wirst schon sehen, du brauchst gar nicht zu beichten bei der unermeßlichen Gnade Gottes.

BÖCKMANN: Du wagst es, von Gnade zu reden, falscher Priester, den Namen Gottes auszusprechen? Und wenn Gott mir nicht gnädig ist? War ich je gnädig? Hatte ich Mitleid mit dem armen Herbert Molten und all den andern? Ich will Schluß machen mit meinen Sünden, verstehst du, bevor der Tod mit mir Schluß macht. Eines echten Priesters Ohr soll mein Verbrechen vernehmen. Ich will nicht verlassen sein in der Stunde des Gerichts. Jemand soll für mich um Gnade bitten, einer der unbeteiligt ist an meinen Schurkereien, jemand der das Recht zu dieser Bitte besitzt, auch wenn sie noch so ungeheuerlich ist.

Durch die Türe links kommt Ottilie mit ihrer großen Handtasche. Frank geht zu ihr.

FRANK V.: Da bist du endlich. Er läßt einen Priester kommen.

OTTILIE: Das habe ich mir gleich gedacht.

FRANK V.: Will beichten. Das ist doch einfach mittelalterlich.

BÖCKMANN: Jeder Verbrecher darf beichten. Der gemeinste Schurke. Und ihr wollt es mir verbieten.

Ottilie geht zum Fußende des Bettes.

OTTILIE: Lieber Böckmann. Du bist gar kein Verbrecher. Im Gegenteil. Du wolltest dein Leben lang ein Kinderheim gründen. Du wurdest nur durch widrige Umstände daran gehindert.

BÖCKMANN: Die Schmerzen.

OTTILIE: Nur Mut.

BÖCKMANN: Die Angst.

OTTILIE: Nur Mut.

BÖCKMANN: Ich muß sterben.

OTTILIE: Nur Mut.

BÖCKMANN: Der Priester ist schon auf dem Wege zu mir, der Diener Gottes. Ich werde ihm alle meine Verbrechen entgegenschreien.

FRANK V.: Es geht schief, ich weiß, es geht schief.

OTTILIE: So. Schon auf dem Wege. Mein lieber lieber Böckmann, wie konntest du uns das antun, uns, deinen besten Freunden, die Leid und Freud mit dir geteilt haben ein Leben lang. Liegst auf dem Sterbebette Aug in Aug mit der Ewigkeit und begehst noch eine so schändliche Sünde. Einen Priester rufen!

FRANK V.: Wenn ich denke, wie mein Vater gestorben ist! Mit Hohngelächter, Böckmann, mit Hohngelächter, weiß Gott, das war ein Sterben.

OTTILIE: Wirklich, Böckmann, das ist nicht fair von dir, das haben wir wirklich nicht um dich verdient. Beichten. Man traut seinen Ohren nicht. Kein Außenstehender darf je von unseren Geschäftsmethoden erfahren, das weißt du doch genau! Natürlich gibt es ein Beichtgeheimnis, aber ein Priester ist schließlich auch nur ein Mensch, und wenn er eine Bemerkung fallen läßt, irgendwo, was dann? Aber nun Schwamm darüber, keine Diskussion mehr.

Geht zum Kopfende des Bettes, wischt Böckmann den Schweiß ab.

OTTILIE: Wir haben deine Schmerzen zu lindern. Die sind ja grauenhaft. Ich werde dir eine Spritze geben, Doktor Schlohberg hat sie verordnet. Gottfried, verriegle die Türe.

FRANK V.: Jawohl, Ottilie. Sofort.

Geht nach links.

BÖCKMANN: Ich will beichten! Ich will bekennen! Ich will das Riesengewicht der Sünden von meiner Seele wälzen!

FRANK V.: Verriegelt.

Ottilie geht zum Tisch rechts hinten, bereitet die Spritze vor.

OTTILIE: Und nun steh nicht so herum, tu wenigstens etwas, dein bester Freund kann jeden Augenblick das Zeitliche segnen, erbaue ihn, gib ihm Trost, du hast doch eine schöne Stimme und siehst, wie er leidet.

FRANK V.: Natürlich, Ottilie, selbstverständlich.

Setzt sich ans Bett.

FRANK V.:

Es ist Nacht
Dunkle Nacht
Ohne Ende Nacht

Ach, was hab ich gemacht
Fast ins Grab den Freund gebracht.

Ungenannt
Hielt er stand
Jeder Schwierigkeit
Seine Zeit
War nur meinem Geschäfte geweiht.

BÖCKMANN: Gott, ich habe dich verraten in jedem Augenblick meines Lebens, aber nun hilf mir, Gott! Errette mich aus den Händen meiner Freunde, laß den Priester kommen, deinen Diener!

OTTILIE: Sing, Gottfried, gib ihm Friede, gib ihm Ruhe.
Füllt sorgfältig die Spritze, Frank erhebt sich.

FRANK V.:
Es ist Nacht
Tiefe Nacht
Ohne Ende Nacht
Ach, was hab ich gemacht
An das Grab den Freund gebracht.

BÖCKMANN: Beichten – Gnade –

FRANK V.:
Was ich trog
Was ich schob
Deckte treu er zu
Was ich schieb ohne ihn
Schieb ich nun ohne Ruh.

BÖCKMANN: Beichten. Ich möchte nur beichten.
Ottilie hält die Spritze hoch, prüft sie.

FRANK V.:
Es ist Nacht
Mitternacht
Ohne Ende Nacht
Ach, was hab ich vollbracht
In das Grab den Freund gebracht.

OTTILIE: Mächtiger, majestätischer.
Geht zur rechten Seite des Bettes, nimmt Böckmanns Arm.

FRANK V.:

Drum mein Weib, stoß zu
Er ist müd, braucht Ruh
Was er tat, war für uns
Und so tu's nun ihm du.

Ottilie stößt mit der Spritze zu. Böckmann schreit auf.

BÖCKMANN: Gott! Erhöre mich! Laß den Priester kommen,
Gott!

FRANK V.:

Ach, mein Freund, 's ist vorbei
Vor dem Hahnenschrei
Wird es Licht
Bist du nicht
Du bist Aas
Und der Morgen wie Glas.

Böckmann stirbt. Ottilie geht zum Tisch rechts hinten.

FRANK V.:

Prokurist
Wer da fällt
Für das Geld
Steht nicht auf
Gib's jetzt auf
Ohne Sinn
Und Gewinn
War dein Lauf
War dein Lauf.

Jemand klopft an die Türe links.

FRANK V.: Der Priester.

OTTILIE: Geh ins Nebenzimmer.

Frank geht nach links hinten, Ottilie nach der Türe links, öffnet sie.

OTTILIE: Sie kommen zu spät, Pfarrer Moser. Emil Böckmann
ist soeben sanft entschlafen.

Kaffee Guillaume. Zuerst erscheint Frank als Priester verkleidet mit einer Aktentasche, schleicht in die Bank. Darauf kommt von links Egli, auch mit einer Aktentasche, setzt sich an den Tisch links.

EGLI: Guillaume, Absinth.

GUILLAUME: Wie immer, Herr Egli.

Serviert. Päuli kommt von rechts, auch mit einer Aktentasche, setzt sich an den mittleren Tisch.

PÄULI: Auch Absinth.

Gaston Schmalz kommt von links hinten, auch mit einer Aktentasche, will in die Bank.

EGLI: Herr Gaston Schmalz.

Schmalz kommt zögernd nach vorne.

SCHMALZ: Guten Morgen, Herr Egli.

EGLI: Ich hoffe, du hast deine Ersparnisse mitgebracht?

SCHMALZ: Jawohl, Herr Egli.

EGLI: Sonst bist du gar feierlich mit deinem neuen Mercedes vorgefahren, und heute kommst du schlicht zu Fuß.

SCHMALZ: Ich mußte ihn abschleppen lassen, Herr Egli, jemand hat mir die Pneus aufgeschlitzt.

EGLI: Und deinen gefälschten Paß gestohlen. Dieser Jemand war ich, mein Sohn. Wolltest türmen, zuerst ans Meer und dann nach Kanada, unsere werte Bank sitzen lassen.

SCHMALZ: Aber Herr Egli –

EGLI: Und weißt du, wen ich gestern spät im Nachtexpreß getroffen habe? Rein zufällig? Auf der Reise nach seinem geliebten Teneriffa? Unseren lieben Freund und Mitarbeiter Kappeler. Es war sehr dunkel und wohl etwas mit der Türe des letzten Wagens nicht in Ordnung, sie ließ sich plötzlich öffnen, der Teure konnte mir noch gerade die Ersparnisse übergeben und sauste dann vor meinen Augen in die Tiefe.

PÄULI: Auch zu den Ahnen, Herr Egli.

EGLI: Der Zug fuhr seine hundertzwanzig.

SCHMALZ: Hin ist hin, Herr Egli.

Ein schwarzgekleideter Herr geht mit einer Aktentasche in die Bank.

EGLI: Geh nun, Gaston Schmalz, öffne deinen Schalter, der erste Kunde ist gekommen.

SCHMALZ: Jawohl, Herr Egli.

Geht in die Bank.

EGLI: Päuli Neukomm. Du hast in der letzten Zeit gewisse Fortschritte gemacht, das will ich nicht leugnen, den Getreidehändler letzthin hast du ganz ordentlich reingelegt, was dir aber noch fehlt, ist der letzte Schliff, die Raffinesse der Menschenbehandlung. Gib ihm das Morgenblatt, Guillaume.

GUILLAUME: Bitte schön.

Reicht Päuli das Morgenblatt.

EGLI: Päuli Neukomm. Du studierst jetzt an diesem Tisch scheinbar die Zeitung und beobachtest, mit welcher psychologischen Meisterschaft ich die Hotelbesitzerin Apollonia Streuli behandle.

PÄULI: Jawohl, Herr Egli.

EGLI: Du wirst staunen, mein Sohn. Ein Licht wird dir aufgehen, eine wahre Offenbarung.

Von links hinten kommt der Uhrenfabrikant Piaget, stutzt, wie er Päuli sieht.

PIAGET: Ober, zwei Teller Bündnerfleisch! Herr Stuber! Da sind Sie ja! Hier eine Tausendernote!

PÄULI: Aber Herr Piaget.

PIAGET: Und hier noch eine.

PÄULI: Ich weiß nicht –

PIAGET: Und noch eine.

PÄULI: Herr Piaget, ich –

PIAGET: Und noch eine.

PÄULI: Aber ich – Herr Piaget – ich weiß nicht –

Guillaume bringt das Bündnerfleisch.

PIAGET: Und eine Tausendernote für Sie, Ober. Und nun füttern wir die Möwen.

PÄULI: Aber gewiß, Herr Piaget.

Sie beginnen am Quai Möwen zu füttern.

PIAGET: Herr Stuber. Sie sind noch jung und unerfahren im Erwerbsleben, und so will ich Ihnen denn zu Ihrer Belehrung demonstrieren, was ein Riecher ist, eine Witterung für große Geschäfte. Schauen Sie, wie Sie da vor einer Woche Möwen mit Bündnerfleisch gefüttert haben, wäre jeder überzeugt gewesen, einem Gauner gegenüberzustehen, jeder, bitte, wer füttert schon Möwen mit Bündnerfleisch, das ist doch ein uralter Trick, um aufzufallen, aber ich, mit meinem unfehlbaren Instinkt für die hundertprozentige Chance, die man sich nur in der Uhrenindustrie entwickelt, wittere gleich mit überirdischer Lichtgeschwindigkeit, daß gerade Sie die große Ausnahme sind, mit einem Wort, ein goldehrlicher Trottel. Ich schmeiße Ihnen dreiundzwanzig Mille hin, bitte schön, eine ganz schöne Summe für einen so jungen Mann, und gehe noch am gleichen Tage zu Professor Stab, der ein Schulkamerad von mir und ein berühmter Geologe ist. Der beschaut sich das Bergwerk, lacht sich die Hosen voll: Guter Piaget, da hast du nichts als Schwefelkies, von Uran keine Spur – da fängt sein Geigerzähler an zu knattern wie ein Maschinengewehr, und wir stehen vor dem reichsten Uranvorkommen der ganzen Ostalpen. Herr Stuber, es war mir eine Ehre, hier haben Sie noch einmal tausend, bin über Nacht der reichste Mann des Landes geworden durch meine übersinnliche Nase, und nun füttern Sie mir die lieben Tierchen schön weiter.

Drückt Päuli seinen Teller und die Tausendernote in die Hand und geht nach rechts hinten ab. Päuli und Egli sind fassungslos. Da wird von einer Krankenschwester Frau Streuli hereingerollt, schwer verbunden.

FRAU STREULI: Professor Lopez, mein lieber, lieber Lopez! Erkennen Sie mich nicht?

EGLI: Wer – wer sind Sie denn?

FRAU STREULI: Ich bin doch Apollonia Streuli. Die Sterne haben nicht gelogen. Hier haben Sie eine Tausendernote.

EGLI: Aber Frau Streuli.

FRAU STREULI: Und hier noch eine.

EGLI: Ich weiß nicht –

FRAU STREULI: Und noch eine.

EGLI: Frau Streuli, ich –

FRAU STREULI: Und noch eine.

EGLI: Aber ich – Frau Streuli, ich weiß nicht –

FRAU STREULI: Und eine Tausendernote für Sie, Ober. Herr Lopez, Ihre Feuerwerkskunst ist überflüssig. Sie können mit der ganzen chemischen Wissenschaft wieder über die Ozeane dampfen.

EGLI: Was – wollen Sie damit sagen, Frau Streuli?

FRAU STREULI: Lopez! Professor! Ich befolge Ihren Rat, gehe zur Eirene, versichere den Holzkasten für vier Millionen, lade vorgestern noch einmal meine Freunde aus Steffigen ein, sitze mit ihnen im großen Salon, der Gemeindepräsident, der Polizeiwachtmeister, der Feuerwehrhauptmann, trinke auf eine bessere Zukunft, und staunen Sie jetzt, Professorchen, staunen Sie jetzt, was kommt, ist ein Wunder, ein echtes Wunder, eine wahre Offenbarung: Der Blitz schlägt mir, bums, in den Westflügel, ein zweiter, bums, in den Ostflügel, und drauf, Sie werden's nicht glauben, bums, ein dritter ins Hauptgebäude, all dies ganz legitim, sozusagen unter Aufsicht der Brandbehörde. Ein einziges Flammenmeer, ein einziges Funkengestiebe, und mein liebes Hotel Alpenglühn glüht nieder. Die schönste Feuersbrunst in Steffigen seit 1892. Hurra, Verbrennungen ersten, zweiten, dritten Grades, Sie sehen ja selber, wie ich aussehe, ich leide grauenvoll, es ist einfach prächtig, die Freude liegt mir nur so in den Knochen, unsagbar, was ich durchmache, kolossal, wie das brennt. Ich juble sozusagen andauernd. Nicht zum Aushalten. Könnte vor Freude den Verstand verlieren und vor Schmerzen irrsinnig werden!

Der schwarzgekleidete Herr verläßt die Bank.

FRAU STREULI: Vier Millionen muß mir die Eirene zahlen, vier Millionen, mein Rechtsanwalt hat sie eben bei der Frankschen Privatbank abgeholt, die Versicherungsgesellschaft gehört ihr.

EGLI: Abgeholt.

FRAU STREULI: Lopez, Sie haben mich gerettet. Sie sind der größte Chemiker, den ich je kennengelernt habe. Hier haben Sie noch einmal Tausend. Leben Sie wohl. Jetzt werde ich reisen: In Brasilien sehen wir uns wieder!

Die Krankenschwester rollt sie nach links hinten hinaus.

EGLI: Ein Glas Wasser, Guillaume.

GUILLAUME: Schon bereit, Herr Egli.

Serviert.

EGLI: Ich muß tropfen.

GUILLAUME: Wie immer, Herr Egli.

EGLI: Vier Millionen haben wir diesen Morgen verloren.

PÄULI: Und ein Uranbergwerk.

EGLI: Das uns hätte retten können. Unermeßlich reich sind wir gewesen. Ohne es zu wissen. Das ist das Tragische.

Nimmt seine Tropfen.

EGLI: Nur ruhig bleiben. Gefaßt. Am besten tief atmen. Regelmäßig tief atmen.

Atmet tief.

EGLI *erleichtert:* Nun bin ich ruhig.

Brüllt auf.

EGLI: Schämt sich eigentlich die Natur nicht, uns auf einen Schlag mit gleich zwei so unwahrscheinlichen Zufällen zu kommen? Da geht sie stündlich mit unerbittlicher Folgerichtigkeit vor, setzt auf jede Ursache eine Wirkung, da zeugt, gebiert sie drauflos, mordet, verschlingt das Erstandene wieder, karrt jeden Tag Hekatomben von Lebewesen, Pflanzen, Tieren, Menschen in die Grube, ja läßt in ihrer rohen Sturheit ganze Sonnen platzen samt den Planeten, die sie umgeben, und was setzt sie uns auf einmal vor: zwei vertrottelte Pinsel, deren Dummheit den Himmel verfinstert und deren Glück die Vernunft schamrot werden läßt. Wahrlich, Päuli, welche Geschäftsleute wurden je wie wir beide auf eine so teuflische Probe gestellt? Man muß da schon einen Riesenglauben in sein Metier haben, um ob dieser Ungerechtigkeit nicht zu verzweifeln.

PÄULI: Eben eine Schicksalswende, Herr Egli.

EGLI: Gehen wir in die Bank. Liefern wir unsere Ersparnisse ab.

Sie gehen mit ihren Aktentaschen in die Bank.

Der Keller der Privatbank mit dem großen Tresor in der Mitte des Hintergrundes. Die Türen rechts und links stellen nun Lifttüren dar, das Licht des Fahrstuhls sieht man hinauf- oder heruntergehen. Frank V. schließt den Tresor ab. Egli mit seiner Aktentasche wartet auf den Lift links, den Finger auf dem Knopf, Schmalz und Päuli mit Aktentaschen warten auf den Lift rechts.

EGLI: Gute Nacht, Herr Direktor.

FRANK V.: Gute Nacht.

Egli fährt mit dem Lift links nach oben.

SCHMALZ: Gute Nacht, Herr Direktor.

PÄULI: Auf morgen, Herr Direktor.

Sie fahren mit dem Lift rechts nach oben. Frank ist allein, steckt den Tresorschlüssel in seine Westentasche.

FRANK V.:

Geschäftsschluß. Mich verlassen

Die Angestellten, die ich fürchte, die mich hassen.

Abgeliefert die Ersparnisse, begraben

In diesem Tresor, was wir erworben haben.

Die Bank steht bös, ihr guten Leut. Erpreßt

Von einem Unbekannten, der sich nie sehen läßt

Den ich in jedem sehe

Gibt's keine andre Hoffnung mehr

Als eine neue Hure. Darum muß sie her.

Ottilie trifft sie heut um acht. Bei Guillaume. Stehe

Gott uns bei, damit durch einen frischen Schoß

Sich wende unser teuflisch Los.

Ich bitte nicht für mich, o nein

Ich bitt für meine Kinder, für Fränzi und Herbert

Diese sollen glücklich sein

Und gut. Unbeschwert

Von des Geldverdienens Notwendigkeit

Die mir bestimmt in dieser Endlichkeit.

Geht zum Lift links, drückt auf den Knopf.

Genug. Nun muß ich handeln. Naht doch das Gericht.

Die Nachschlüssel zum Tresor sind abgeliefert, doch glaub ich,
alle nicht.
Ein jeder mißtraut jedem. Unter Wölfen herrscht kein Glück
Ein jeder wendet sich voll Tücke und kehrt mit List zurück.
Ich eile mich zu rüsten. Höll und Himmel stehn mir offen
Werd ich in diesem Keller ohne Waffen angetroffen.

*Löscht das Licht und fährt mit dem Lift links nach oben. Dunkel-
heit. Der Lift rechts fährt herunter. Schmalz tritt auf mit einem
großen schwarzen Koffer und mit einer Taschenlampe. Er leuchtet
den Tresor an, stellt den Koffer hin, öffnet den Tresor, entnimmt
ihm einen großen prallgefüllten Briefumschlag, steckt ihn in die
Seitentasche, schließt den Tresor wieder. In diesem Augenblick
kommt der Lift links herunter. Schmalz löscht die Taschenlampe
und duckt sich hinter seinen Koffer. Aus dem Lift links kommt
Egli, auch mit einem großen Koffer, richtet seine Taschenlampe auf
den Tresor, da leuchtet ihn Schmalz an.*

SCHMALZ: Herr Richard Egli.

*Egli duckt sich hinter seinen Koffer, richtet die Taschenlampe auf
Schmalz.*

EGLI: Herr Gaston Schmalz.

SCHMALZ: Nett, daß Sie den Keller besichtigen.

EGLI: Dachte gleich, dich da unten anzutreffen, Herr Gaston
Schmalz.

SCHMALZ: Pflichtbewußtsein, Herr Egli.

Egli leuchtet den Tresor an.

EGLI: Zu denken, daß sich darin unsere Ersparnisse befinden.

Schmalz leuchtet den Tresor an.

SCHMALZ: Zu denken, daß wir unsere Nachschlüssel abgeliefert haben.

Sie richten die Taschenlampen wieder aufeinander.

SCHMALZ: Sie bleiben hier unten, Herr Egli?

EGLI: Auch.

SCHMALZ: Die ganze Nacht?

EGLI: Die ganze Nacht.

*Der Lift rechts fährt herunter. Egli und Schmalz löschen ihre Ta-
schenlampen, Schmalz rennt zu Egli hinüber, beide ducken sich*

hinter die Koffer. Päuli kommt aus dem Lift rechts, auch er mit einem großen schwarzen Koffer, leuchtet mit einer Taschenlampe den Tresor an. Egli und Schmalz leuchten Päuli an, der sich hinter den Koffer duckt.

EGLI: Komm nur, Päuli. Genier dich nicht.

PÄULI: Ihr hier unten?

SCHMALZ: Wir hier unten.

EGLI: Denkst du, wir knacken den Tresor auf?

PÄULI: Aber Herr Egli.

Schmalz öffnet seinen Koffer, ebenso Egli und Päuli.

SCHMALZ: Ich habe eine Maschinenpistole mitgebracht.

EGLI: Ich auch.

PÄULI: Ich auch. Eine kleine.

SCHMALZ: Macht deine Schlosserei Fortschritte?

PÄULI: Ihr denkt wohl, ich hätte einen zweiten Nachschlüssel, ihr Schweine?

EGLI: Möglich.

PÄULI: Ich bin erst seit kurzem in dieser Bank. Wenn jemand Zeit gehabt hat, sich Nachschlüssel in Hülle und Fülle anzuschaffen, so ihr zwei.

SCHMALZ: Wir sind keine Schlosser.

Der Lift links fährt herunter. Die drei löschen ihre Taschenlampen, ducken sich. Frank kommt aus dem Lift links, auch mit einer umgehängten Maschinenpistole und einem großen schwarzen Koffer. Er dreht das Licht an, wie es aufleuchtet, hat er den drei andern den Rücken zugekehrt.

EGLI: Guten Abend, Herr Direktor.

Frank wirft sich herum.

PÄULI: Guten Abend, Herr Direktor.

SCHMALZ: Guten Abend, Herr Direktor.

FRANK V.: Guten Abend.

Duckt sich ebenfalls hinter seinen Koffer, so daß sich die vier nun einander verschanzt gegenüber befinden, einander belauernd, jeder bereit, sofort zu schießen, Gefahr, Angst und Mißtrauen beherrschen den Hexenkessel.

FRANK V.: Ihr habt auch Maschinenpistolen.

EGLI: Jawohl, Herr Direktor.

264

PÄULI: Jawohl, Herr Direktor.

SCHMALZ: Jawohl, Herr Direktor.

FRANK V.: Ihr seid nicht nach Hause gegangen.

EGLI: Wir übernachten hier unten, Herr Direktor.

FRANK V.: Oben war's auch einsam.

PÄULI: Gefahr schweißt eben zusammen, Herr Direktor.

Sie öffnen die Koffer, holen Eßwaren heraus.

SCHMALZ: Käsebrot, Herr Direktor, Bauernschinken?

EGLI: Sardinen? Salami? Corned Beef?

PÄULI: Pariserbrot?

FRANK V.: Ihr habt ja riesige Mengen von Nahrungsmitteln mitgebracht.

SCHMALZ: Vorräte für drei Tage.

EGLI: Für vier.

PÄULI: Für fünf.

Frank holt ein Brötchen und eine Thermosflasche hervor.

FRANK V.: Ich gleich für eine Woche.

SCHMALZ: Solange sich unsere Ersparnisse im Tresor befinden, bringt uns niemand aus der Bank, Herr Direktor.

FRANK V.: Mich auch nicht. Noch eine zweite Maschinenpistole.

Holt aus dem Koffer eine zweite Waffe, ebenso die andern.

EGLI: Habe ich auch.

PÄULI: Habe ich auch.

SCHMALZ: Habe ich auch.

FRANK V.: Essen wir?

EGLI: Essen wir.

SCHMALZ: Setzen wir uns?

FRANK V.: Setzen wir uns.

Sie beginnen zu essen.

EGLI: Herr Direktor?

FRANK V.: Egli?

EGLI: Neugierig, wann der Erpresser kommt.

PÄULI: Ob er überhaupt kommt.

Erhebt sich.

SCHMALZ: Ob es ihn überhaupt gibt.

FRANK V.: Was willst du damit sagen, Schmalz?

SCHMALZ: Nichts.

Päuli hat sich dem Tresor genähert, die drei andern springen auf, richten die Waffen auf ihn.

EGLI: Was willst du am Tresor, Neukomm?

PÄULI: Auch nichts. Nur Bewegung schaffen.

Macht eine Kniebeuge.

FRANK V.: Setzen wir uns wieder.

EGLI: Setzen wir uns.

Setzen sich.

FRANK V.: Ihr glaubt wohl, ich lese nur Goethe und Mörike, wie?

SCHMALZ: Aber, Herr Direktor.

FRANK V.: Ich bin mir durchaus im klaren, daß ein jeder von euch noch mindestens einen Nachschlüssel besitzen muß.

PÄULI: Aber, Herr Direktor.

FRANK V.: Und auch den Erpresser halte ich für einen von euch dreien.

EGLI: Aber, Herr Direktor.

FRANK V.: Und im übrigen habe ich noch einige Handgranaten in meinem Koffer.

Klopft auf den Koffer.

SCHMALZ: Ich auch.

Klopft auf den Koffer.

PÄULI: Ich auch.

Klopft auf den Koffer.

EGLI: Eierhandgranaten.

Zieht eine Eierhandgranate aus der Tasche, die andern werfen sich in Deckung, die Maschinenpistolen auf Egli gerichtet, der aufspringt, die Eierhandgranate in der Hand. Schweigen.

EGLI *begütigend:* Essen wir weiter?

SCHMALZ: Ich weiß nicht.

PÄULI: Das ist mir zu gefährlich.

FRANK V.: Der Appetit ist mir vergangen.

Sie halten immer noch die Maschinenpistolen auf Egli gerichtet, der einen neuen Vorschlag macht.

EGLI: Vertreiben wir uns die Zeit?

SCHMALZ *zögernd:* Wie wir das stets getan haben, als die Bank noch florierte?

PÄULI: Als es noch keinen Erpresser gab?

FRANK V.: Als wir einander noch vertrauen konnten?

Egli läßt die Eierhandgranate verschwinden, die drei andern lassen ihre Maschinenpistolen sinken.

EGLI: Erzählen wir uns die Geschichten, die wir uns immer erzählten in den Arbeitspausen zwischen unseren Geschäften.

Setzt sich.

SCHMALZ: Geschichten von ehrlichen Menschen.

Setzt sich.

PÄULI: Von anständigen Menschen.

Setzt sich.

FRANK V.: Von guten Menschen.

Will sich auch setzen, macht eine unvorsichtige Bewegung, die andern springen auf, und schon stehen sie sich wieder feuerbereit gegenüber, dann erst setzen sich endlich alle vier.

SCHMALZ: Wir fürchten uns dann auch nicht so.

Sie beginnen das Lied von den vier Himmelsrichtungen zu singen, die Maschinenpistolen bald aufeinander gerichtet, bald sinken lassend, bald sie schaukelnd, bald den Finger auf ihrer Mündung, bald mit ihnen spielend, als wären sie Gitarren, bald einander die Hände schüttelnd, bald tanzend usw.

FRANK V.:

Lebte einst ein Fabrikant im Norden ˙
Kochte Tran im Nordlicht und war fromm
Sagte jedem Bettler liebreich komm
Half den armen Kindern und den Kranken.

DIE ANDERN:

O holde Mär.

FRANK V.:

O holde Mär.

ALLE:

In Grönland war's, im Norden.

FRANK V.:

Doch wie nun die Wertpapiere sanken
Gab er hin sein Gut und ist geworden
Sündenlos.

DIE ANDERN:
Sündenlos.
FRANK V.:
Wurde Krankenpfleger in Davos.
ALLE:
Anständigkeit, Anständigkeit
Traum des Lebens
Deiner harren wir vergebens.
PÄULI:
Lebte einst ein Neger fromm im Süden
Nährte brav von Kokosnuß und Reis
Sich und seiner schwarzen Weiber Kreis
Bis die Weißen Whisky trinkend kamen.
DIE ANDERN:
O holde Mär.
PÄULI:
O holde Mär.
ALLE:
Im Kongo war's, im Süden.
PÄULI:
Weiber, Kinder tot geschändet. Amen
Sprach er nur und wandte sich in Frieden
Weise mild.
DIE ANDERN:
Weise mild.
PÄULI:
Neger zwar, doch Gottes Ebenbild.
ALLE:
Anständigkeit, Anständigkeit
Traum des Lebens
Deiner harren wir vergebens.
EGLI:
Lebte einst ein Bäuerlein im Osten
Eine halbe Sonnenblume breit
War sein Lager, und er war zu zweit
Wölfe schlichen hungrig um die Hütte.

DIE ANDERN:
O holde Mär.

EGLI:
O holde Mär.

ALLE:
Bei Krakau war's, im Osten.

EGLI:
Seine Frau wurd' krank, doch er voll Güte
Scheute weder Ruh noch Riesenkosten
Lud feudal

DIE ANDERN:
Lud feudal.

EGLI:
Die Kolchose ein zum Leichenmahl.
*Hat in Schmalzens Tasche den Briefumschlag entdeckt und zieht
ihn heraus. Schmalz merkt nichts.*

ALLE:
Anständigkeit, Anständigkeit
Traum des Lebens
Deiner harren wir vergebens.

SCHMALZ:
Lebte einst ein Prediger im Westen
Weiches Herz, die Schale hart und rauh
Stieg in Elendsviertel, schlief im Tau
Höret nun die schönste der Geschichten.

DIE ANDERN:
O holde Mär.

SCHMALZ:
O holde Mär.

ALLE:
In Sing Sing war's, im Westen.

SCHMALZ:
Einen Gangster wollte man hinrichten
Doch man dachte nicht an unsren Besten
Blitzesschnell.

DIE ANDERN:
Blitzesschnell.

SCHMALZ:

Setzt der Fromme sich an Gangsters Stell.

Egli preßt Schmalz die Maschinengewehrmündung in den Rücken. Schmalz hebt die Hände und wird von Egli nach rechts hinten hinausgeführt.

DIE ANDERN:

Anständigkeit, Anständigkeit

Traum des Lebens

Deiner harren wir vergebens.

Im Hintergrund rechts eine Maschinengewehrsalve.

FRANK V.: Der arme Gaston Schmalz, der gute Gaston Schmalz.

Egli kehrt zurück, übergibt Frank den Briefumschlag und einen Schlüssel.

EGLI: Sein Geld und sein Nachschlüssel.

Die drei belauern einander, setzen sich auf ihre Koffer.

PÄULI: Jetzt sind wir nur noch drei.

EGLI: Vielleicht noch weniger. Wenn einmal der Erpresser kommt.

FRANK V.: Mein Bankpersonal vermindert sich zusehends.

PÄULI: Auf einmal habe ich wieder Hunger.

Beginnt wieder von seinem Pariserbrot zu essen.

FRANK V.: Acht Uhr.

PÄULI: Jetzt trifft Ihre Gattin die neue Angestellte, Herr Direktor.

FRANK V.: Ein Wendepunkt.

EGLI: Der Lift kommt!

FRANK V.: In Deckung!

Der Lift rechts fährt herunter. Egli begibt sich zu Frank nach links außen, die beiden ducken sich hinter dessen Koffer, die Maschinenpistolen in Anschlag. Päuli begibt sich nach links hinten, so daß er die beiden andern im Auge behalten kann, die Maschinenpistole ebenfalls in Anschlag. Die folgende Szene muß, da sie klassisch ist und Verse folgen, in rasantem Tempo gespielt werden. Aus dem Lift rechts tritt Herbert.

HERBERT:

Ihr wackern Herrn, ich grüß euch feierlich

Der diese Bank erpreßte, der bin ich.

FRANK V.:
Mein Sohn!
Drückt erschrocken Eglis Maschinenpistole nieder.
EGLI: Zum Teufel auch!
PÄULI: Die Hände hoch!
*Hat die Maschinenpistole auf die beiden andern gerichtet. Frank
und Egli heben die Hände.*
FRANK V.:
Mein Sohn.
PÄULI: Nun steht mal stramm, ihr saubren Brüder
Ein bißchen plötzlich. Los!
Frank und Egli erheben sich.
HERBERT: Die Waffen nieder!
PÄULI:
Gehorcht! Sonst knallt's!
Frank und Egli legen die Maschinenpistolen auf den Koffer.
PÄULI: Nun tretet vor.
EGLI: Verrat.
PÄULI:
Na und? Was wundert ihr euch meiner Tat?
Ihr selbst habt mich nach eurem Sinn erzogen
Drum bin ich nun dem neuen Boß gewogen.
Frank und Egli treten vor Herbert.
HERBERT:
Die Hände runter.
EGLI: Herr, habt tausend Dank.
FRANK V.:
Mein Sohn.
HERBERT: Mein Vater?
FRANK V.:   Ich begreife nicht –
HERBERT:
Mein lieber Paps, stier nicht so fürchterlich.
Du selbst verrietest deiner Väter Bank.
Dein literarisch Streben stürzte dich,
Durch deine Tagebücher kam's ans Licht.
Drum öffne den Tresor.
FRANK V.:   Jawohl, mein Sohn.

Geht zum Tresor und öffnet ihn.

HERBERT:

Was sich die Bank erspart in harter Fron

Schlepp her, Papa, na wird's?

FRANK V.:   Sehr wohl, mein Sohn.

*Holt aus dem Tresor eine Kassette und stellt sie Herbert vor die
Füße.*

FRANK V.:

Was wir verdient, das geb ich dir nun ab.

HERBERT:

Den Anteil Gaston Schmalz.

FRANK V.:   Den auch?

HERBERT: Auch den.

Frank übergibt Herbert den Briefumschlag.

HERBERT:

Die Schlüssel jetzt.

FRANK V.:   Auch sie?

HERBERT: Auch sie.

FRANK V.:   Na schön.

Übergibt Herbert die Tresorschlüssel.

HERBERT:

Und nun, Papa, marschiere in dein Grab.

Zeigt auf den Tresor.

FRANK V.:

Du meinst?

HERBERT: Ich mein.

FRANK V.:   Ich soll?

HERBERT: Du sollst.

FRANK V.:   Nein nein!

Das kann doch, lieber Sohn, dein Ernst nicht sein!

Ich kann doch zwischen feuersichren Wänden

Wie Gold gebarrt, gepaart mit solcher Pein

Mein Leben nicht auf diese Weise enden!

HERBERT:

Was sein muß, o Papa, muß eben sein.

*Frank setzt sich verzweifelt auf Schmalzens Koffer rechts außen.
Herbert setzt sich zu ihm.*

HERBERT: Es tut mir leid, Papa. Dein Verbrechen war nicht, mir deine Bank unterschlagen zu haben, keineswegs. An die schönen Familientage am Bodensee denke ich mit Vergnügen. Dein Verbrechen war, die Bank unserer Väter liquidieren zu wollen, statt sie anders zu führen. Unsere Gangsterbank in Ehren, aber ihre Methoden haben nur einen Sinn, solange sie rentieren. Das war nicht mehr der Fall, darum hätten sie geändert werden müssen. Das hast du verpaßt, Papa. Aus Charakterschwäche. Die Ehrlichkeit ist keine Angelegenheit des Innenlebens, sondern der Organisation. Zu ihrer Durchführung gehört eine weitaus größere Rücksichtslosigkeit als zum Ausüben des Schlechten, nur wirkliche Schufte vermögen das Gute zu tun. Wärst du dieser Schuft gewesen, hättest du mit brutaler Ehrlichkeit legal gewirtschaftet, tanzten wir jetzt immer noch im Reigen der Großbanken mit. Doch so? Die Lage ist durch deine Schlamperei beinahe hoffnungslos geworden. Mein lieber Papa, du hast in unserer Bank keinen Platz mehr. Du hast dich selbst ins Nichts aufgelöst mit deinem läppischen Begräbnis. Nur dein endgültiges Verschwinden hält meinen Namen rein und den Konkurs vielleicht auf.

Sie erheben sich. Frank legt seine Hände auf Herberts Schultern.

FRANK V.: Mein Sohn. Ich bin Geschäftsmann genug, mich dieser Notwendigkeit zu beugen. Ich bin ein ungenügender, schwacher Chef gewesen. Ich erkannte meine Fehler wohl, doch die Kraft zu handeln war mir nicht verliehen. Du jedoch wirst der große Schuft sein, den unsere Zeit braucht, anständig, hart und böse wirst du die Bank der Väter leiten. Ich übergebe dir Richard Egli und Paul Neukomm; indem du sie zur Ehrlichkeit zwingst, wirst du mit ihnen die Geschäfte des Jahrhunderts abwickeln. Lebe wohl, mein Sohn. Ich gehe ein zu den Ahnen, die ich in dir mit Bewunderung wiedererkenne.

HERBERT *nicht ohne Herzlichkeit:* Mein Vater, lebe wohl!

Frank geht entschlossen gegen den Tresor im Hintergrund. Nicht unmutig. Er grüßt hoheitsvoll den Sohn und den Rest seines Personals und steigt in den Tresor.

HERBERT: Personalchef, schließ den Tresor!

EGLI: Jawohl, Herr Frank.

Schließt den Tresor.

FRANK VI. [VORMALS HERBERT]: Gib mir den Schlüssel.

EGLI: Bitte, Herr Frank.

Übergibt ihm einen Schlüssel.

FRANK VI.: Neukomm, untersuche seine Taschen.

PÄULI: Jawohl, Herr Frank.

Untersucht Eglis Taschen, übergibt Frank VI. weitere Schlüssel.

PÄULI: Noch weitere vier Nachschlüssel, Herr Frank.

FRANK VI.: Egli, Neukomms Taschen.

EGLI: Bitte, Herr Frank.

Untersucht Päulis Taschen, übergibt Frank VI. weitere Schlüssel.

EGLI: Sieben Stück, Herr Frank.

Frank VI. öffnet die Lifttüre rechts.

FRANK VI.:

Zur Nationalbank denn mit der Kassette
Wir haben Schulden, und Kredit ist rar
Der Kampf wird hart. Ich wollt, es würde wahr
Daß ich der Väter altes Bankhaus rette
Und sollt's nicht sein, ich bin ein Realist
Dann geht zum Teufel, was des Teufels ist.

Päuli geht mit der Kassette in den Lift rechts, Frank VI. folgt, der Lift fährt hinauf. Egli ist allein. Er nimmt einen weiteren Nach-schlüssel aus seinem linken Schuh, nähert sich dem Tresor, will ihn öffnen, stutzt jedoch.

EGLI:

Ein Dreh, und Frank der Fünfte käm ins Freie
Noch wär es Zeit. Doch hindert mich die Treue
Der Ohnmacht nicht, der Macht bin ich verschworen
Adieu denn, alter Boß, du bist verloren.

Fährt mit dem Lift links hinauf.

Vor die Mitte des Zwischenvorhangs tritt Ottilie, in einem Abend-
kleid, geschminkt und perlenbehangen, zum ersten Male nicht als
Witwe gekleidet.

OTTILIE:
Du siehst mich, Publikum, geschändet jetzt
Schmachvoll besudelt. Dem Dreck der Straße gleichgesetzt.
Viel Unglück hatten Weiber stets zu tragen
Doch keine hat wie ich so Schändliches zu klagen:
Bei Guillaume war's. Vom Münster gellte
Achtmal die Uhr
Ich wartete auf unsere neue Angestellte
Auf Eglis flotterworbne Hur.
Sie kam. Meine Tochter. Mein Kind. Für das ich mein und
 andrer Blut vergoß
Mein Schneeweißchen, mein Prinzeßchen, mein Goldkörnchen,
 mein Eichkätzchen, mein Wunderzaubersproß
So wohlerzogen doch und teuer. So keusch. In Sanftheit
 unterrichtet
Wie Wasser doch so klar
Von Lieb umhegt, vor frechem Blick beschützt
Nun eine Metze feil und bloß
Zu allen geilen Lastern abgerichtet
Zu Raub benützt
Und jeder Ehre bar.
O Frieda Fürst! O Böckmann! Tot nun beide,
Seht, wie ich hienieden leide!
Was ich auf Erden tat, das war nicht gut,
Allein
Nun will gut ich selber sein:
Drum wehe meiner Brut!
Wohlan. Die Zeit vollendet sich. Ich fasse den Entschluß:
Ich mache mit der Bank der Väter Schluß!
 Der Zwischenvorhang öffnet sich. Die Ahnengalerie im Frank-
 schen Familiensitz. Vor den Ahnenbildern hängt ein Emblem mit
 der Aufschrift: 200 Jahre. In der Mitte des Raumes ein leerer Thron-

sessel. Auf dem Sofa links Franziska und Herbert, ebenfalls in feierlicher Kleidung. Ottilie geht zum Sofa rechts.

FRANZISKA: Nun, Mama?

HERBERT: Laß dich versöhnen.

Schweigen.

OTTILIE *feindlich:* Meine Kinder.

FRANZISKA: Denk an unser glückliches Familienleben.

OTTILIE *lauernd:* Wo ist Vater?

HERBERT: Frag nicht mehr nach ihm.

Schweigen. Ottilie setzt sich aufs Sofa rechts.

OTTILIE: Ihr wagt hierherzukommen?

FRANZISKA: Warum nicht?

HERBERT: Wir finden es in unserem Familiensitz ganz gemütlich.

FRANZISKA: Angesichts unserer großen Ahnen.

OTTILIE *drohend:* Die Bank feiert ihr zweihundertstes Jubiläum.

HERBERT: Wir feiern mit dir.

Durch die Türe tritt Guillaume als Diener.

GUILLAUME: Die Vertreter der Finanzwelt.

Durch die Türe links kommen mehrere feierlich gekleidete Herren, stellen sich zu beiden Seiten des Thronsessels auf.

GUILLAUME: Seine Exzellenz, der Staatspräsident Traugott von Friedemann.

Durch die Türe links führt ein Referendar den blinden, uralten Staatspräsidenten herein. Ottilie und ihre Kinder stehen auf und verneigen sich mit den Vertretern der Finanzwelt. Der Referendar führt den am Stock gehenden, mit Orden übersäten Greis zum Thronsessel. Seine Exzellenz setzt sich. Ottilie und ihre Kinder setzen sich ebenfalls.

DER STAATSPRÄSIDENT: Ottilie Frank?

OTTILIE: Exzellenz?

DER STAATSPRÄSIDENT: Teure Freundin. Ich bin gekommen, unserer lieben Frankschen Privatbank zum zweihundertjährigen Bestehen persönlich zu gratulieren. Otto, den Orden.

Ottilie erhebt sich. Der Referendar geht zu ihr, hängt ihr den Orden um, tritt dann mit einer Verbeugung zurück. Ottilie bleibt stehen.

OTTILIE: Exzellenz, Herr Direktor der Staatsbank, Herr Direktor der Vereinigten Banken, Herr Direktor der Handels AG, Ihr Herren Aufsichtsräte, meine Herren, meine Kinder Herbert und Franziska.

Verwunderung.

DER STAATSPRÄSIDENT: Herbert und Franziska? Meine liebe Ottilie, ich staune. Du hast uns deine Kinder verheimlicht?

OTTILIE: Exzellenz. Ich versuchte meine Kinder vor der Bank unserer Väter zu retten.

DER STAATSPRÄSIDENT: Zu retten?

OTTILIE: Exzellenz. Ich habe ein Geständnis abzulegen.

DER STAATSPRÄSIDENT: Ich höre.

OTTILIE: Exzellenz, wir haben in der Bank unserer Väter unzählige Verbrechen begangen. Exzellenz, wir haben geschoben, gewuchert, erpreßt und gestohlen. Exzellenz, wir haben mit der Unzucht Geschäfte gemacht. Exzellenz, wir haben unseren besten Freund verraten. Exzellenz, wir haben gemordet, Mitarbeiter und Kunden beseitigt, und nun, Exzellenz, stehen wir vor dem finanziellen Zusammenbruch.

Stille.

DER STAATSPRÄSIDENT *ruhig:* Und was verlangst du nun von mir, meine Liebe?

OTTILIE: Gericht über mich und die Bank unserer Väter.

DER STAATSPRÄSIDENT: Gericht?

OTTILIE: Gerechtigkeit, auch wenn sie mich vernichtet.

DER STAATSPRÄSIDENT: Gerechtigkeit?

OTTILIE: Ich fordere Strafe, Exzellenz.

DER STAATSPRÄSIDENT: Strafe?

OTTILIE: Tun Sie Ihre Pflicht, Exzellenz.

Setzt sich. Stille.

DER STAATSPRÄSIDENT: Ottilie Frank, vernimm jetzt meinen Urteilsspruch:

Mein altes Schätzchen, komm, nimm's nicht so schwer
Was du gestanden, ist zwar schlimm, allein
Seh ich genauer hin, ist's kein Malheur
Nur laß das Morden jetzt in Zukunft sein
  In Zukunft sein

Das macht man einfach nicht, mein Täubchen
Nein nein nein nein
So radikal darf man nicht sein
So radikal darf man nicht sein.

OTTILIE *verzweifelt:* Sie dürfen mir nicht vergeben, Exzellenz. Zerschmettern Sie mich, Exzellenz! Ich will frei werden, Exzellenz! Ich will ein guter Mensch sein, Exzellenz! Ich will mit der Bank unserer Väter Schluß machen, Exzellenz!

Schweigen.

DER STAATSPRÄSIDENT: Zerschmettern? Frei werden? Ein guter Mensch sein? Schluß machen? Um Gotteswillen, Ottilie, mit der Bank deiner Väter? Meine Liebste, in welchem Jahrhundert lebst du denn? Ich bin doch nur ein Mensch. Hättest du etwas weniger Schulden und einige Morde weniger auf dem Gewissen, könnten wir diskutieren. Ich würde streng mit dir verfahren, man nennt mich nicht umsonst Traugott den Unbarmherzigen. Aber nun? Ich müßte ja die ganze Weltunordnung umstürzen, mein Kätzchen. Ich muß an den Zusammenhang der Dinge denken, allzu subtil greifen Gerechtigkeit und Ungerechtigkeit ineinander über, nur Kleinigkeiten lassen eine Einmischung zu, doch was du getrieben hast, geht schon ins Grandiose. Die Weltwirtschaft käme ins Wanken, griffe ich da ein, der Glaube an unsere Banken darf nicht durch ein verirrtes Kind erschüttert werden. Nein nein. Erwarte kein Gericht, erwarte keine Gerechtigkeit, erwarte keine Strafe, die wären allzu warm und menschlich für die eisige Welt der Ehrlichkeit, in die ich dich nun stoße: Erwarte nur noch Gnade.

DIE FINANZWELT: Gnade!

DER STAATSPRÄSIDENT:

Drum, meine Freundin, laß nun dein Bereun
Dein Toben hat auf Erden keinen Zweck
Die Staatsbank hilft, zahlt deine Gaunerein
So kommen du und ich am besten weg.

DIE FINANZWELT:

Am besten weg.

DER STAATSPRÄSIDENT:

Du zögerst wirklich noch, mein Pferdchen?

Nein nein nein nein

So radikal darf man nicht sein.

DIE FINANZWELT:

So radikal darf man nicht sein.

Der Staatspräsident erhebt sich, klopft mit dem Stock auf den Boden.

DER STAATSPRÄSIDENT: Zu den Staatsgeschäften, Otto.

Der Referendar führt durch die Türe links den Staatspräsidenten hinaus. Die Vertreter der Finanzwelt verweilen in ehrfurchtsvollem Schweigen. Ottilie starrt auf dem Sofa rechts vor sich hin. Franziska und Herbert sitzen auf dem Sofa links ruhig und nachlässig, betrachten ihre besiegte Mutter.

OTTILIE *langsam:* Herr Direktor der Staatsbank, Herr Direktor der Vereinigten Banken, Herr Direktor der Handels AG, meine Herren Aufsichtsräte, ich danke für Ihr freundliches Erscheinen.

Die Vertreter der Finanzwelt verneigen sich und gehen durch die Türe links ab. Schweigen.

FRANZISKA: Nun, Mama?

OTTILIE: Kalt ist es auf einmal.

Nimmt aus der Tasche ihres Abendkleides ein Heft, legt es auf das Sofa neben sich.

OTTILIE: Noch ein Sparheft. Fünfhunderttausend auf der Regionalbank, von der auch Gottfried nichts wußte.

HERBERT: Ich danke dir, Mama.

Ottilie neigt sich vor, starrt ihre Kinder an, breitet flehend ihre Arme aus.

OTTILIE: In den Keller mit mir!

Schweigen. Herbert erhebt sich, geht zur Türe links, öffnet sie.

HERBERT: Wozu?

Franziska erhebt sich, nickt ihrer Mutter zu, geht hinaus.

FRANZISKA: Du warst doch einfach großartig, Mama.

Herbert lächelt in der Türe seiner Mutter triumphierend zu.

HERBERT: Du hast die Bank unserer Väter saniert.

Folgt Franziska. Ottilie Frank sitzt allein bei den Bildern der Ahnen.

Orchesterbesetzung: eine Trompete
                                  ein Saxophon
                                  ein Schlagzeug
                                  ein Klavier [mit Celesta]

Reihenfolge der Musiknummern:

1. Fanfare vor Bild I [vor dem Prolog]
2. Übergang von Bild I zu Bild II [bevor der Zwischenvorhang aufgeht]
3. Übergang von Bild II zu Bild III [einzusetzen beim Herunterkommen des Trauerflors]
4. Choral: «Wir sausen zu den Ahnen» erste Strophe. Bild III
5. Choral: «Wir sausen zu den Ahnen» zweite Strophe. Bild III
6. Ensemble: «Was wir schieben und erraffen» Bild IV
7. Duett: «Im kleinen Kaffee» Bild V
8. Terzett: «Nun bin ich vierzig Wochen hier» Bild VI
9. Chanson: «Sie sehn mich an so heiß und fremd» Bild VI
10. Übergang zu Bild VII [bevor der Zwischenvorhang aufgeht]
11. Arioso: «Frank der Erste» Bild VII
12. Duett: «In Oxford wurde ich erzogen» Bild VIII
13. Fanfare in Bild X [nach Abgang Päuli vor dem Aufgehen des Zwischenvorhangs]
14. Ensemble: «Als Miss Stähli» Bild X
15. Celestasolo Ende Bild X [Abgang Frieda Fürst Egli]
16. Fanfare vor Bild XI [vor Auftritt Ottilie Egli]
17. Lied: «Es ist Nacht» Bild XI
18. Übergang von Bild XII zu Bild XIII
19. Quartett: «Lebte einst ein Fabrikant im Norden» Bild XIII
20. Saxophonsolo Ende Bild XIII [Abgang Egli]
21. Marsch, beim Auftritt der Finanzwelt und des Staatspräsidenten, Bild XIV
22. Gavotte: «Mein altes Schätzchen» – «Staatspräsident und Finanzwelt», Bild XIV.

[*Text für das Bochumer Programmheft. Die Aufführung wurde nach vierwöchigen Proben durch den Bochumer Intendanten Hans Schalla verhindert. Die Regie leiteten Erich Holliger und der Autor.*]

Die Fabel war herauszuarbeiten, Überflüssiges, Operettenhaftes zu eliminieren, auch bloß Kommentarisches, wie etwa der Schlußchor, die Gesangspartien waren als Teil der Aktion darzustellen, nicht als etwas Hinzugefügtes. Aus der ,Oper' wurde eine ,Komödie'. Es ging darum, Frank den Fünften als das zu inszenieren, was das Stück ist: als eine moderne Anknüpfung an Shakespeare und nicht als eine an Brecht. Ein Königsdrama Shakespeares ist die Geschichte einer Monarchie, Frank der Fünfte die Geschichte einer Firma, hier wie dort sind die Menschen eingestuft in eine Hierarchie, Frank der Fünfte ist ein ebenso schlechter Bankier wie etwa Richard der Dritte ein schlechter Herrscher, beide sind Ungeheuer, beide Verbrecher. Nur ist Frank der Fünfte ein Ungeheuer besonderer Art, ein Verbrecher aus Feigheit, der sich in die Welt des Geistes flüchtet, um dort seine Ruhe zu finden, wie Heydrich ein guter Mozart-Spieler gewesen sein soll. Frank singt bei der Ermordung seines Prokuristen. Der Mann, für den der Geist ein Genußmittel ist, begegnet dem Manne, der den Geist aus Verzweiflung sucht. Genauer: Daß Frank der Fünfte nicht verzweifelt, stellt sein Verbrechen dar, wäre er vom Geist ergriffen, den er besingt, könnte er als Verbrecher nicht mehr weiterleben, daß er dies vermag, macht ihn zur Blasphemie. Schauspielerei ist Menschendarstellung, Regie die unmerkliche Hilfeleistung, damit der Schauspieler nicht von diesem Ziele abrücke und ohne den Menschen, den er spielen soll, auch dargestellt zu haben, gleich in die Aussage sause. Die Menschen waren denn herauszuarbeiten. Ottilie Frank etwa, die Mutter, die Verbrechen begeht, damit ihre Kinder es einmal besser hätten, bei welcher der gute Zweck jedes Mittel heiligt und die vor dem Nichts steht, wie sie ihre Fehlrechnung begreift; der Personalchef Richard Egli, der aus Treue zum Geschäft seine Braut opfert, usw. Von diesen Gegebenheiten war auszugehen. Nur wenn es gelang, die Schicksale der Einzelnen herauszuarbeiten, war es auch möglich, das Schicksal des Kollektivs darzustellen:

Frank der Fünfte als Geschichte einer Gangsterbank. Ein Kollektiv wird von Notwendigkeiten bestimmt, die es aus sich selber erzeugt, ein Kollektiv von Verbrechern also vom absoluten Gebot der Geheimhaltung. Aus Furcht geschieht alles, aber auch, natürlicherweise, aus Mißtrauen: Aus diesen Notwendigkeiten heraus muß die Bank weitermorden, vor allem müssen die Verbrecher sich selber ausrotten. Wer frei sein will, muß sterben, eine einfache Feststellung, die zum Schluß führt, daß eine Gangsterdemokratie ein Ding der Unmöglichkeit ist. Der große strenge Boß muß her. Die Idee der Freiheit ist für ein solches Kollektiv an sich gefährlich, aber auch ihr wissenschaftlicher Bruder, der Zufall. Wie Frank der Fünfte dem Geist, begegnet sein Personalchef dem Zufall. In der Wirtschaft muß man planen können, der Gauner, der ja auch wirtschaftlich vorgehen muß, will er nicht stümpern, hat dies auch zu versuchen, er muß an einen logischen Ablauf der Dinge glauben können, will er seine Methoden ansetzen, der Zufall, das Nichtvoraussehbare ist sein größter Feind: ,Schämt sich die Natur denn nicht?' Dies einige Hinweise. Es wurde behauptet, Menschen, wie ich sie im Frank zeige, gebe es einfach nicht. Der Autor, als Beobachter der Menschen und seiner selbst, ist dessen nicht so sicher. Gewiß, meine Privatbank ist eine Fiktion. Aber wir alle wollen das Gute wie Franks Angestellte, glückliche Kinder, ein Häuschen in Maibrugg, Anständigsein. Seien wir auf der Hut, daß wir vom Guten nicht nur singen wie sie. [Darum gibt es ,Musik' in diesem Stück.] Anständigkeit ist mehr als eine schöne Sentimentalität, Menschlichkeit mehr als eine Phrase: ein Wagnis, und damit dieses Wagnis keine Torheit sei, braucht es die Anstrengung aller. Doch nun sehe ich, daß ich ziemlich ernst geworden bin. Ich bin schließlich Komödienschreiber, und wenn ich bisweilen wohl auch ein Moralist bin, so doch nur ein nachträglicher, als Interpret meiner selbst. Für mich als Stückeschreiber ist der Humor etwas Selbstverständliches, ohne den es sich gar nicht schreiben ließe; ein Stück, bei dem es nichts zu lachen gibt, halte ich nicht aus, und so soll man denn auch bei Frank dem Fünften lachen, trotz seiner Wildheiten. Ist es auch ein ernstes Stück, ein bierernstes ist es nicht. [Im Frühjahr 1964]

Dürrenmatt

DIE PHYSIKER

EINE KOMÖDIE IN ZWEI AKTEN, 1962

Fräulein Doktor Mathilde von Zahnd	Irrenärztin
Marta Boll	Oberschwester
Monika Stettler	Krankenschwester
Uwe Sievers	Oberpfleger
McArthur	Pfleger
Murillo	Pfleger
Herbert Georg Beutler, genannt Newton	Patient
Ernst Heinrich Ernesti, genannt Einstein	Patient
Johann Wilhelm Möbius	Patient
Missionar Oskar Rose	
Frau Missionar Lina Rose	
Adolf-Friedrich	
Wilfried-Kaspar	
Jörg-Lukas	ihre Buben
Richard Voß	Kriminalinspektor
Gerichtsmediziner	
Guhl	Polizist
Blocher	Polizist

Für Therese Giehse

ORT: SALON EINER BEQUEMEN, WENN AUCH ETWAS
*verlotterten ‚Villa' des privaten Sanatoriums ‚Les Cerisiers'. Nä-
here Umgebung: Zuerst natürliches, dann verbautes Seeufer, später
eine mittlere, beinahe kleine Stadt. Das einst schmucke Nest mit seinem Schloß und seiner Altstadt ist nun mit gräßlichen Gebäuden der
Versicherungsgesellschaften verziert und ernährt sich zur Hauptsache von einer bescheidenen Universität mit ausgebauter theologi-
scher Fakultät und sommerlichen Sprachkursen, ferner von einer
Handels- und einer Zahntechnikerschule, dann von Töchterpensio-
naten und von einer kaum nennenswerten Leichtindustrie und liegt
somit schon an sich abseits vom Getriebe. Dazu beruhigt überflüssi-
gerweise auch noch die Landschaft die Nerven, jedenfalls sind blaue
Gebirgszüge, human bewaldete Hügel und ein beträchtlicher See vorhanden sowie eine weite, abends rauchende Ebene in unmittelbarer
Nähe – einst ein düsteres Moor – nun von Kanälen durchzogen und*

287

fruchtbar, mit einer Strafanstalt irgendwo und dazu gehörendem landwirtschaftlichem Großbetrieb, so daß überall schweigsame und schattenhafte Gruppen und Grüppchen von hackenden und umgrabenden Verbrechern sichtbar sind. Doch spielt das Örtliche eigentlich keine Rolle, wird hier nur der Genauigkeit zuliebe erwähnt, verlassen wir doch nie die ‚Villa‘ des Irrenhauses [nun ist das Wort doch gefallen], noch präziser: auch den Salon werden wir nie verlassen, haben wir uns doch vorgenommen, die Einheit von Raum, Zeit und Handlung streng einzuhalten; einer Handlung, die unter Verrückten spielt, kommt nur die klassische Form bei. Doch zur Sache. Was die ‚Villa‘ betrifft, so waren in ihr einst sämtliche Patienten der Gründerin des Unternehmens, Fräulein Dr.h.c.Dr.med.Mathilde von Zahnd, untergebracht, vertrottelte Aristokraten, arteriosklerotische Politiker – falls sie nicht noch regieren –, debile Millionäre, schizophrene Schriftsteller, manisch-depressive Großindustrielle usw., kurz, die ganze geistig verwirrte Elite des halben Abendlandes, denn das Fräulein Doktor ist berühmt, nicht nur weil die bucklige Jungfer in ihrem ewigen Ärztekittel einer mächtigen autochthonen Familie entstammt, deren letzter nennenswerter Sproß sie ist, sondern auch als Menschenfreund und Psychiater von Ruf, man darf ruhig behaupten: von Weltruf [ihr Briefwechsel mit C. G. Jung ist eben erschienen]. Doch nun sind die prominenten und nicht immer angenehmen Patienten längst in den eleganten, lichten Neubau übergesiedelt, für die horrenden Preise wird auch die bösartigste Vergangenheit ein reines Vergnügen. Der Neubau breitet sich im südlichen Teil des weitläufigen Parks in verschiedenen Pavillons aus [mit Ernis Glasmalereien in der Kapelle], gegen die Ebene zu, während sich von der ‚Villa‘ der mit riesigen Bäumen bestückte Rasen zum See hinunterläßt. Dem Ufer entlang führt eine Steinmauer. Im Salon der nun schwach bevölkerten ‚Villa‘ halten sich meistens drei Patienten auf, zufälligerweise Physiker, oder doch nicht ganz zufälligerweise, man wendet humane Prinzipien an und läßt beisammen, was zusammengehört. Sie leben für sich, jeder eingesponnen in seine eingebildete Welt, nehmen die Mahlzeiten im Salon gemeinsam ein, diskutieren bisweilen über ihre Wissenschaft

oder glotzen still vor sich hin, harmlose, liebenswerte Irre, lenkbar,
leicht zu behandeln und anspruchslos. Mit einem Wort, sie gäben
wahre Musterpatienten ab, wenn nicht in der letzten Zeit Bedenk-
liches, ja geradezu Gräßliches vorgekommen wäre: Einer von ihnen
erdrosselte vor drei Monaten eine Krankenschwester, und nun hat sich
der gleiche Vorfall aufs neue ereignet. So ist denn wieder die Polizei
im Hause. Der Salon deshalb mehr als üblich bevölkert. Die Kran-
kenschwester liegt auf dem Parkett, in tragischer und definitiver Stel-
lung, mehr im Hintergrund, um das Publikum nicht unnötig zu er-
schrecken. Doch ist nicht zu übersehen, daß ein Kampf stattgefunden
hat. Die Möbel sind beträchtlich durcheinandergeraten. Eine Steh-
lampe und zwei Sessel liegen auf dem Boden, und links vorne ist ein
runder Tisch umgekippt, in der Weise, daß nun die Tischbeine dem
Zuschauer entgegenstarren. Im übrigen hat der Umbau in ein Irren-
haus [die Villa war einst der von Zahndsche Sommersitz] im Salon
schmerzliche Spuren hinterlassen. Die Wände sind bis auf Manns-
höhe mit hygienischer Lackfarbe überstrichen, dann erst kommt der
darunterliegende Gips zum Vorschein, mit zum Teil noch erhaltenen
Stukkaturen. Die drei Türen im Hintergrund, die von einer kleinen
Halle in die Krankenzimmer der Physiker führen, sind mit schwar-
zem Leder gepolstert. Außerdem sind sie numeriert eins bis drei.
Links neben der Halle ein häßlicher Zentralheizungskörper, rechts
ein Lavabo mit Handtüchern an einer Stange. Aus dem Zimmer
Nummer zwei [das mittlere Zimmer] dringt Geigenspiel mit Kla-
vierbegleitung. Beethoven. Kreutzersonate. Links befindet sich die
Parkfront, die Fenster hoch und bis zum Parkett herunterreichend,
das mit Linoleum bedeckt ist. Links und rechts der Fensterfront ein
schwerer Vorhang. Die Flügeltüre führt auf eine Terrasse, deren
Steingeländer sich vom Park und dem relativ sonnigen November-
wetter abhebt. Es ist kurz nach halb fünf nachmittags. Rechts über
einem nutzlosen Kamin, vor den ein Gitter gestellt ist, hängt das Por-
trät eines spitzbärtigen alten Mannes in schwerem Goldrahmen.
Rechts vorne eine schwere Eichentüre. Von der braunen Kassetten-
decke schwebt ein schwerer Kronleuchter. Die Möbel: Beim runden

*Tisch stehen – ist der Salon aufgeräumt – drei Stühle: wie der Tisch
weiß gestrichen. Die übrigen Möbel leicht zerschlissen, verschiedene
Epochen. Rechts vorne ein Sofa mit Tischchen, von zwei Sesseln
flankiert. Die Stehlampe gehört eigentlich hinter das Sofa, das
Zimmer demnach durchaus nicht überfüllt: Zur Ausstattung einer
Bühne, auf der, im Gegensatz zu den Stücken der Alten, das Satyr-
spiel der Tragödie vorangeht, gehört wenig. Wir können beginnen.
Um die Leiche bemühen sich Kriminalbeamte, zivil kostümiert,
seelenruhige, gemütliche Burschen, die schon ihre Portion Weißwein
konsumiert haben und danach riechen. Sie messen, nehmen Finger-
abdrücke usw. In der Mitte des Salons steht Kriminalinspektor Richard Voß, in Hut und Mantel, links Oberschwester Marta Boll, die
so resolut aussieht, wie sie heißt und ist. Auf dem Sessel rechts außen
sitzt ein Polizist und stenographiert. Der Kriminalinspektor nimmt
eine Zigarre aus einem braunen Etui.*

INSPEKTOR: Man darf doch rauchen?

OBERSCHWESTER: Es ist nicht üblich.

INSPEKTOR: Pardon.

Er steckt die Zigarre zurück.

OBERSCHWESTER: Eine Tasse Tee?

INSPEKTOR: Lieber Schnaps.

OBERSCHWESTER: Sie befinden sich in einer Heilanstalt.

INSPEKTOR: Dann nichts. Blocher, du kannst photographieren.

BLOCHER: Jawohl, Herr Inspektor.

Man photographiert. Blitzlichter.

INSPEKTOR: Wie hieß die Schwester?

OBERSCHWESTER: Irene Straub.

INSPEKTOR: Alter?

OBERSCHWESTER: Zweiundzwanzig. Aus Kohlwang.

INSPEKTOR: Angehörige?

OBERSCHWESTER: Ein Bruder in der Ostschweiz.

INSPEKTOR: Benachrichtigt?

OBERSCHWESTER: Telephonisch.

INSPEKTOR: Der Mörder?

OBERSCHWESTER: Bitte, Herr Inspektor – der arme Mensch ist doch krank.

INSPEKTOR: Also gut: Der Täter?

OBERSCHWESTER: Ernst Heinrich Ernesti. Wir nennen ihn Einstein.

INSPEKTOR: Warum?

OBERSCHWESTER: Weil er sich für Einstein hält.

INSPEKTOR: Ach so.

Er wendet sich zum stenographierenden Polizisten.

INSPEKTOR: Haben Sie die Aussagen der Oberschwester, Guhl?

GUHL: Jawohl, Herr Inspektor.

INSPEKTOR: Erdrosselt, Doktor?

GERICHTSMEDIZINER: Eindeutig. Mit der Schnur der Stehlampe. Diese Irren entwickeln oft gigantische Kräfte. Es hat etwas Großartiges.

INSPEKTOR: So. Finden Sie. Dann finde ich es unverantwortlich, diese Irren von Schwestern pflegen zu lassen. Das ist nun schon der zweite Mord.

OBERSCHWESTER: Bitte, Herr Inspektor.

INSPEKTOR: – der zweite Unglücksfall innert drei Monaten in der Anstalt Les Cerisiers.

Er zieht ein Notizbuch hervor.

INSPEKTOR: Am zwölften August erdrosselte ein Herbert Georg Beutler, der sich für den großen Physiker Newton hält, die Krankenschwester Dorothea Moser.

Er steckt das Notizbuch wieder ein.

INSPEKTOR: Auch in diesem Salon. Mit Pflegern wäre das nie vorgekommen.

OBERSCHWESTER: Glauben Sie? Schwester Dorothea Moser war Mitglied des Damenringvereins und Schwester Irene Straub Landesmeisterin des nationalen Judoverbandes.

INSPEKTOR: Und Sie?

OBERSCHWESTER: Ich stemme.

INSPEKTOR: Kann ich nun den Mörder –

OBERSCHWESTER: Bitte, Herr Inspektor.

INSPEKTOR: – den Täter sehen?

OBERSCHWESTER: Er geigt.

INSPEKTOR: Was heißt: Er geigt?

OBERSCHWESTER: Sie hören es ja.

INSPEKTOR: Dann soll er bitte aufhören.

Da die Oberschwester nicht reagiert.

INSPEKTOR: Ich habe ihn zu vernehmen.

OBERSCHWESTER: Geht nicht.

INSPEKTOR: Warum geht es nicht?

OBERSCHWESTER: Das können wir ärztlich nicht zulassen. Herr Ernesti muß jetzt geigen.

INSPEKTOR: Der Kerl erdrosselte schließlich eine Krankenschwester!

OBERSCHWESTER: Herr Inspektor. Es handelt sich nicht um einen Kerl, sondern um einen kranken Menschen, der sich beruhigen muß. Und weil er sich für Einstein hält, beruhigt er sich nur, wenn er geigt.

INSPEKTOR: Bin ich eigentlich verrückt?

OBERSCHWESTER: Nein.

INSPEKTOR: Man kommt ganz durcheinander.

Er wischt sich den Schweiß ab.

INSPEKTOR: Heiß hier.

OBERSCHWESTER: Durchaus nicht.

INSPEKTOR: Oberschwester Marta. Holen Sie bitte die Chefärztin.

OBERSCHWESTER: Geht auch nicht. Fräulein Doktor begleitet Einstein auf dem Klavier. Einstein beruhigt sich nur, wenn
Fräulein Doktor ihn begleitet.

INSPEKTOR: Und vor drei Monaten mußte Fräulein Doktor
mit Newton Schach spielen, damit sich der beruhigen konnte.
Darauf gehe ich nicht mehr ein, Oberschwester Marta. Ich
muß die Chefärztin einfach sprechen.

OBERSCHWESTER: Bitte. Dann warten Sie eben.

INSPEKTOR: Wie lange dauert das Gegeige noch?

OBERSCHWESTER: Eine Viertelstunde, eine Stunde. Je nachdem.

Der Inspektor beherrscht sich.

INSPEKTOR: Schön. Ich warte.

Er brüllt.

INSPEKTOR: Ich warte!

BLOCHER: Wir wären fertig, Herr Inspektor.

INSPEKTOR *dumpf*: Und mich macht man fertig.

Stille. Der Inspektor wischt sich den Schweiß ab.

INSPEKTOR: Ihr könnt die Leiche hinausschaffen.

BLOCHER: Jawohl, Herr Inspektor.

OBERSCHWESTER: Ich zeige den Herren den Weg durch
den Park in die Kapelle.

*Sie öffnet die Flügeltüre. Die Leiche wird hinausgetragen. Ebenso
die Instrumente. Der Inspektor nimmt den Hut ab, setzt sich er-
schöpft auf den Sessel links vom Sofa. Immer noch Geigenspiel,
Klavierbegleitung. Da kommt aus Zimmer Nummer 3 Herbert
Georg Beutler in einem Kostüm des beginnenden achtzehnten
Jahrhunderts mit Perücke.*

NEWTON: Sir Isaak Newton.

INSPEKTOR: Kriminalinspektor Richard Voß.

Er bleibt sitzen.

NEWTON: Erfreut. Sehr erfreut. Wirklich. Ich hörte Gepolter,
Stöhnen, Röcheln, dann Menschen kommen und gehen. Darf
ich fragen, was sich hier abspielt?

INSPEKTOR: Schwester Irene Straub wurde erdrosselt.

NEWTON: Die Landesmeisterin des nationalen Judoverbandes?
INSPEKTOR: Die Landesmeisterin.
NEWTON: Schrecklich.
INSPEKTOR: Von Ernst Heinrich Ernesti.
NEWTON: Aber der geigt doch.
INSPEKTOR: Er muß sich beruhigen.
NEWTON: Der Kampf wird ihn auch angestrengt haben. Er ist ja eher schmächtig. Womit hat er – ?
INSPEKTOR: Mit der Schnur der Stehlampe.
NEWTON: Mit der Schnur der Stehlampe. Auch eine Möglichkeit. Dieser Ernesti. Er tut mir leid. Außerordentlich. Und auch die Judomeisterin tut mir leid. Sie gestatten. Ich muß etwas aufräumen.
INSPEKTOR: Bitte. Der Tatbestand ist aufgenommen.

Newton stellt den Tisch, dann die Stühle auf.

NEWTON: Ich ertrage Unordnung nicht. Ich bin eigentlich nur Physiker aus Ordnungsliebe geworden.

Er stellt die Stehlampe auf.

NEWTON: Um die scheinbare Unordnung in der Natur auf eine höhere Ordnung zurückzuführen.

Er zündet sich eine Zigarette an.

NEWTON: Stört es Sie, wenn ich rauche?
INSPEKTOR *freudig:* Im Gegenteil, ich –

Er will sich eine Zigarette aus dem Etui nehmen.

NEWTON: Entschuldigen Sie, doch weil wir gerade von Ordnung gesprochen haben: Hier dürfen nur die Patienten rauchen und nicht die Besucher. Sonst wäre gleich der ganze Salon verpestet.
INSPEKTOR: Verstehe.

Er steckt sein Etui wieder ein.

NEWTON: Stört es Sie, wenn ich ein Gläschen Kognak – ?
INSPEKTOR: Durchaus nicht.

Newton holt hinter dem Kamingitter eine Kognakflasche und ein Glas hervor.

NEWTON: Dieser Ernesti. Ich bin ganz durcheinander. Wie kann ein Mensch nur eine Krankenschwester erdrosseln!

Er setzt sich aufs Sofa, schenkt sich Kognak ein.

INSPEKTOR: Dabei haben Sie ja auch eine Krankenschwester erdrosselt.

NEWTON: Ich?

INSPEKTOR: Schwester Dorothea Moser.

NEWTON: Die Ringerin?

INSPEKTOR: Am zwölften August. Mit der Vorhangkordel.

NEWTON: Aber das ist doch etwas ganz anderes, Herr Inspektor. Ich bin schließlich nicht verrückt. Auf Ihr Wohl.

INSPEKTOR: Auf das Ihre.

Newton trinkt.

NEWTON: Schwester Dorothea Moser. Wenn ich so zurückdenke. Strohblond. Ungemein kräftig. Biegsam trotz ihrer Körperfülle. Sie liebte mich, und ich liebte sie. Das Dilemma war nur durch eine Vorhangkordel zu lösen.

INSPEKTOR: Dilemma?

NEWTON: Meine Aufgabe besteht darin, über die Gravitation nachzudenken, nicht ein Weib zu lieben.

INSPEKTOR: Begreife.

NEWTON: Dazu kam noch der enorme Altersunterschied.

INSPEKTOR: Sicher. Sie müssen ja weit über zweihundert Jahre alt sein.

Newton starrt ihn verwundert an.

NEWTON: Wieso?

INSPEKTOR: Nun, als Newton –

NEWTON: Sind Sie nun vertrottelt, Herr Inspektor, oder tun Sie nur so?

INSPEKTOR: Hören Sie –

NEWTON: Sie glauben wirklich, ich sei Newton?

INSPEKTOR: Sie glauben es ja.

Newton schaut sich mißtrauisch um.

NEWTON: Darf ich Ihnen ein Geheimnis anvertrauen, Herr Inspektor?

INSPEKTOR: Selbstverständlich.

NEWTON: Ich bin nicht Sir Isaak. Ich gebe mich nur als Newton aus.

INSPEKTOR: Und weshalb?

NEWTON: Um Ernesti nicht zu verwirren.

INSPEKTOR: Kapiere ich nicht.

NEWTON: Im Gegensatz zu mir ist doch Ernesti wirklich krank. Er bildet sich ein, Albert Einstein zu sein.

INSPEKTOR: Was hat das mit Ihnen zu tun?

NEWTON: Wenn Ernesti nun erführe, daß ich in Wirklichkeit Albert Einstein bin, wäre der Teufel los.

INSPEKTOR: Sie wollen damit sagen –

NEWTON: Jawohl. Der berühmte Physiker und Begründer der Relativitätstheorie bin ich. Geboren am 14. März 1879 in Ulm.

Der Inspektor erhebt sich etwas verwirrt.

INSPEKTOR: Sehr erfreut.

Newton erhebt sich ebenfalls.

NEWTON: Nennen Sie mich einfach Albert.

INSPEKTOR: Und Sie mich Richard.

Sie schütteln sich die Hände.

NEWTON: Ich darf Ihnen versichern, daß ich die Kreutzersonate bei weitem schwungvoller hinunterfiedeln würde als Ernst Heinrich Ernesti eben. Das Andante spielt er doch einfach barbarisch.

INSPEKTOR: Ich verstehe nichts von Musik.

NEWTON: Setzen wir uns.

Er zieht ihn aufs Sofa. Newton legt den Arm um die Schulter des Inspektors.

NEWTON: Richard.

INSPEKTOR: Albert?

NEWTON: Nicht wahr, Sie ärgern sich, mich nicht verhaften zu dürfen?

INSPEKTOR: Aber Albert.

NEWTON: Möchten Sie mich verhaften, weil ich die Kranken-schwester erdrosselt oder weil ich die Atombombe ermöglicht habe?

INSPEKTOR: Aber Albert.

NEWTON: Wenn Sie da neben der Türe den Schalter drehen, was geschieht, Richard?

INSPEKTOR: Das Licht geht an.

NEWTON: Sie stellen einen elektrischen Kontakt her. Verste-hen Sie etwas von Elektrizität, Richard?

INSPEKTOR: Ich bin kein Physiker

NEWTON: Ich verstehe auch wenig von ihr. Ich stelle nur auf Grund von Naturbeobachtungen eine Theorie über sie auf. Diese Theorie schreibe ich in der Sprache der Mathematik nie-der und erhalte mehrere Formeln. Dann kommen die Techni-ker. Sie kümmern sich nur noch um die Formeln. Sie gehen mit der Elektrizität um wie der Zuhälter mit der Dirne. Sie nützen sie aus. Sie stellen Maschinen her, und brauchbar ist eine Maschine erst dann, wenn sie von der Erkenntnis unabhängig geworden ist, die zu ihrer Erfindung führte. So vermag heute jeder Esel eine Glühbirne zum Leuchten zu bringen – oder eine Atombombe zur Explosion.

Er klopft dem Inspektor auf die Schulter.

NEWTON: Und nun wollen Sie mich dafür verhaften, Richard. Das ist nicht fair.

INSPEKTOR: Ich will Sie doch gar nicht verhaften, Albert.

NEWTON: Nur weil Sie mich für verrückt halten. Aber war-um weigern Sie sich nicht, Licht anzudrehen, wenn Sie von Elektrizität nichts verstehen? Sie sind hier der Kriminelle, Richard. Doch nun muß ich meinen Kognak versorgen, sonst tobt die Oberschwester Marta Boll.

Newton versteckt die Kognakflasche wieder hinter dem Kamin-schirm, läßt jedoch das Glas stehen.

NEWTON: Leben Sie wohl.

INSPEKTOR: Leben Sie wohl, Albert.

NEWTON: Sie sollten sich selber verhaften, Richard!

Er verschwindet wieder im Zimmer Nummer 3.

INSPEKTOR: Jetzt rauche ich einfach.

Er nimmt kurzentschlossen eine Zigarre aus einem Etui, zündet sie an, raucht. Durch die Flügeltüre kommt Blocher.

BLOCHER: Wir sind fahrbereit, Herr Inspektor.

Der Inspektor stampft auf den Boden.

INSPEKTOR: Ich warte! Auf die Chefärztin!

BLOCHER: Jawohl, Herr Inspektor.

Der Inspektor beruhigt sich, brummt.

INSPEKTOR: Kehr mit der Mannschaft in die Stadt zurück, Blocher. Ich komme dann nach.

BLOCHER: Zu Befehl, Herr Inspektor.

Blocher ab.

Der Inspektor pafft vor sich hin, erhebt sich, stapft trotzig im Salon herum, bleibt vor dem Porträt über dem Kamin stehen, betrachtet es. Inzwischen hat das Geigen und Klavierspiel aufgehört. Die Türe von Zimmer Nummer 2 öffnet sich, und Fräulein Doktor Mathilde von Zahnd kommt heraus. Bucklig, etwa fünfundfünfzig, weißer Ärztemantel, Stethoskop.

FRL. DOKTOR: Mein Vater, Geheimrat August von Zahnd. Er hauste in dieser Villa, bevor ich sie in ein Sanatorium umwandelte. Ein großer Mann, ein wahrer Mensch. Ich bin sein einziges Kind. Er haßte mich wie die Pest, er haßte überhaupt alle Menschen wie die Pest. Wohl mit Recht, als Wirtschaftsführer taten sich ihm menschliche Abgründe auf, die uns Psychiatern auf ewig verschlossen sind. Wir Irrenärzte bleiben nun einmal hoffnungslos romantische Philanthropen.

INSPEKTOR: Vor drei Monaten hing ein anderes Porträt hier.

FRL. DOKTOR: Mein Onkel, der Politiker. Kanzler Joachim von Zahnd.

Sie legt die Partitur auf das Tischchen vor dem Sofa.

FRL. DOKTOR: So. Ernesti hat sich beruhigt. Er warf sich aufs

Bett und schlief ein. Wie ein glücklicher Bub. Ich kann wieder aufatmen. Ich befürchtete schon, er geige noch die dritte Brahms-Sonate.

Sie setzt sich auf den Sessel links vom Sofa.

INSPEKTOR: Entschuldigen Sie, Fräulein Doktor von Zahnd, daß ich hier verbotenerweise rauche, aber –

FRL. DOKTOR: Rauchen Sie nur ruhig, Inspektor. Ich benötige auch dringend eine Zigarette, Oberschwester Marta hin oder her. Geben Sie mir Feuer.

Er gibt ihr Feuer, sie raucht.

FRL. DOKTOR: Scheußlich. Die arme Schwester Irene. Ein blitzsauberes, junges Ding.

Sie bemerkt das Glas.

FRL. DOKTOR: Newton?

INSPEKTOR: Ich hatte das Vergnügen.

FRL. DOKTOR: Ich räume das Glas besser ab.

Der Inspektor kommt ihr zuvor und stellt das Glas hinter das Kamingitter.

FRL. DOKTOR: Wegen der Oberschwester.

INSPEKTOR: Verstehe.

FRL. DOKTOR: Sie haben sich mit Newton unterhalten?

INSPEKTOR: Ich entdeckte etwas.

Er setzt sich aufs Sofa.

FRL. DOKTOR: Gratuliere.

INSPEKTOR: Newton hält sich in Wirklichkeit auch für Einstein.

FRL. DOKTOR: Das erzählt er jedem. In Wahrheit hält er sich aber doch für Newton.

INSPEKTOR *verblüfft:* Sind Sie sicher?

FRL. DOKTOR: Für wen sich meine Patienten halten, bestimme ich. Ich kenne sie weitaus besser, als sie sich selber kennen.

INSPEKTOR: Möglich. Dann sollten Sie uns aber auch helfen, Fräulein Doktor. Die Regierung reklamiert.

FRL. DOKTOR: Der Staatsanwalt?

INSPEKTOR: Tobt.

FRL. DOKTOR: Wie wenn das meine Sorge wäre, Voß.

INSPEKTOR: Zwei Morde –

FRL. DOKTOR: Bitte, Inspektor.

INSPEKTOR: Zwei Unglücksfälle. In drei Monaten. Sie müssen zugeben, daß die Sicherheitsmaßnahmen in Ihrer Anstalt ungenügend sind.

FRL. DOKTOR: Wie stellen Sie sich denn diese Sicherheitsmaßnahmen vor, Inspektor? Ich leite eine Heilanstalt, nicht ein Zuchthaus. Sie können schließlich die Mörder auch nicht einsperren, bevor sie morden.

INSPEKTOR: Es handelt sich nicht um Mörder, sondern um Verrückte, und die können eben jederzeit morden.

FRL. DOKTOR: Gesunde auch und bedeutend öfters. Wenn ich nur an meinen Großvater Leonidas von Zahnd denke, an den Generalfeldmarschall mit seinem verlorenen Krieg. In welchem Zeitalter leben wir denn? Hat die Medizin Fortschritte gemacht oder nicht? Stehen uns neue Mittel zur Verfügung oder nicht, Drogen, die noch aus den Tobsüchtigsten sanfte Lämmer machen? Sollen wir die Kranken wieder in Einzelzellen sperren, womöglich noch in Netze mit Boxhandschuhen wie früher? Wie wenn wir nicht imstande wären, gefährliche und ungefährliche Patienten zu unterscheiden.

INSPEKTOR: Dieses Unterscheidungsvermögen versagte jedenfalls bei Beutler und Ernesti kraß.

FRL. DOKTOR: Leider. *Das* beunruhigt mich und nicht Ihr tobender Staatsanwalt.

Aus Zimmer Nummer 2 kommt Einstein mit seiner Geige. Hager, schlohweiße lange Haare, Schnurrbart.

EINSTEIN: Ich bin aufgewacht.

FRL. DOKTOR: Aber, Professor.

EINSTEIN: Geigte ich schön?

FRL. DOKTOR: Wundervoll, Professor.

EINSTEIN: Ist Schwester Irene Straub –

FRL. DOKTOR: Denken Sie nicht mehr daran, Professor.

300

EINSTEIN: Ich gehe wieder schlafen.

FRL. DOKTOR: Das ist lieb, Professor.

Einstein zieht sich wieder auf sein Zimmer zurück. Der Inspektor ist aufgesprungen.

INSPEKTOR: Das war er also!

FRL. DOKTOR: Ernst Heinrich Ernesti.

INSPEKTOR: Der Mörder –

FRL. DOKTOR: Bitte, Inspektor.

INSPEKTOR: Der Täter, der sich für Einstein hält. Wann wurde er eingeliefert?

FRL. DOKTOR: Vor zwei Jahren.

INSPEKTOR: Und Newton?

FRL. DOKTOR: Vor einem Jahr.

FRL. DOKTOR: Beide unheilbar. Voß, ich bin, weiß Gott, in meinem Métier keine Anfängerin, das ist Ihnen bekannt und dem Staatsanwalt auch, er hat meine Gutachten immer geschätzt. Mein Sanatorium ist weltbekannt und entsprechend teuer. Fehler kann ich mir nicht leisten und Vorfälle, die mir die Polizei ins Haus bringen, schon gar nicht. Wenn hier jemand versagte, so ist es die Medizin, nicht ich. Diese Unglücksfälle waren nicht vorauszusehen, ebensogut könnten Sie oder ich Krankenschwestern erdrosseln. Es gibt medizinisch keine Erklärung für das Vorgefallene. Es sei denn –

Sie hat sich eine neue Zigarette genommen. Der Inspektor gibt ihr Feuer.

FRL. DOKTOR: Inspektor. Fällt Ihnen nichts auf?

INSPEKTOR: Inwiefern?

FRL. DOKTOR: Denken Sie an die beiden Kranken.

INSPEKTOR: Nun?

FRL. DOKTOR: Beide sind Physiker. Kernphysiker.

INSPEKTOR: Und?

FRL. DOKTOR: Sie sind wirklich ein Mensch ohne besonderen Argwohn, Inspektor.

Der Inspektor denkt nach.

INSPEKTOR: Fräulein Doktor.

FRL. DOKTOR: Voß?

INSPEKTOR: Sie glauben – ?

FRL. DOKTOR: Beide untersuchten radioaktive Stoffe.

INSPEKTOR: Sie vermuten einen Zusammenhang?

FRL. DOKTOR: Ich stelle nur fest, das ist alles. Beide werden wahnsinnig, bei beiden verschlimmert sich die Krankheit, beide werden gemeingefährlich, beide erdrosseln Krankenschwestern.

INSPEKTOR: Sie denken an eine – Veränderung des Gehirns durch Radioaktivität?

FRL. DOKTOR: Ich muß diese Möglichkeit leider ins Auge fassen.

Der Inspektor sieht sich um.

INSPEKTOR: Wohin führt diese Türe?

FRL. DOKTOR: In die Halle, in den grünen Salon, zum oberen Stock.

INSPEKTOR: Wie viele Patienten befinden sich noch hier?

FRL. DOKTOR: Drei.

INSPEKTOR: Nur?

FRL. DOKTOR: Die übrigen wurden gleich nach dem ersten Unglücksfall in das neue Haus übergesiedelt. Ich hatte mir den Neubau zum Glück rechtzeitig leisten können. Reiche Patienten und auch meine Verwandten steuerten bei. Indem sie ausstarben. Meistens hier. Ich war dann Alleinerbin. Schicksal, Voß. Ich bin immer Alleinerbin. Meine Familie ist so alt, daß es beinahe einem kleinen medizinischen Wunder gleichkommt, wenn ich für relativ normal gelten darf, ich meine, was meinen Geisteszustand betrifft.

Der Inspektor überlegt.

INSPEKTOR: Der dritte Patient?

FRL. DOKTOR: Ebenfalls ein Physiker.

INSPEKTOR: Merkwürdig. Finden Sie nicht?

FRL. DOKTOR: Finde ich gar nicht. Ich sortiere. Die Schriftsteller zu den Schriftstellern, die Großindustriellen zu den

Großindustriellen, die Millionärinnen zu den Millionärinnen und die Physiker zu den Physikern.

INSPEKTOR: Name?

FRL. DOKTOR: Johann Wilhelm Möbius.

INSPEKTOR: Hatte auch er mit Radioaktivität zu tun?

FRL. DOKTOR: Nichts.

INSPEKTOR: Könnte auch er – ?

FRL. DOKTOR: Er ist seit fünfzehn Jahren hier, harmlos, und sein Zustand blieb unverändert.

INSPEKTOR: Fräulein Doktor. Sie kommen nicht darum herum. Der Staatsanwalt verlangt für Ihre Physiker kategorisch Pfleger.

FRL. DOKTOR: Er soll sie haben.

Der Inspektor greift nach seinem Hut.

INSPEKTOR: Schön, es freut mich, daß Sie das einsehen. Ich war nun zweimal in Les Cerisiers, Fräulein Doktor von Zahnd. Ich hoffe nicht, noch einmal aufzutauchen.

Er setzt sich den Hut auf und geht links durch die Flügeltüre auf die Terrasse und entfernt sich durch den Park. Fräulein Doktor Mathilde von Zahnd sieht ihm nachdenklich nach. Von rechts kommt die Oberschwester Marta Boll, stutzt, schnuppert. In der Hand ein Dossier.

OBERSCHWESTER: Bitte, Fräulein Doktor –

FRL. DOKTOR: Oh. Entschuldigen Sie.

Sie drückt die Zigarette aus.

FRL. DOKTOR: Ist Schwester Irene Straub aufgebahrt?

OBERSCHWESTER: Unter der Orgel.

FRL. DOKTOR: Stellt Kerzen um sie und Kränze.

OBERSCHWESTER: Ich habe dem Blumen-Feuz schon angeläutet.

FRL. DOKTOR: Wie geht es meiner Tante Senta?

OBERSCHWESTER: Unruhig.

FRL. DOKTOR: Dosis verdoppeln. Dem Vetter Ulrich?

OBERSCHWESTER: Stationär.

303

FRL. DOKTOR: Oberschwester Marta Boll: Ich muß mit einer Tradition von Les Cerisiers leider Schluß machen. Ich habe bis jetzt nur Krankenschwestern angestellt, morgen übernehmen Pfleger die Villa.

OBERSCHWESTER: Fräulein Doktor Mathilde von Zahnd: Ich lasse mir meine drei Physiker nicht rauben. Sie sind meine interessantesten Fälle.

FRL. DOKTOR: Mein Entschluß ist endgültig.

OBERSCHWESTER: Ich bin nur neugierig, woher Sie die Pfleger nehmen. Bei der heutigen Überbeschäftigung.

FRL. DOKTOR: Das lassen Sie meine Sorge sein. Ist die Möbius gekommen?

OBERSCHWESTER: Sie wartet im grünen Salon.

FRL. DOKTOR: Ich lasse bitten.

OBERSCHWESTER: Die Krankheitsgeschichte Möbius.

FRL. DOKTOR: Danke.

Die Oberschwester übergibt ihr das Dossier, geht dann zur Türe rechts hinaus, kehrt sich jedoch vorher noch einmal um.

OBERSCHWESTER: Aber –

FRL. DOKTOR: Bitte, Oberschwester Marta, bitte.

Oberschwester ab. Frl. Doktor von Zahnd öffnet das Dossier, studiert es am runden Tisch. Von rechts führt die Oberschwester Frau Rose sowie drei Knaben von vierzehn, fünfzehn und sechzehn Jahren herein. Der älteste trägt eine Mappe. Den Schluß bildet Missionar Rose. Frl. Doktor erhebt sich.

FRL. DOKTOR: Meine liebe Frau Möbius –

FRAU ROSE: Rose. Frau Missionar Rose. Ich muß Sie ganz grausam überraschen, Fräulein Doktor, aber ich habe vor drei Wochen Missionar Rose geheiratet. Vielleicht etwas eilig, wir lernten uns im September an einer Tagung kennen.

Sie errötet und weist etwas unbeholfen auf ihren neuen Mann.

FRAU ROSE: Oskar war Witwer.

Frl. Doktor schüttelt ihr die Hand.

FRL. DOKTOR: Gratuliere, Frau Rose, gratuliere von ganzem Herzen. Und auch Ihnen, Herr Missionar, alles Gute.

Sie nickt ihm zu.

FRAU ROSE: Sie verstehen unseren Schritt?

FRL. DOKTOR: Aber natürlich, Frau Rose. Das Leben hat weiterzublühen.

MISSIONAR ROSE: Wie still es hier ist! Wie freundlich. Ein wahrer Gottesfriede waltet in diesem Hause, so recht nach dem Psalmwort: Denn der Herr hört die Armen und verachtet seine Gefangenen nicht.

FRAU ROSE: Oskar ist nämlich ein guter Prediger, Fräulein Doktor.

Sie errötet.

FRAU ROSE: Meine Buben.

FRL. DOKTOR: Grüß Gott, ihr Buben.

DIE DREI BUBEN: Grüß Gott, Fräulein Doktor.

Der Jüngste hat etwas vom Boden aufgenommen.

JÖRG-LUKAS: Eine Lampenschnur, Fräulein Doktor. Sie lag auf dem Boden.

FRL. DOKTOR: Danke, mein Junge. Prächtige Buben, Frau Rose. Sie dürfen mit Vertrauen in die Zukunft blicken.

Frau Missionar Rose setzt sich aufs Sofa rechts, Frl. Doktor an den Tisch links. Hinter dem Sofa die drei Buben, auf dem Sessel rechts außen Missionar Rose.

FRAU ROSE: Fräulein Doktor, ich bringe meine Buben nicht grundlos mit. Oskar übernimmt eine Missionsstation auf den Marianen.

MISSIONAR ROSE: Im Stillen Ozean.

FRAU ROSE: Und ich halte es für schicklich, wenn meine Buben vor der Abreise ihren Vater kennenlernen. Zum ersten und letzten Mal. Sie waren ja noch klein, als er krank wurde, und nun heißt es vielleicht Abschied für immer zu nehmen.

FRL. DOKTOR: Frau Rose, vom ärztlichen Standpunkte aus mögen sich zwar einige Bedenken melden, aber menschlich finde ich Ihren Wunsch begreiflich und gebe die Bewilligung zu diesem Familientreffen gern.

FRAU ROSE: Wie geht es meinem Johann Wilhelmlein?

Frl. Doktor blättert im Dossier.

FRL. DOKTOR: Unser guter Möbius macht weder Fort- noch Rückschritte, Frau Rose. Er puppt sich in seine Welt ein.

FRAU ROSE: Behauptet er immer noch, daß ihm der König Salomo erscheine?

FRL. DOKTOR: Immer noch.

MISSIONAR ROSE: Eine traurige, beklagenswerte Verirrung.

FRL. DOKTOR: Ihr strammes Urteil erstaunt mich ein wenig, Herr Missionar Rose. Als Theologe müssen Sie doch immerhin mit der Möglichkeit eines Wunders rechnen.

MISSIONAR ROSE: Selbstverständlich – aber doch nicht bei einem Geisteskranken.

FRL. DOKTOR: Ob die Erscheinungen, welche die Geisteskranken wahrnehmen, wirklich sind oder nicht, darüber hat die Psychiatrie, mein lieber Missionar Rose, nicht zu urteilen. Sie hat sich ausschließlich um den Zustand des Gemüts und der Nerven zu kümmern, und da steht's bei unserem braven Möbius traurig genug, wenn auch die Krankheit einen milden Verlauf nimmt. Helfen? Mein Gott! Eine Insulinkur wäre wieder einmal fällig gewesen, gebe ich zu, doch weil die anderen Kuren erfolglos verlaufen sind, ließ ich sie bleiben. Ich kann leider nicht zaubern, Frau Rose, und unseren braven Möbius gesund päppeln, aber quälen will ich ihn auch nicht.

FRAU ROSE: Weiß er, daß ich mich – ich meine, weiß er von der Scheidung?

FRL. DOKTOR: Er ist informiert.

FRAU ROSE: Begriff er?

FRL. DOKTOR: Er interessiert sich kaum mehr für die Außenwelt.

FRAU ROSE: Fräulein Doktor. Verstehen Sie mich recht. Ich bin fünf Jahre älter als Johann Wilhelm. Ich lernte ihn als fünf-

306

zehnjährigen Gymnasiasten im Hause meines Vaters kennen, wo er eine Mansarde gemietet hatte. Er war ein Waisenbub und bitter arm. Ich ermöglichte ihm das Abitur und später das Studium der Physik. An seinem zwanzigsten Geburtstag haben wir geheiratet. Gegen den Willen meiner Eltern. Wir arbeiteten Tag und Nacht. Er schrieb seine Dissertation, und ich übernahm eine Stelle in einem Transportgeschäft. Vier Jahre später kam Adolf-Friedrich, unser Ältester, und dann die beiden andern Buben. Endlich stand eine Professur in Aussicht, wir glaubten aufatmen zu dürfen, da wurde Johann Wilhelm krank, und sein Leiden verschlang Unsummen. Ich trat in eine Schokoladefabrik ein, meine Familie durchzubringen. Bei Tobler.

Sie wischt sich still eine Träne ab.

FRAU ROSE: Ein Leben lang mühte ich mich ab.

Alle sind ergriffen.

FRL. DOKTOR: Frau Rose, Sie sind eine mutige Frau.

MISSIONAR ROSE: Und eine gute Mutter.

FRAU ROSE: Fräulein Doktor. Ich habe bis jetzt Johann Wilhelm den Aufenthalt in Ihrer Anstalt ermöglicht. Die Kosten gingen weit über meine Mittel, aber Gott half immer wieder. Doch nun bin ich finanziell erschöpft. Ich bringe das zusätzliche Geld nicht mehr auf.

FRL. DOKTOR: Begreiflich, Frau Rose.

FRAU ROSE: Ich fürchte, Sie glauben nun, ich hätte Oskar nur geheiratet, um nicht mehr für Johann Wilhelm aufkommen zu müssen, Fräulein Doktor. Aber das stimmt nicht. Ich habe es jetzt noch schwerer. Oskar bringt sechs Buben in die Ehe mit.

FRL. DOKTOR: Sechs?

MISSIONAR ROSE: Sechs.

FRAU ROSE: Sechs. Oskar ist ein leidenschaftlicher Vater. Doch nun sind neun Kinder zu füttern, und Oskar ist durchaus nicht robust, seine Besoldung kärglich.

Sie weint.

FRL. DOKTOR: Nicht doch, Frau Rose, nicht doch. Keine Tränen.

FRAU ROSE: Ich mache mir die heftigsten Vorwürfe, mein armes Johann Wilhelmlein im Stich gelassen zu haben.

FRL. DOKTOR: Frau Rose! Sie brauchen sich nicht zu grämen.

FRAU ROSE: Johann Wilhelmlein wird jetzt sicher in einer staatlichen Heilanstalt interniert.

FRL. DOKTOR: Aber nein, Frau Rose. Unser braver Möbius bleibt hier in der Villa. Ehrenwort. Er hat sich eingelebt und liebe, nette Kollegen gefunden. Ich bin schließlich kein Unmensch.

FRAU ROSE: Sie sind so gut zu mir, Fräulein Doktor.

FRL. DOKTOR: Gar nicht, Frau Rose, gar nicht. Es gibt nur Stiftungen. Der Oppelfonds für kranke Wissenschafter, die Doktor-Steinemann-Stiftung. Geld liegt wie Heu herum, und es ist meine Pflicht als Ärztin, Ihrem Johann Wilhelmlein davon etwas zuzuschaufeln. Sie sollen mit einem guten Gewissen nach den Marianen dampfen dürfen. Aber nun wollen wir doch unseren guten Möbius mal herholen.

Sie geht nach dem Hintergrund und öffnet Türe Nummer 1. Frau Rose erhebt sich aufgeregt.

FRL. DOKTOR: Lieber Möbius. Sie erhielten Besuch. Verlassen Sie Ihre Physikerklause und kommen Sie.

Aus dem Zimmer Nummer 1 kommt Johann Wilhelm Möbius, ein vierzigjähriger, etwas unbeholfener Mensch. Er schaut sich unsicher im Zimmer um, betrachtet Frau Rose, dann die Buben, endlich Herrn Missionar Rose, scheint nichts zu begreifen, schweigt.

FRAU ROSE: Johann Wilhelm.

DIE BUBEN: Papi.

Möbius schweigt.

FRL. DOKTOR: Mein braver Möbius, Sie erkennen mir doch noch Ihre Gattin wieder, hoffe ich.

Möbius starrt Frau Rose an.

MÖBIUS: Lina?

FRL. DOKTOR: Es dämmert, Möbius. Natürlich ist es Ihre Lina.

MÖBIUS: Grüß dich, Lina.

FRAU ROSE: Johann Wilhelmlein, mein liebes, liebes Johann Wilhelmlein.

FRL. DOKTOR: So. Es wäre geschafft. Frau Rose, Herr Missionar, wenn Sie mich noch zu sprechen wünschen, stehe ich drüben im Neubau zur Verfügung.

Sie geht durch die Flügeltüre links ab.

FRAU ROSE: Deine Buben, Johann Wilhelm.

Möbius stutzt.

MÖBIUS: Drei?

FRAU ROSE: Aber natürlich, Johann Wilhelm. Drei.

Sie stellt ihm die Buben vor.

FRAU ROSE: Adolf-Friedrich, dein Ältester.

Möbius schüttelt ihm die Hand.

MÖBIUS: Freut mich, Adolf-Friedrich, mein Ältester.

ADOLF-FRIEDRICH: Grüß dich, Papi.

MÖBIUS: Wie alt bist du denn, Adolf-Friedrich?

ADOLF-FRIEDRICH: Sechzehn, Papi.

MÖBIUS: Was willst du werden?

ADOLF-FRIEDRICH: Pfarrer, Papi.

MÖBIUS: Ich erinnere mich. Ich führte dich einmal an der Hand über den Sankt-Josephs-Platz. Die Sonne schien grell, und die Schatten waren wie abgezirkelt.

Möbius wendet sich zum nächsten.

MÖBIUS: Und du – du bist?

WILFRIED-KASPAR: Ich heiße Wilfried-Kaspar, Papi.

MÖBIUS: Vierzehn?

WILFRIED-KASPAR: Fünfzehn. Ich möchte Philosophie studieren.

MÖBIUS: Philosophie?

FRAU ROSE: Ein besonders frühreifes Kind.

WILFRIED-KASPAR: Ich habe Schopenhauer und Nietzsche gelesen.

FRAU ROSE: Dein Jüngster, Jörg-Lukas. Vierzehnjährig.

JÖRG-LUKAS: Grüß dich, Papi.

MÖBIUS: Grüß dich, Jörg-Lukas, mein Jüngster.

FRAU ROSE: Er gleicht dir am meisten.

JÖRG-LUKAS: Ich will ein Physiker werden, Papi.

Möbius starrt seinen Jüngsten erschrocken an.

MÖBIUS: Physiker?

JÖRG-LUKAS: Jawohl, Papi.

MÖBIUS: Das darfst du nicht, Jörg-Lukas. Keinesfalls. Das schlage dir aus dem Kopf. Ich – ich verbiete es dir.

Jörg-Lukas ist verwirrt.

JÖRG-LUKAS: Aber du bist doch auch ein Physiker geworden, Papi –

MÖBIUS: Ich hätte es nie werden dürfen, Jörg-Lukas. Nie. Ich wäre jetzt nicht im Irrenhaus.

FRAU ROSE: Aber Johann Wilhelm, das ist doch ein Irrtum. Du bist in einem Sanatorium, nicht in einem Irrenhaus. Deine Nerven sind einfach angegriffen, das ist alles.

Möbius schüttelt den Kopf.

MÖBIUS: Nein, Lina. Man hält mich für verrückt. Alle. Auch du. Und auch meine Buben. Weil mir der König Salomo erscheint.

Alle schweigen verlegen. Frau Rose stellt Missionar Rose vor.

FRAU ROSE: Hier stelle ich dir Oskar Rose vor, Johann Wilhelm. Meinen Mann. Er ist Missionar.

MÖBIUS: Dein Mann? Aber ich bin doch dein Mann.

FRAU ROSE: Nicht mehr, Johann Wilhelmlein.

Sie errötet.

FRAU ROSE: Wir sind doch geschieden.

MÖBIUS: Geschieden?

FRAU ROSE: Das weißt du doch.

MÖBIUS: Nein.

FRAU ROSE: Fräulein Doktor von Zahnd teilte es dir mit. Ganz bestimmt.

MÖBIUS: Möglich.

310

FRAU ROSE: Und dann heiratete ich eben Oskar. Er hat sechs Buben. Er war Pfarrer in Guttannen und hat nun eine Stelle auf den Marianen angenommen.

MÖBIUS: Auf den Marianen?

MISSIONAR ROSE: Im Stillen Ozean.

FRAU ROSE: Wir schiffen uns übermorgen in Bremen ein.

MÖBIUS: Ach so.

Er starrt Missionar Rose an. Alle sind verlegen.

FRAU ROSE: Ja. So ist es eben.

Möbius nickt Missionar Rose zu.

MÖBIUS: Es freut mich, den neuen Vater meiner Buben kennenzulernen, Herr Missionar.

MISSIONAR ROSE: Ich habe sie fest in mein Herz geschlossen, Herr Möbius, alle drei. Gott wird uns helfen, nach dem Psalmwort: Der Herr ist mein Hirte, mir wird nichts mangeln.

FRAU ROSE: Oskar kennt alle Psalmen auswendig. Die Psalmen Davids, die Psalmen Salomos.

MÖBIUS: Ich bin froh, daß die Buben einen tüchtigen Vater gefunden haben. Ich bin ein ungenügender Vater gewesen.

Die drei Buben protestieren.

DIE BUBEN: Aber nein, Papi.

MÖBIUS: Und auch Lina hat einen würdigeren Gatten gefunden.

FRAU ROSE: Aber Johann Wilhelmlein.

MÖBIUS: Ich gratuliere von ganzem Herzen.

FRAU ROSE: Wir müssen bald aufbrechen.

MÖBIUS: Nach den Marianen.

FRAU ROSE: Abschied voneinander nehmen.

MÖBIUS: Für immer.

FRAU ROSE: Deine Buben sind bemerkenswert musikalisch, Johann Wilhelm. Sie spielen sehr begabt Blockflöte. Spielt eurem Papi zum Abschied etwas vor, Buben.

DIE BUBEN: Jawohl, Mami.

Adolf-Friedrich öffnet die Mappe, verteilt die Blockflöten.

FRAU ROSE: Nimm Platz, Johann Wilhelmlein.

Möbius nimmt am runden Tisch Platz. Frau Rose und Missionar
Rose setzen sich aufs Sofa. Die Buben stellen sich in der Mitte des
Salons auf.

JÖRG-LUKAS: Etwas von Buxtehude.

ADOLF-FRIEDRICH: Eins, zwei, drei.

Die Buben spielen Blockflöte.

FRAU ROSE: Inniger, Buben, inniger.

Die Buben spielen inniger. Möbius springt auf.

MÖBIUS: Lieber nicht! Bitte, lieber nicht!

Die Buben halten verwirrt inne.

MÖBIUS: Spielt nicht weiter. Bitte. Salomo zuliebe. Spielt
nicht weiter.

FRAU ROSE: Aber Johann Wilhelm!

MÖBIUS: Bitte, nicht mehr spielen. Bitte, nicht mehr spielen.
Bitte, bitte.

MISSIONAR ROSE: Herr Möbius. Gerade der König Salomo
wird sich über das Flötenspiel dieser unschuldigen Knaben
freuen. Denken Sie doch: Salomo, der Psalmdichter, Salomo,
der Sänger des Hohen Liedes!

MÖBIUS: Herr Missionar. Ich kenne Salomo von Angesicht
zu Angesicht. Er ist nicht mehr der große goldene König, der
Sulamith besingt und die Rehzwillinge, die unter Rosen wei-
den, er hat seinen Purpurmantel von sich geworfen *[Möbius*
eilt mit einem Male an der erschrockenen Familie vorbei nach hinten
zu seinem Zimmer und reißt die Türe auf], nackt und stinkend
kauert er in meinem Zimmer als der arme König der Wahrheit, und seine Psalmen sind schrecklich. Hören Sie gut zu,
Missionar, Sie lieben Psalmworte, kennen sie alle, lernen Sie
auch die auswendig:

Er ist zum runden Tisch links gegangen, kehrt ihn um, steigt in
ihn hinein, setzt sich in ihn.

Ein Psalm Salomos, den Weltraumfahrern zu singen

Wir hauten ins Weltall ab.
Zu den Wüsten des Monds. Versanken in ihrem Staub
Lautlos verreckten
Manche schon da. Doch die meisten verkochten
In den Bleidämpfen des Merkurs, lösten sich auf
In den Ölpfützen der Venus, und
Sogar auf dem Mars fraß uns die Sonne
Donnernd, radioaktiv und gelb

Jupiter stank
Ein pfeilschnell rotierender Methanbrei
Hing er so mächtig über uns
Daß wir Ganymed vollkotzten

FRAU ROSE: Aber Johann Wilhelm –
MÖBIUS:
Saturn bedachten wir mit Flüchen
Was dann weiter kam, nicht der Rede wert

Uranus, Neptun
Graugrünlich, erfroren
Über Pluto und Transpluto fielen die letzten
Unanständigen Witze.

Hatten wir doch längst die Sonne mit Sirius verwechselt
Sirius mit Kanopus

Abgetrieben trieben wir in die Tiefen hinauf
Einigen weißen Sternen zu
Die wir gleichwohl nie erreichten

Längst schon Mumien in unseren Schiffen
Verkrustet von Unrat

In den Fratzen kein Erinnern mehr
An die atmende Erde

OBERSCHWESTER: Aber, aber Herr Möbius!

Die Oberschwester hat mit Schwester Monika von rechts den Raum betreten. Möbius sitzt starr, das Gesicht maskenhaft, im umgekehrten Tisch.

MÖBIUS: Packt euch nun nach den Marianen fort!

FRAU ROSE: Johann Wilhelmlein –

DIE BUBEN: Papi –

MÖBIUS: Packt euch fort! Schleunigst! Nach den Marianen!

Er erhebt sich drohend. Die Familie Rose ist verwirrt.

OBERSCHWESTER: Kommt, Frau Rose, kommt, ihr Buben und Herr Missionar. Er muß sich beruhigen, das ist alles.

MÖBIUS: Hinaus mit euch! Hinaus!

OBERSCHWESTER: Ein leichter Anfall. Schwester Monika wird bei ihm bleiben, wird ihn beruhigen. Ein leichter Anfall.

MÖBIUS: Schiebt ab! Für immer! Nach dem Stillen Ozean!

JÖRG-LUKAS: Adieu Papi! Adieu!

Die Oberschwester führt die bestürzte und weinende Familie nach rechts hinaus. Möbius schreit ihnen hemmungslos nach.

MÖBIUS: Ich will euch nie mehr sehen! Ihr habt den König Salomo beleidigt! Ihr sollt verflucht sein! Ihr sollt mit den ganzen Marianen im Marianengraben versaufen! Elftausend Meter tief. Im schwärzesten Loch des Meeres sollt ihr verfaulen, von Gott vergessen und den Menschen!

SCHWESTER MONIKA: Wir sind allein. Ihre Familie hört Sie nicht mehr.

Möbius starrt Schwester Monika verwundert an, scheint sich endlich zu finden.

MÖBIUS: Ach so, natürlich.

314

Schwester Monika schweigt. Er ist etwas verlegen.

MÖBIUS: Ich war wohl etwas heftig?

SCHWESTER MONIKA: Ziemlich.

MÖBIUS: Ich mußte die Wahrheit sagen.

SCHWESTER MONIKA: Offenbar.

MÖBIUS: Ich regte mich auf.

SCHWESTER MONIKA: Sie verstellten sich.

MÖBIUS: Sie durchschauten mich?

SCHWESTER MONIKA: Ich pflege Sie nun zwei Jahre.

Er geht auf und ab, bleibt dann stehen.

MÖBIUS: Gut. Ich gebe es zu. Ich spielte den Wahnsinnigen.

SCHWESTER MONIKA: Weshalb?

MÖBIUS: Um von meiner Frau Abschied zu nehmen und von meinen Buben. Abschied für immer.

SCHWESTER MONIKA: Auf diese schreckliche Weise?

MÖBIUS: Auf diese humane Weise. Die Vergangenheit löscht man am besten mit einem wahnsinnigen Betragen aus, wenn man sich schon im Irrenhaus befindet: Meine Familie kann mich nun mit gutem Gewissen vergessen. Mein Auftritt hat ihr die Lust genommen, mich noch einmal aufzusuchen. Die Folgen meinerseits sind unwichtig, nur das Leben außerhalb der Anstalt zählt. Verrücktsein kostet. Fünfzehn Jahre zahlte meine gute Lina bestialische Summen, ein Schlußstrich mußte endlich gezogen werden. Der Augenblick war günstig. Salomo hat mir offenbart, was zu offenbaren war, das System aller möglichen Erfindungen ist abgeschlossen, die letzten Seiten sind diktiert, und meine Frau hat einen neuen Gatten gefunden, den kreuzbraven Missionar Rose, Sie dürfen beruhigt sein, Schwester Monika. Es ist nun alles in Ordnung.

Er will abgehen.

SCHWESTER MONIKA: Sie handelten planmäßig.

MÖBIUS: Ich bin Physiker.

Er wendet sich seinem Zimmer zu.

SCHWESTER MONIKA: Herr Möbius.

Er bleibt stehen.

MÖBIUS: Schwester Monika?

SCHWESTER MONIKA: Ich habe mit Ihnen zu reden.

MÖBIUS: Bitte.

SCHWESTER MONIKA: Es geht um uns beide.

MÖBIUS: Nehmen wir Platz.

Sie setzen sich. Sie aufs Sofa, er auf den Sessel links davon.

SCHWESTER MONIKA: Auch wir müssen voneinander Abschied nehmen. Auch für immer.

Er erschrickt.

MÖBIUS: Sie verlassen mich?

SCHWESTER MONIKA: Befehl.

MÖBIUS: Was ist geschehen?

SCHWESTER MONIKA: Man versetzt mich ins Hauptgebäude. Morgen übernehmen hier Pfleger die Bewachung. Eine Krankenschwester darf diese Villa nicht mehr betreten.

MÖBIUS: Newtons und Einsteins wegen?

SCHWESTER MONIKA: Auf Verlangen des Staatsanwalts. Die Chefärztin befürchtete Schwierigkeiten und gab nach.

Schweigen. Er ist niedergeschlagen.

MÖBIUS: Schwester Monika, ich bin unbeholfen. Ich verlernte es, Gefühle auszudrücken, die Fachsimpeleien mit den beiden Kranken, neben denen ich lebe, sind ja kaum Gespräche zu nennen. Ich bin verstummt, ich fürchte, auch innerlich. Doch Sie sollen wissen, daß für mich alles anders geworden ist, seit ich Sie kenne. Erträglicher. Nun, auch diese Zeit ist vorüber. Zwei Jahre, in denen ich etwas glücklicher war als sonst. Weil ich durch Sie, Schwester Monika, den Mut gefunden habe, meine Abgeschlossenheit und mein Schicksal als – Verrückter – auf mich zu nehmen. Leben Sie wohl.

Er steht auf und will ihr die Hand reichen.

SCHWESTER MONIKA: Herr Möbius, ich halte Sie nicht für – verrückt.

Möbius lacht, setzt sich wieder.

MÖBIUS: Ich mich auch nicht. Aber das ändert nichts an meiner Lage. Ich habe das Pech, daß mir der König Salomo erscheint. Es gibt nun einmal nichts Anstößigeres als ein Wunder im Reiche der Wissenschaft.

SCHWESTER MONIKA: Herr Möbius, ich glaube an dieses Wunder.

Möbius starrt sie fassungslos an.

MÖBIUS: Sie glauben?

SCHWESTER MONIKA: An den König Salomo.

MÖBIUS: Daß er mir erscheint?

SCHWESTER MONIKA: Daß er Ihnen erscheint.

MÖBIUS: Jeden Tag, jede Nacht?

SCHWESTER MONIKA: Jeden Tag, jede Nacht.

MÖBIUS: Daß er mir die Geheimnisse der Natur diktiert? Den Zusammenhang aller Dinge? Das System aller möglichen Erfindungen?

SCHWESTER MONIKA: Ich glaube daran. Und wenn Sie erzählten, auch noch der König David erscheine Ihnen mit seinem Hofstaat, würde ich es glauben. Ich weiß einfach, daß Sie nicht krank sind. Ich fühle es.

Stille. Dann springt Möbius auf.

MÖBIUS: Schwester Monika! Gehen Sie!

Sie bleibt sitzen.

SCHWESTER MONIKA: Ich bleibe.

MÖBIUS: Ich will Sie nie mehr sehen.

SCHWESTER MONIKA: Sie haben mich nötig. Sie haben sonst niemand mehr auf der Welt. Keinen Menschen.

MÖBIUS: Es ist tödlich, an den König Salomo zu glauben.

SCHWESTER MONIKA: Ich liebe Sie.

Möbius starrt Schwester Monika ratlos an, setzt sich wieder, Stille.

MÖBIUS *leise, niedergeschlagen:* Sie rennen in Ihr Verderben.

SCHWESTER MONIKA: Ich fürchte nicht für mich, ich fürchte für Sie. Newton und Einstein sind gefährlich.

MÖBIUS: Ich komme mit ihnen aus.

SCHWESTER MONIKA: Auch Schwester Dorothea und Schwester Irene kamen mit ihnen aus. Und dann kamen sie um.

MÖBIUS: Schwester Monika. Sie haben mir Ihren Glauben und Ihre Liebe gestanden. Sie zwingen mich, Ihnen nun auch die Wahrheit zu sagen. Ich liebe Sie ebenfalls, Monika.

Sie starrt ihn an.

MÖBIUS: Mehr als mein Leben. Und darum sind Sie in Gefahr. Weil wir uns lieben.

Aus Zimmer Nummer 2 kommt Einstein, raucht eine Pfeife.

EINSTEIN: Ich bin wieder aufgewacht.

SCHWESTER MONIKA: Aber Herr Professor.

EINSTEIN: Ich erinnerte mich plötzlich.

SCHWESTER MONIKA: Aber Herr Professor.

EINSTEIN: Ich erdrosselte Schwester Irene.

SCHWESTER MONIKA: Denken Sie nicht mehr daran, Herr Professor.

Er betrachtet seine Hände.

EINSTEIN: Ob ich noch jemals fähig bin, Geige zu spielen?

Möbius erhebt sich, wie um Monika zu schützen.

MÖBIUS: Sie geigten ja schon wieder.

EINSTEIN: Passabel?

MÖBIUS: Die Kreutzersonate. Während die Polizei da war.

EINSTEIN: Die Kreutzersonate. Gott sei Dank.

Seine Miene hat sich aufgeklärt, verdüstert sich aber wieder.

EINSTEIN: Dabei geige ich gar nicht gern, und die Pfeife liebe ich auch nicht. Sie schmeckt scheußlich.

MÖBIUS: Dann lassen Sie es sein.

EINSTEIN: Kann ich doch nicht. Als Albert Einstein.

Er schaut die beiden scharf an.

EINSTEIN: Ihr liebt einander?

SCHWESTER MONIKA: Wir lieben uns.

Einstein geht nachdenklich hinaus in den Hintergrund, wo die ermordete Schwester lag.

EINSTEIN: Auch Schwester Irene und ich liebten uns. Sie wollte alles für mich tun, die Schwester Irene. Ich warnte sie. Ich schrie sie an. Ich behandelte sie wie einen Hund. Ich flehte sie an zu fliehen. Vergeblich. Sie blieb. Sie wollte mit mir aufs Land ziehen. Nach Kohlwang. Sie wollte mich heiraten. Sogar die Bewilligung hatte sie schon. Von Fräulein Doktor von Zahnd. Da erdrosselte ich sie. Die arme Schwester Irene. Es gibt nichts Unsinnigeres auf der Welt als die Raserei, mit der sich die Weiber aufopfern.

Schwester Monika geht zu ihm.

SCHWESTER MONIKA: Legen Sie sich wieder hin, Professor.

EINSTEIN: Sie dürfen mich Albert nennen.

SCHWESTER MONIKA: Seien Sie vernünftig, Albert.

EINSTEIN: Seien Sie vernünftig, Schwester Monika. Gehorchen Sie Ihrem Geliebten und fliehen Sie! Sonst sind Sie verloren.

Er wendet sich wieder dem Zimmer Nummer 2 zu.

EINSTEIN: Ich gehe wieder schlafen.

Er verschwindet in Nummer 2.

SCHWESTER MONIKA: Dieser arme irre Mensch.

MÖBIUS: Er sollte Sie endlich von der Unmöglichkeit überzeugt haben, mich zu lieben.

SCHWESTER MONIKA: Sie sind nicht verrückt.

MÖBIUS: Es wäre vernünftiger, Sie hielten mich dafür. Fliehen Sie! Machen Sie sich aus dem Staube! Hauen Sie ab! Sonst muß ich Sie auch noch wie einen Hund behandeln.

SCHWESTER MONIKA: Behandeln Sie mich lieber wie eine Geliebte.

MÖBIUS: Kommen Sie, Monika.

Er führt sie zu einem Sessel, setzt sich ihr gegenüber, ergreift ihre Hände.

MÖBIUS: Hören Sie zu. Ich habe einen schweren Fehler begangen. Ich habe mein Geheimnis verraten, ich habe Salomos Erscheinen nicht verschwiegen. Dafür läßt er mich büßen. Lebenslänglich. In Ordnung. Aber Sie sollen nicht auch noch dafür bestraft werden. In den Augen der Welt lieben Sie einen Geisteskranken. Sie laden nur Unglück auf sich. Verlassen Sie die Anstalt, vergessen Sie mich. So ist es am besten für uns beide.

SCHWESTER MONIKA: Begehren Sie mich?

MÖBIUS: Warum reden Sie so mit mir?

SCHWESTER MONIKA: Ich will mit Ihnen schlafen, ich will Kinder von Ihnen haben. Ich weiß, ich rede schamlos. Aber warum schauen Sie mich nicht an? Gefalle ich Ihnen denn nicht? Ich gebe zu, meine Schwesterntracht ist gräßlich.

Sie reißt sich die Haube vom Haar.

SCHWESTER MONIKA: Ich hasse meinen Beruf! Fünf Jahre habe ich nun die Kranken gepflegt, im Namen der Nächstenliebe. Ich habe mein Gesicht nie abgewendet, ich war für alle da, ich habe mich aufgeopfert. Aber nun will ich mich für jemanden allein aufopfern, für jemanden allein dasein, nicht immer für andere. Ich will für meinen Geliebten dasein. Für Sie. Ich will alles tun, was Sie von mir verlangen, für Sie arbeiten Tag und Nacht, nur fortschicken dürfen Sie mich nicht! Ich habe doch auch niemanden mehr auf der Welt als Sie! Ich bin doch auch allein!

MÖBIUS: Monika. Ich muß Sie fortschicken.

SCHWESTER MONIKA *verzweifelt:* Lieben Sie mich denn gar nicht?

MÖBIUS: Ich liebe Sie, Monika. Mein Gott, ich liebe Sie, das ist ja das Wahnsinnige.

SCHWESTER MONIKA: Warum verraten Sie mich dann? Und nicht nur mich? Sie behaupten, der König Salomo erscheine Ihnen. Warum verraten Sie auch ihn?

Möbius ungeheuer erregt, packt sie.

MÖBIUS: Monika! Sie dürfen alles von mir glauben, mich für einen Schwächling halten. Ihr Recht. Ich bin unwürdig Ihrer Liebe. Aber Salomo bin ich treu geblieben. Er ist in mein Dasein eingebrochen, auf einmal, ungerufen, er hat mich mißbraucht, mein Leben zerstört, aber ich habe ihn nicht verraten.

SCHWESTER MONIKA: Sind Sie sicher?

MÖBIUS: Sie zweifeln?

SCHWESTER MONIKA: Sie glauben, dafür büßen zu müssen, weil Sie sein Erscheinen nicht verschwiegen haben. Aber vielleicht büßen Sie dafür, weil Sie sich für seine Offenbarung nicht einsetzen.

Er läßt sie fahren.

MÖBIUS: Ich – verstehe Sie nicht.

SCHWESTER MONIKA: Er diktiert Ihnen das System aller möglichen Erfindungen. Kämpften Sie für seine Anerkennung?

MÖBIUS: Man hält mich doch für verrückt.

SCHWESTER MONIKA: Warum sind Sie so mutlos?

MÖBIUS: Mut ist in meinem Falle ein Verbrechen.

SCHWESTER MONIKA: Johann Wilhelm. Ich sprach mit Fräulein Doktor von Zahnd.

Möbius starrt sie an.

MÖBIUS: Sie sprachen?

SCHWESTER MONIKA: Sie sind frei.

MÖBIUS: Frei?

SCHWESTER MONIKA: Wir dürfen uns heiraten.

MÖBIUS: Mein Gott.

SCHWESTER MONIKA: Fräulein Doktor von Zahnd hat schon alles geregelt. Sie hält Sie zwar für krank, aber für ungefährlich. Und für erblich nicht belastet. Sie selbst sei verrückter als Sie, erklärte sie und lachte.

MÖBIUS: Das ist lieb von ihr.

SCHWESTER MONIKA: Ist sie nicht ein prächtiger Mensch?

MÖBIUS: Sicher.

SCHWESTER MONIKA: Johann Wilhelm! Ich habe den Posten einer Gemeindeschwester in Blumenstein angenommen. Ich habe gespart. Wir brauchen uns nicht zu sorgen. Wir brauchen uns nur richtig liebzuhaben.

Möbius hat sich erhoben. Im Zimmer wird es allmählich dunkel.

SCHWESTER MONIKA: Ist es nicht wunderbar?

MÖBIUS: Gewiß.

SCHWESTER MONIKA: Sie freuen sich nicht.

MÖBIUS: Es kommt so unerwartet.

SCHWESTER MONIKA: Ich habe noch mehr getan.

MÖBIUS: Das wäre?

SCHWESTER MONIKA: Mit dem berühmten Physiker Professor Scherbert gesprochen.

MÖBIUS: Er war mein Lehrer.

SCHWESTER MONIKA: Er erinnerte sich genau. Sie seien sein bester Schüler gewesen.

MÖBIUS: Und was besprachen Sie mit ihm?

SCHWESTER MONIKA: Er versprach mir, Ihre Manuskripte unvoreingenommen zu prüfen.

MÖBIUS: Erklärten Sie auch, daß sie von Salomo stammen?

SCHWESTER MONIKA: Natürlich.

MÖBIUS: Und?

SCHWESTER MONIKA: Er lachte. Sie seien immer ein toller Spaßvogel gewesen. Johann Wilhelm! Wir haben nicht nur an uns zu denken. Sie sind auserwählt. Salomo ist Ihnen erschienen, offenbarte sich Ihnen in seinem Glanz, die Weisheit des Himmels wurde Ihnen zuteil. Nun haben Sie den Weg zu gehen, den das Wunder befiehlt, unbeirrbar, auch wenn der Weg durch Spott und Gelächter führt, durch Unglauben und Zweifel. Aber er führt aus dieser Anstalt. Johann Wilhelm, er führt in die Öffentlichkeit, nicht in die Einsamkeit, er führt in den Kampf. Ich bin da, dir zu helfen, mit dir zu kämpfen, der Himmel, der dir Salomo schickte, schickte auch mich.

Möbius starrt zum Fenster hinaus.

SCHWESTER MONIKA: Liebster.

MÖBIUS: Geliebte?

SCHWESTER MONIKA: Bist du nicht froh?

MÖBIUS: Sehr.

SCHWESTER MONIKA: Wir müssen nun deine Koffer packen. Acht Uhr zwanzig geht der Zug. Nach Blumenstein.

MÖBIUS: Viel ist ja nicht.

SCHWESTER MONIKA: Es ist dunkel geworden.

MÖBIUS: Die Nacht kommt jetzt früh.

SCHWESTER MONIKA: Ich mache Licht.

MÖBIUS: Warte noch. Komm zu mir.

Sie geht zu ihm. Nur noch die beiden Silhouetten sind sichtbar.

SCHWESTER MONIKA: Du hast Tränen in den Augen.

MÖBIUS: Du auch.

SCHWESTER MONIKA: Vor Glück.

Er reißt den Vorhang herunter und über sie. Kurzer Kampf. Die Silhouetten sind nicht mehr sichtbar. Dann Stille. Die Türe von Zimmer Nummer 3 öffnet sich. Ein Lichtstrahl dringt in den Raum. Newton steht in der Türe im Kostüm seines Jahrhunderts. Möbius erhebt sich.

NEWTON: Was ist geschehen?

MÖBIUS: Ich habe Schwester Monika Stettler erdrosselt.

Aus Zimmer Nummer 2 hört man Einstein geigen.

NEWTON: Da geigt Einstein wieder. Kreisler. Schön Rosmarin.

Er geht zum Kamin, holt den Kognak.

EINE STUNDE SPÄTER. DER GLEICHE RAUM. DRAUSSEN
Nacht. Wieder Polizei. Wieder messen, aufzeichnen, photographie-
ren. Nur ist jetzt die für das Publikum unsichtbare Leiche der Monika
Stettler hinten rechts unter dem Fenster anzunehmen. Der Salon ist
erleuchtet. Der Lüster brennt, die Stehlampe. Auf dem Sofa sitzt
Frl. Doktor Mathilde von Zahnd, düster, in sich versunken. Auf
dem kleinen Tisch vor ihr eine Zigarrenkiste, auf dem Sessel rechts
außen Guhl mit Stenoblock. Inspektor Voß wendet sich in Hut und
Mantel von der Leiche ab, kommt nach vorne.

FRL. DOKTOR: Eine Havanna?

INSPEKTOR: Nein, danke.

FRL. DOKTOR: Schnaps?

INSPEKTOR: Später.

Schweigen.

INSPEKTOR: Blocher, du kannst jetzt photographieren.

BLOCHER: Jawohl, Herr Inspektor.

Man photographiert. Blitzlichter.

INSPEKTOR: Wie hieß die Schwester?

FRL. DOKTOR: Monika Stettler.

INSPEKTOR: Alter?

FRL. DOKTOR: Fünfundzwanzig. Aus Blumenstein.

INSPEKTOR: Angehörige?

FRL. DOKTOR: Keine.

INSPEKTOR: Haben Sie die Aussagen, Guhl?

GUHL: Jawohl, Herr Inspektor.

INSPEKTOR: Auch erdrosselt, Doktor?

GERICHTSMEDIZINER: Eindeutig. Wieder mit Riesenkräften. Nur diesmal mit der Vorhangkordel.

INSPEKTOR: Wie vor drei Monaten.

Er setzt sich müde auf den Sessel rechts vorne.

FRL. DOKTOR: Möchten Sie nun den Mörder –

INSPEKTOR: Bitte, Fräulein Doktor.

FRL. DOKTOR: Ich meine, den Täter sehen?

INSPEKTOR: Ich denke nicht daran.

FRL. DOKTOR: Aber –

INSPEKTOR: Fräulein Doktor von Zahnd. Ich tue meine Pflicht, nehme Protokoll, besichtige die Leiche, lasse sie photographieren und durch unseren Gerichtsmediziner begutachten, aber Möbius besichtige ich nicht. Den überlasse ich Ihnen. Endgültig. Mit den andern radioaktiven Physikern.

FRL. DOKTOR: Der Staatsanwalt?

INSPEKTOR: Tobt nicht einmal mehr. Brütet.

Sie wischt sich den Schweiß ab.

FRL. DOKTOR: Heiß hier.

INSPEKTOR: Durchaus nicht.

FRL. DOKTOR: Dieser dritte Mord –

INSPEKTOR: Bitte, Fräulein Doktor.

FRL. DOKTOR: Dieser dritte Unglücksfall hat mir in Les Cerisiers gerade noch gefehlt. Ich kann abdanken. Monika Stettler war meine beste Pflegerin. Sie verstand die Kranken. Sie konnte sich einfühlen. Ich liebte sie wie eine Tochter. Aber ihr Tod ist noch nicht das Schlimmste. Mein medizinischer Ruf ist dahin.

INSPEKTOR: Der kommt schon wieder. Blocher, mache noch eine Aufnahme von oben.

BLOCHER: Jawohl, Herr Inspektor.

Von rechts schieben zwei riesenhafte Pfleger einen Wagen mit Geschirr und Essen herein. Einer der Pfleger ist ein Neger. Sie sind von einem ebenso riesenhaften Oberpfleger begleitet.

OBERPFLEGER: Das Abendbrot für die lieben Kranken, Fräulein Doktor.

Der Inspektor springt auf.

INSPEKTOR: Uwe Sievers.

OBERPFLEGER: Richtig, Herr Inspektor. Uwe Sievers. Ehemaliger Europameister im Schwergewichtsboxen. Nun Oberpfleger in Les Cerisiers.

INSPEKTOR: Und die zwei andern Ungeheuer?

OBERPFLEGER: Murillo, südamerikanischer Meister, auch im Schwergewicht, und McArthur [*er zeigt auf den Neger*], nordamerikanischer Meister, Mittelgewicht. Stell den Tisch auf, McArthur.

McArthur stellt den Tisch auf.

OBERPFLEGER: Das Tischtuch, Murillo.

Murillo breitet ein weißes Tuch über den Tisch.

OBERPFLEGER: Das Meißner Porzellan, McArthur.

McArthur verteilt das Geschirr.

OBERPFLEGER: Das Silberbesteck, Murillo.

Murillo verteilt das Besteck.

OBERPFLEGER: Die Suppenschüssel in die Mitte, McArthur.

McArthur stellt die Suppenschüssel auf den Tisch.

INSPEKTOR: Was kriegen denn unsere lieben Kranken?

Er hebt den Deckel der Suppenschüssel hoch.

INSPEKTOR: Leberknödelsuppe.

OBERPFLEGER: Poulet à la broche, Cordon bleu.

INSPEKTOR: Phantastisch.

OBERPFLEGER: Erste Klasse.

INSPEKTOR: Ich bin ein Beamter vierzehnter Klasse, da geht's zu Hause weniger kulinarisch zu.

OBERPFLEGER: Es ist angerichtet, Fräulein Doktor.

FRL. DOKTOR: Sie können gehen, Sievers. Die Patienten bedienen sich selbst.

OBERPFLEGER: Herr Inspektor, wir hatten die Ehre.

Die drei verbeugen sich und gehen nach rechts hinaus. Der Inspektor sieht ihnen nach.

INSPEKTOR: Donnerwetter.

FRL. DOKTOR: Zufrieden?

INSPEKTOR: Neidisch. Wenn wir die bei der Polizei hätten –

FRL. DOKTOR: Die Gagen sind astronomisch.

INSPEKTOR: Mit Ihren Schlotbaronen und Multimillionärinnen können Sie sich das ja leisten. Die Burschen werden den Staatsanwalt endlich beruhigen. Denen entkommt niemand.

Im Zimmer Nummer 2 hört man Einstein geigen.

INSPEKTOR: Und auch Einstein geigt wieder.

FRL. DOKTOR: Kreisler. Wie meistens. Liebesleid.

BLOCHER: Wir wären fertig, Herr Inspektor.

INSPEKTOR: Dann schafft die Leiche wieder mal hinaus.

Zwei Polizisten heben die Leiche hoch. Da stürzt Möbius aus Zimmer Nummer 1.

MÖBIUS: Monika! Meine Geliebte!

Die Polizisten mit der Leiche bleiben stehen. Fräulein Doktor erhebt sich majestätisch.

FRL. DOKTOR: Möbius! Wie konnten Sie das tun? Sie haben meine beste Krankenschwester getötet, meine sanfteste Krankenschwester, meine süßeste Krankenschwester!

MÖBIUS: Es tut mir ja so leid, Fräulein Doktor.

FRL. DOKTOR: Leid.

MÖBIUS: König Salomo befahl es.

FRL. DOKTOR: Der König Salomo ...

Sie setzt sich wieder. Schwerfällig. Bleich.

FRL. DOKTOR: Seine Majestät ordnete den Mord an.

MÖBIUS: Ich stand am Fenster und starrte in den dunklen Abend. Da schwebte der König vom Park her über die Terrasse ganz nahe an mich heran und flüsterte mir durch die Scheibe den Befehl zu.

FRL. DOKTOR: Entschuldigen Sie, Voß. Meine Nerven.

INSPEKTOR: Schon in Ordnung.

FRL. DOKTOR: So eine Anstalt reibt auf.

INSPEKTOR: Kann ich mir denken.

FRL. DOKTOR: Ich ziehe mich zurück.

Sie erhebt sich.

FRL. DOKTOR: Herr Inspektor Voß: Drücken Sie dem Staatsanwalt mein Bedauern über die Vorfälle in meinem Sanatorium aus. Versichern Sie ihm, es sei nun alles in Ordnung. Herr
Gerichtsmediziner, meine Herren, ich hatte die Ehre.

*Sie geht zuerst nach hinten links, verneigt sich vor der Leiche,
feierlich, schaut dann Möbius an, geht dann nach rechts hinaus.*

INSPEKTOR: So. Nun könnt ihr die Leiche endgültig in die
Kapelle tragen. Zu Schwester Irene.

MÖBIUS: Monika!

*Die beiden Polizisten mit der Leiche, die andern mit den Appara-
ten durch die Gartentüre ab. Der Gerichtsmediziner folgt.*

MÖBIUS: Meine geliebte Monika.

Der Inspektor tritt zum kleinen Tischchen beim Sofa.

INSPEKTOR: Jetzt benötige ich doch eine Havanna. Ich habe
sie verdient.

Nimmt eine riesige Zigarre aus der Kiste, betrachtet sie.

INSPEKTOR: Tolles Ding.

Beißt sie an, zündet sie an.

INSPEKTOR: Mein lieber Möbius, hinter dem Kamingitter ist
Sir Isaak Newtons Kognak versteckt.

MÖBIUS: Bitte, Herr Inspektor.

*Der Inspektor pafft vor sich hin, während Möbius die Kognak-
flasche und das Glas holt.*

MÖBIUS: Darf ich einschenken?

INSPEKTOR: Sie dürfen.

Er nimmt das Glas, trinkt.

MÖBIUS: Noch einen?

INSPEKTOR: Noch einen.

Möbius schenkt wieder ein.

MÖBIUS: Herr Inspektor, ich muß Sie bitten, mich zu verhaften.

329

INSPEKTOR: Aber wozu denn, mein lieber Möbius?

MÖBIUS: Weil ich doch die Schwester Monika –

INSPEKTOR: Nach Ihrem eigenen Geständnis haben Sie auf Befehl des Königs Salomo gehandelt. Solange ich den nicht verhaften kann, bleiben Sie frei.

MÖBIUS: Trotzdem –

INSPEKTOR: Es gibt kein Trotzdem. Schenken Sie mir noch einmal ein.

MÖBIUS: Bitte, Herr Inspektor.

INSPEKTOR: Und nun versorgen Sie den Kognak wieder, sonst saufen ihn die Pfleger aus.

MÖBIUS: Jawohl, Herr Inspektor.

Er versorgt den Kognak.

INSPEKTOR: Sehen Sie, ich verhafte jährlich im Städtchen und in der Umgebung einige Mörder. Nicht viele. Kaum ein Halbdutzend. Einige verhafte ich mit Vergnügen, andere tun mir leid. Aber ich muß sie trotzdem verhaften. Die Gerechtigkeit ist die Gerechtigkeit. Und nun kommen Sie und Ihre zwei Kollegen. Zuerst habe ich mich ja geärgert, daß ich nicht einschreiten durfte, doch jetzt? Ich genieße es auf einmal. Ich könnte jubeln. Ich habe drei Mörder gefunden, die ich mit gutem Gewissen nicht zu verhaften brauche. Die Gerechtigkeit macht zum ersten Male Ferien, ein immenses Gefühl. Die Gerechtigkeit, mein Freund, strengt nämlich mächtig an, man ruiniert sich in ihrem Dienst, gesundheitlich und moralisch, ich brauche einfach eine Pause. Mein Lieber, diesen Genuß verdanke ich Ihnen. Leben Sie wohl. Grüßen Sie mir Newton und Einstein recht freundlich und lassen Sie mich bei Salomo empfehlen.

MÖBIUS: Jawohl, Herr Inspektor.

Der Inspektor geht ab. Möbius ist allein. Er setzt sich auf das Sofa, preßt mit den Händen seine Schläfen. Aus Zimmer Nummer 3 kommt Newton.

NEWTON: Was gibt es denn?

Möbius schweigt. Newton deckt die Suppenschüssel auf.

NEWTON: Leberknödelsuppe.

Deckt die anderen Speisen auf dem Wagen auf.

NEWTON: Poulet à la broche, Cordon bleu. Merkwürdig. Sonst essen wir doch abends leicht. Und bescheiden. Seit die andern Patienten im Neubau sind.

Er serviert sich Suppe.

NEWTON: Keinen Hunger?

Möbius schweigt.

NEWTON: Verstehe. Nach meiner Krankenschwester verging mir auch der Appetit.

Er setzt sich und beginnt Leberknödelsuppe zu essen. Möbius erhebt sich und will auf sein Zimmer gehen.

NEWTON: Bleiben Sie.

MÖBIUS: Sir Isaak?

NEWTON: Ich habe mit Ihnen zu reden, Möbius.

Möbius bleibt stehen.

MÖBIUS: Und?

Newton deutet auf das Essen.

NEWTON: Möchten Sie nicht vielleicht doch die Leberknödelsuppe versuchen? Sie schmeckt vorzüglich.

MÖBIUS: Nein.

NEWTON: Mein lieber Möbius, wir werden nicht mehr von Schwestern betreut, wir werden von Pflegern bewacht. Von riesigen Burschen.

MÖBIUS: Das spielt doch keine Rolle.

NEWTON: Vielleicht nicht für Sie, Möbius. Sie wünschen ja offenbar Ihr ganzes Leben im Irrenhaus zu verbringen. Aber für mich spielt es eine Rolle. Ich will nämlich hinaus.

Er beendet die Leberknödelsuppe.

NEWTON: Na. Gehen wir mal zum Poulet à la broche über.

Er serviert sich.

NEWTON: Die Pfleger zwingen mich zu handeln. Noch heute.

MÖBIUS: Ihre Sache.

NEWTON: Nicht ganz. Ein Geständnis, Möbius: Ich bin nicht verrückt.

MÖBIUS: Aber natürlich nicht, Sir Isaak.

NEWTON: Ich bin nicht Sir Isaak Newton.

MÖBIUS: Ich weiß. Albert Einstein.

NEWTON: Blödsinn. Auch nicht Herbert Georg Beutler, wie man hier glaubt. Mein wahrer Name lautet Kilton, mein Junge.

Möbius starrt ihn erschrocken an.

MÖBIUS: Alec Jasper Kilton?

NEWTON: Richtig.

MÖBIUS: Der Begründer der Entsprechungslehre?

NEWTON: Der.

Möbius kommt zum Tisch.

MÖBIUS: Sie haben sich hier eingeschlichen?

NEWTON: Indem ich den Verrückten spielte.

MÖBIUS: Um mich – auszuspionieren?

NEWTON: Um hinter den Grund Ihrer Verrücktheit zu kommen. Mein tadelloses Deutsch ist mir im Lager unseres Geheimdienstes beigebracht worden, eine schreckliche Arbeit.

MÖBIUS: Und weil die arme Schwester Dorothea auf die Wahrheit kam, haben Sie –

NEWTON: Habe ich. Der Vorfall tut mir außerordentlich leid.

MÖBIUS: Verstehe.

NEWTON: Befehl ist Befehl.

MÖBIUS: Selbstverständlich.

NEWTON: Ich durfte nicht anders handeln.

MÖBIUS: Natürlich nicht.

NEWTON: Meine Mission stand in Frage, das geheimste Unternehmen unseres Geheimdienstes. Ich mußte töten, wollte ich jeden Verdacht vermeiden. Schwester Dorothea hielt mich nicht mehr für verrückt, die Chefärztin nur für mäßig erkrankt, es galt meinen Wahnsinn durch einen Mord endgültig zu beweisen. Sie, das Poulet à la broche schmeckt aber wirklich großartig.

Aus Zimmer Nummer 2 hört man Einstein geigen.

MÖBIUS: Da geigt Einstein wieder.

NEWTON: Die Gavotte von Bach.

MÖBIUS: Sein Essen wird kalt.

NEWTON: Lassen Sie den Verrückten ruhig weitergeigen.

MÖBIUS: Eine Drohung?

NEWTON: Ich verehre Sie unermeßlich. Es würde mir leid tun, energisch vorgehen zu müssen.

MÖBIUS: Sie haben den Auftrag, mich zu entführen?

NEWTON: Falls sich der Verdacht unseres Geheimdienstes bestätigt.

MÖBIUS: Der wäre?

NEWTON: Er hält Sie zufällig für den genialsten Physiker der Gegenwart.

MÖBIUS: Ich bin ein schwer nervenkranker Mensch, Kilton, nichts weiter.

NEWTON: Unser Geheimdienst ist darüber anderer Ansicht.

MÖBIUS: Und was glauben Sie von mir?

NEWTON: Ich halte Sie schlicht für den größten Physiker aller Zeiten.

MÖBIUS: Und wie kam Ihr Geheimdienst auf meine Spur?

NEWTON: Durch mich. Ich las zufällig Ihre Dissertation über die Grundlagen einer neuen Physik. Zuerst hielt ich die Abhandlung für eine Spielerei. Dann fiel es mir wie Schuppen von den Augen. Ich hatte es mit dem genialsten Dokument der neueren Physik zu tun. Ich begann über den Verfasser nachzuforschen und kam nicht weiter. Darauf informierte ich den Geheimdienst, und der kam dann weiter.

EINSTEIN: Sie waren nicht der einzige Leser der Dissertation, Kilton.

Er ist unbemerkt mit seiner Geige unter dem Arm und mit seinem Geigenbogen aus Zimmer Nummer 2 erschienen.

EINSTEIN: Ich bin nämlich auch nicht verrückt. Darf ich mich vorstellen? Ich bin ebenfalls Physiker. Mitglied eines Geheim-

dienstes. Aber eines ziemlich anderen. Mein Name ist Joseph
Eisler.

MÖBIUS: Der Entdecker des Eisler-Effekts?

EINSTEIN: Der.

NEWTON: Neunzehnhundertfünfzig verschollen.

EINSTEIN: Freiwillig.

Newton hält plötzlich einen Revolver in der Hand.

NEWTON: Darf ich bitten, Eisler, sich mit dem Gesicht gegen
die Wand zu stellen?

EINSTEIN: Aber natürlich.

*Er schlendert gemächlich zum Kamin, legt seine Geige auf das
Kaminsims, kehrt sich dann plötzlich um, einen Revolver in der
Hand.*

EINSTEIN: Mein bester Kilton. Da wir beide, wie ich vermute,
mit Waffen tüchtig umzugehen wissen, wollen wir doch ein
Duell möglichst vermeiden, finden Sie nicht? Ich lege meinen
Browning gern zur Seite, falls Sie auch Ihren Colt –

NEWTON: Einverstanden.

EINSTEIN: Hinter das Kamingitter zum Kognak. Im Falle, es
kämen plötzlich die Pfleger.

NEWTON: Schön.

Beide legen ihre Revolver hinter das Kamingitter.

EINSTEIN: Sie brachten meine Pläne durcheinander, Kilton,
Sie hielt ich wirklich für verrückt.

NEWTON: Trösten Sie sich: Ich Sie auch.

EINSTEIN: Überhaupt ging manches schief. Die Sache mit der
Schwester Irene zum Beispiel heute nachmittag. Sie hatte Ver-
dacht geschöpft, und damit war ihr Todesurteil gefällt. Der
Vorfall tut mir außerordentlich leid.

MÖBIUS: Verstehe.

EINSTEIN: Befehl ist Befehl.

MÖBIUS: Selbstverständlich.

EINSTEIN: Ich konnte nicht anders handeln.

MÖBIUS: Natürlich nicht.

334

EINSTEIN: Auch meine Mission stand in Frage, das geheimste Unternehmen auch meines Geheimdienstes. Setzen wir uns?

NEWTON: Setzen wir uns.

Er setzt sich links an den Tisch, Einstein rechts.

MÖBIUS: Ich nehme an, Eisler, auch Sie wollen mich nun zwingen –

EINSTEIN: Aber Möbius.

MÖBIUS: – bewegen, Ihr Land aufzusuchen.

EINSTEIN: Auch wir halten Sie schließlich für den größten aller Physiker. Aber nun bin ich auf das Abendessen gespannt. Die reinste Henkersmahlzeit.

Er schöpft sich Suppe.

EINSTEIN: Immer noch keinen Appetit, Möbius?

MÖBIUS: Doch. Plötzlich. Jetzt, wo ihr dahintergekommen seid.

Er setzt sich zwischen die beiden an den Tisch, schöpft sich ebenfalls Suppe.

NEWTON: Burgunder, Möbius?

MÖBIUS: Schenken Sie ein.

Newton schenkt ein.

NEWTON: Ich nehme das Cordon bleu in Angriff.

MÖBIUS: Tun Sie sich keinen Zwang an.

NEWTON: Mahlzeit.

EINSTEIN: Mahlzeit.

MÖBIUS: Mahlzeit.

Sie essen. Von rechts kommen die drei Pfleger, der Oberpfleger mit Notizbuch.

OBERPFLEGER: Patient Beutler!

NEWTON: Hier.

OBERPFLEGER: Patient Ernesti!

EINSTEIN: Hier.

OBERPFLEGER: Patient Möbius!

MÖBIUS: Hier.

OBERPFLEGER: Oberpfleger Sievers, Pfleger Murillo, Pfleger McArthur.

Er steckt das Notizbuch wieder ein.

OBERPFLEGER: Auf Anraten der Behörde sind gewisse Sicherheitsmaßnahmen zu treffen. Murillo, die Gitter zu.

*Murillo läßt beim Fenster ein Gitter herunter. Der Raum hat nun
auf einmal etwas von einem Gefängnis.*

OBERPFLEGER: McArthur, schließ ab.

McArthur schließt das Gitter ab.

OBERPFLEGER: Haben die Herren für die Nacht noch einen
Wunsch? Patient Beutler?

NEWTON: Nein.

OBERPFLEGER: Patient Ernesti?

EINSTEIN: Nein.

OBERPFLEGER: Patient Möbius?

MÖBIUS: Nein.

OBERPFLEGER: Meine Herren. Wir empfehlen uns. Gute
Nacht.

Die drei Pfleger ab. Stille.

EINSTEIN: Biester.

NEWTON: Im Park lauern noch weitere Kolosse. Ich habe sie
längst von meinem Fenster aus beobachtet.

Einstein erhebt sich und untersucht das Gitter.

EINSTEIN: Solid. Mit einem Spezialschloß.

Newton geht zu seiner Zimmertüre, öffnet sie, schaut hinein.

NEWTON: Auch vor meinem Fenster mit einemmal ein Gitter.
Wie hingezaubert.

Er öffnet die beiden andern Türen im Hintergrund.

NEWTON: Auch bei Eisler. Und bei Möbius.

Er geht zur Türe rechts.

NEWTON: Abgeschlossen.

Er setzt sich wieder. Auch Einstein.

EINSTEIN: Gefangen.

NEWTON: Logisch. Wir mit unseren Krankenschwestern.

EINSTEIN: Jetzt kommen wir nur noch aus dem Irrenhaus,
wenn wir gemeinsam vorgehen.

336

MÖBIUS: Ich will ja gar nicht fliehen.

EINSTEIN: Möbius –

MÖBIUS: Ich finde nicht den geringsten Grund dazu. Im Gegenteil. Ich bin mit meinem Schicksal zufrieden.

Schweigen.

NEWTON: Doch ich bin nicht damit zufrieden, ein ziemlich entscheidender Umstand, finden Sie nicht? Ihre persönlichen Gefühle in Ehren, aber Sie sind ein Genie und als solches Allgemeingut. Sie drangen in neue Gebiete der Physik vor. Aber Sie haben die Wissenschaft nicht gepachtet. Sie haben die Pflicht, die Türe auch uns aufzuschließen, den Nicht-Genialen. Kommen Sie mit mir, in einem Jahr stecken wir Sie in einen Frack, transportieren Sie nach Stockholm, und Sie erhalten den Nobelpreis.

MÖBIUS: Ihr Geheimdienst ist uneigennützig.

NEWTON: Ich gebe zu, Möbius, daß ihn vor allem die Vermutung beeindruckt, Sie hätten das Problem der Gravitation gelöst.

MÖBIUS: Stimmt.

Stille.

EINSTEIN: Das sagen Sie so seelenruhig?

MÖBIUS: Wie soll ich es denn sonst sagen?

EINSTEIN: Mein Geheimdienst glaubte, Sie würden die einheitliche Theorie der Elementarteilchen –

MÖBIUS: Auch Ihren Geheimdienst kann ich beruhigen. Die einheitliche Feldtheorie ist gefunden.

Newton wischt sich mit der Serviette den Schweiß von der Stirne.

NEWTON: Die Weltformel.

EINSTEIN: Zum Lachen. Da versuchen Horden gut besoldeter Physiker in riesigen staatlichen Laboratorien seit Jahren vergeblich in der Physik weiterzukommen, und Sie erledigen das en passant im Irrenhaus am Schreibtisch.

Er wischt sich ebenfalls mit der Serviette den Schweiß von der Stirne.

NEWTON: Und das System aller möglichen Erfindungen, Möbius?

MÖBIUS: Gibt es auch. Ich stellte es aus Neugierde auf, als praktisches Kompendium zu meinen theoretischen Arbeiten. Soll ich den Unschuldigen spielen? Was wir denken, hat seine Folgen. Es war meine Pflicht, die Auswirkungen zu studieren, die meine Feldtheorie und meine Gravitationslehre haben würden. Das Resultat ist verheerend. Neue, unvorstellbare Energien würden freigesetzt und eine Technik ermöglicht, die jeder Phantasie spottet, falls meine Untersuchung in die Hände der Menschen fiele.

EINSTEIN: Das wird sich kaum vermeiden lassen.

NEWTON: Die Frage ist nur, wer zuerst an sie herankommt.

Möbius lacht.

MÖBIUS: Sie wünschen dieses Glück wohl Ihrem Geheimdienst, Kilton, und dem Generalstab, der dahintersteht?

NEWTON: Warum nicht? Um den größten Physiker aller Zeiten in die Gemeinschaft der Physiker zurückzuführen, ist mir jeder Generalstab heilig. Es geht um die Freiheit unserer Wissenschaft und um nichts weiter. Wer diese Freiheit garantiert, ist gleichgültig. Ich diene jedem System, läßt mich das System in Ruhe. Ich weiß, man spricht heute von der Verantwortung der Physiker. Wir haben es auf einmal mit der Furcht zu tun und werden moralisch. Das ist Unsinn. Wir haben Pionierarbeit zu leisten und nichts außerdem. Ob die Menschheit den Weg zu gehen versteht, den wir ihr bahnen, ist ihre Sache, nicht die unsrige.

EINSTEIN: Zugegeben. Wir haben Pionierarbeit zu leisten. Das ist auch meine Meinung. Doch dürfen wir die Verantwortung nicht ausklammern. Wir liefern der Menschheit gewaltige Machtmittel. Das gibt uns das Recht, Bedingungen zu stellen. Wir müssen Machtpolitiker werden, weil wir Physiker sind. Wir müssen entscheiden, zu wessen Gunsten wir unsere Wissenschaft anwenden, und ich habe mich entschieden. Sie dagegen sind ein jämmerlicher Ästhet, Kilton. Warum kommen Sie dann nicht zu uns, wenn Ihnen nur an der Freiheit der Wissenschaft gelegen ist? Auch wir können es uns schon längst nicht mehr leisten, die Physiker zu bevormunden. Auch wir brauchen Resultate. Auch unser politisches System muß der Wissenschaft aus der Hand fressen.

NEWTON: Unsere beiden politischen Systeme, Eisler, müssen jetzt vor allem Möbius aus der Hand fressen.

EINSTEIN: Im Gegenteil. Er wird uns gehorchen müssen. Wir beide halten ihn schließlich in Schach.

NEWTON: Wirklich? Wir beide halten wohl mehr uns in Schach. Unsere Geheimdienste sind leider auf die gleiche Idee gekommen. Machen wir uns doch nichts vor. Überlegen wir doch die unmögliche Lage, in die wir dadurch geraten sind. Geht Möbius mit Ihnen, kann ich nichts dagegen tun, weil Sie es verhindern würden. Und Sie wären hilflos, wenn sich Möbius zu meinen Gunsten entschlösse. Er kann hier wählen, nicht wir.

Einstein erhebt sich feierlich.

EINSTEIN: Holen wir die Revolver.

Newton erhebt sich ebenfalls.

NEWTON: Kämpfen wir.

Newton holt die beiden Revolver hinter dem Kamingitter, gibt Einstein dessen Waffe.

EINSTEIN: Es tut mir leid, daß die Angelegenheit ein blutiges Ende findet. Aber wir müssen schießen. Aufeinander und auf die Wärter ohnehin. Im Notfall auch auf Möbius. Er mag der wichtigste Mann der Welt sein, seine Manuskripte sind wichtiger.

MÖBIUS: Meine Manuskripte? Ich habe sie verbrannt.

Totenstille.

EINSTEIN: Verbrannt?

MÖBIUS *verlegen:* Vorhin. Bevor die Polizei zurückkam. Um sicherzugehen.

Einstein bricht in ein verzweifeltes Gelächter aus.

EINSTEIN: Verbrannt.

Newton schreit wütend auf.

NEWTON: Die Arbeit von fünfzehn Jahren.

EINSTEIN: Es ist zum Wahnsinnigwerden.

NEWTON: Offiziell sind wir es ja schon.

Sie stecken ihre Revolver ein und setzen sich vernichtet aufs Sofa.

EINSTEIN: Damit sind wir Ihnen endgültig ausgeliefert, Möbius.

NEWTON: Und dafür mußte ich eine Krankenschwester erdrosseln und Deutsch lernen.

EINSTEIN: Während man mir das Geigen beibrachte: Eine Tortur für einen völlig unmusikalischen Menschen.

MÖBIUS: Essen wir nicht weiter?

NEWTON: Der Appetit ist mir vergangen.

EINSTEIN: Schade um das Cordon bleu.

Möbius steht auf.

MÖBIUS: Wir sind drei Physiker. Die Entscheidung, die wir zu fällen haben, ist eine Entscheidung unter Physikern. Wir müssen wissenschaftlich vorgehen. Wir dürfen uns nicht von Meinungen bestimmen lassen, sondern von logischen Schlüssen. Wir müssen versuchen, das Vernünftige zu finden. Wir dürfen uns keinen Denkfehler leisten, weil ein Fehlschluß zur Katastrophe führen müßte. Der Ausgangspunkt ist klar. Wir haben alle drei das gleiche Ziel im Auge, doch unsere Taktik ist verschieden. Das Ziel ist der Fortgang der Physik. Sie wollen ihr die Freiheit bewahren, Kilton, und streiten ihr die Verantwortung ab. Sie dagegen, Eisler, verpflichten die Physik im Namen der Verantwortung der Machtpolitik eines bestimmten Landes. Wie sieht nun aber die Wirklichkeit aus? Darüber verlange ich Auskunft, soll ich mich entscheiden.

NEWTON: Einige der berühmtesten Physiker erwarten Sie. Besoldung und Unterkunft ideal, die Gegend mörderisch, aber die Klimaanlagen ausgezeichnet.

MÖBIUS: Sind diese Physiker frei?

NEWTON: Mein lieber Möbius. Diese Physiker erklären sich

bereit, wissenschaftliche Probleme zu lösen, die für die Landesverteidigung entscheidend sind. Sie müssen daher verstehen –

MÖBIUS: Also nicht frei.

Er wendet sich Einstein zu.

MÖBIUS: Joseph Eisler. Sie treiben Machtpolitik. Dazu gehört
jedoch Macht. Besitzen Sie die?

EINSTEIN: Sie mißverstehen mich, Möbius. Meine Machtpolitik besteht gerade darin, daß ich zugunsten einer Partei auf
meine Macht verzichtet habe.

MÖBIUS: Können Sie die Partei im Sinne Ihrer Verantwortung lenken, oder laufen Sie Gefahr, von der Partei gelenkt zu
werden?

EINSTEIN: Möbius! Das ist doch lächerlich. Ich kann natürlich
nur hoffen, die Partei befolge meine Ratschläge, mehr nicht.
Ohne Hoffnung gibt es nun einmal keine politische Haltung.

MÖBIUS: Sind wenigstens Ihre Physiker frei?

EINSTEIN: Da auch sie für die Landesverteidigung ...

MÖBIUS: Merkwürdig. Jeder preist mir eine andere Theorie
an, doch die Realität, die man mir bietet, ist dieselbe: ein Gefängnis. Da ziehe ich mein Irrenhaus vor. Es gibt mir wenigstens die Sicherheit, von Politikern nicht ausgenützt zu werden.

EINSTEIN: Gewisse Risiken muß man schließlich eingehen.

MÖBIUS: Es gibt Risiken, die man nie eingehen darf: Der
Untergang der Menschheit ist ein solches. Was die Welt mit
den Waffen anrichtet, die sie schon besitzt, wissen wir, was sie
mit jenen anrichten würde, die ich ermögliche, können wir uns
denken. Dieser Einsicht habe ich mein Handeln untergeordnet.
Ich war arm. Ich besaß eine Frau und drei Kinder. Auf der Universität winkte Ruhm, in der Industrie Geld. Beide Wege waren zu gefährlich. Ich hätte meine Arbeiten veröffentlichen
müssen, der Umsturz unserer Wissenschaft und das Zusam-
menbrechen des wirtschaftlichen Gefüges wären die Folgen
gewesen. Die Verantwortung zwang mir einen anderen Weg

auf. Ich ließ meine akademische Karriere fahren, die Industrie fallen und überließ meine Familie ihrem Schicksal. Ich wählte die Narrenkappe. Ich gab vor, der König Salomo erscheine mir, und schon sperrte man mich in ein Irrenhaus.

NEWTON: Das war doch keine Lösung!

MÖBIUS: Die Vernunft forderte diesen Schritt. Wir sind in unserer Wissenschaft an die Grenzen des Erkennbaren gestoßen. Wir wissen einige genau erfaßbare Gesetze, einige Grundbeziehungen zwischen unbegreiflichen Erscheinungen, das ist alles, der gewaltige Rest bleibt Geheimnis, dem Verstande unzugänglich. Wir haben das Ende unseres Weges erreicht. Aber die Menschheit ist noch nicht so weit. Wir haben uns vorgekämpft, nun folgt uns niemand nach, wir sind ins Leere gestoßen. Unsere Wissenschaft ist schrecklich geworden, unsere Forschung gefährlich, unsere Erkenntnis tödlich. Es gibt für uns Physiker nur noch die Kapitulation vor der Wirklichkeit. Sie ist uns nicht gewachsen. Sie geht an uns zugrunde. Wir müssen unser Wissen zurücknehmen, und ich habe es zurückgenommen. Es gibt keine andere Lösung, auch für euch nicht.

EINSTEIN: Was wollen Sie damit sagen?

MÖBIUS: Ihr müßt bei mir im Irrenhaus bleiben.

NEWTON: Wir?

MÖBIUS: Ihr beide.

Schweigen.

NEWTON: Möbius! Sie können von uns doch nicht verlangen, daß wir ewig –

MÖBIUS: Ihr besitzt Geheimsender?

EINSTEIN: Na und?

MÖBIUS: Ihr benachrichtigt eure Auftraggeber. Ihr hättet euch geirrt. Ich sei wirklich verrückt.

EINSTEIN: Dann sitzen wir hier lebenslänglich. Gescheiterten Spionen kräht kein Hahn mehr nach.

MÖBIUS: Meine einzige Chance, doch noch unentdeckt zu bleiben. Nur im Irrenhaus sind wir noch frei. Nur im Irrenhaus dürfen wir noch denken. In der Freiheit sind unsere Gedanken Sprengstoff.

NEWTON: Wir sind doch schließlich nicht verrückt.

MÖBIUS: Aber Mörder.

Sie starren ihn verblüfft an.

NEWTON: Ich protestiere!

EINSTEIN: Das hätten Sie nicht sagen dürfen, Möbius!

MÖBIUS: Wer tötet, ist ein Mörder, und wir haben getötet. Jeder von uns hatte einen Auftrag, der ihn in diese Anstalt führte. Jeder von uns tötete seine Krankenschwester für einen bestimmten Zweck. Ihr, um eure geheime Mission nicht zu gefährden, ich, weil Schwester Monika an mich glaubte. Sie hielt mich für ein verkanntes Genie. Sie begriff nicht, daß es heute die Pflicht eines Genies ist, verkannt zu bleiben. Töten ist etwas Schreckliches. Ich habe getötet, damit nicht ein noch schrecklicheres Morden anhebe. Nun seid ihr gekommen. Euch kann ich nicht beseitigen, aber vielleicht überzeugen? Sollen unsere Morde sinnlos werden? Entweder haben wir geopfert oder gemordet. Entweder bleiben wir im Irrenhaus, oder die Welt wird eines. Entweder löschen wir uns im Gedächtnis der Menschen aus, oder die Menschheit erlischt.

Schweigen.

NEWTON: Möbius!

MÖBIUS: Kilton?

NEWTON: Diese Anstalt. Diese schrecklichen Pfleger. Diese bucklige Ärztin!

MÖBIUS: Nun?

EINSTEIN: Man sperrt uns ein wie wilde Tiere!

MÖBIUS: Wir sind wilde Tiere. Man darf uns nicht auf die Menschheit loslassen.

Schweigen.

NEWTON: Gibt es wirklich keinen andern Ausweg?

MÖBIUS: Keinen.

Schweigen.

343

EINSTEIN: Johann Wilhelm Möbius. Ich bin ein anständiger Mensch. Ich bleibe.

Schweigen.

NEWTON: Ich bleibe auch. Für immer.

Schweigen.

MÖBIUS: Ich danke euch. Um der kleinen Chance willen, die nun die Welt doch noch besitzt, davonzukommen.

Er erhebt sein Glas.

MÖBIUS: Auf unsere Krankenschwestern!

Sie haben sich feierlich erhoben.

NEWTON: Ich trinke auf Dorothea Moser.

DIE BEIDEN ANDERN: Auf Schwester Dorothea!

NEWTON: Dorothea! Ich mußte dich opfern. Ich gab dir den Tod für deine Liebe! Nun will ich mich deiner würdig erweisen.

EINSTEIN: Ich trinke auf Irene Straub.

DIE BEIDEN ANDERN: Auf Schwester Irene!

EINSTEIN: Irene! Ich mußte dich opfern. Dich zu loben und deine Hingabe zu preisen, will ich vernünftig handeln.

MÖBIUS: Ich trinke auf Monika Stettler.

DIE BEIDEN ANDERN: Auf Schwester Monika!

MÖBIUS: Monika! Ich mußte dich opfern. Deine Liebe segne die Freundschaft, die wir drei Physiker in deinem Namen geschlossen haben. Gib uns die Kraft, als Narren das Geheimnis unserer Wissenschaft treu zu bewahren.

Sie trinken, stellen die Gläser auf den Tisch.

NEWTON: Verwandeln wir uns wieder in Verrückte. Geistern wir als Newton daher.

EINSTEIN: Fiedeln wir wieder Kreisler und Beethoven.

MÖBIUS: Lassen wir wieder Salomo erscheinen.

NEWTON: Verrückt, aber weise.

EINSTEIN: Gefangen, aber frei.

MÖBIUS: Physiker, aber unschuldig.

Die drei winken sich zu, gehen auf ihre Zimmer. Der Raum ist leer. Von rechts kommen McArthur und Murillo. Sie tragen nun beide eine schwarze Uniform mit Mütze und Pistolen. Sie räumen den Tisch ab. McArthur fährt den Wagen mit dem Geschirr nach rechts hinaus, Murillo stellt den runden Tisch vor das Fenster rechts, auf ihn die umgekehrten Stühle, wie beim Aufräumen in einer Wirtschaft. Dann geht auch Murillo nach rechts hinaus. Der Raum ist wieder leer. Dann kommt von rechts Fräulein Doktor Mathilde von Zahnd. Wie immer mit weißem Ärztekittel. Stethoskop. Sie schaut sich um. Endlich kommt noch Sievers, ebenfalls in schwarzer Uniform.

OBERPFLEGER: Boß.

FRL. DOKTOR: Sievers, das Bild.

McArthur und Murillo tragen ein großes Porträt in einem schweren goldenen Rahmen herein, einen General darstellend. Sievers hängt das alte Porträt ab und das neue auf.

FRL. DOKTOR: Der General Leonidas von Zahnd ist hier besser aufgehoben als bei den Weibern. Er sieht immer noch großartig aus, der alte Haudegen, trotz seines Basedows. Er liebte Heldentode, und sowas hat in diesem Hause ja nun stattgefunden.

Sie betrachtet das Bild ihres Vaters.

FRL. DOKTOR: Dafür kommt der Geheimrat in die Frauenabteilung zu den Millionärinnen. Stellt ihn einstweilen in den Korridor.

McArthur und Murillo tragen das Bild nach rechts hinaus.

FRL. DOKTOR: Ist Generaldirektor Fröben gekommen mit seinen Helden?

OBERPFLEGER: Sie warten im grünen Salon. Soll ich Sekt und Kaviar bereitstellen?

FRL. DOKTOR: Die Koryphäen sind nicht da, um zu schlemmen, sondern um zu arbeiten.

Sie setzt sich aufs Sofa.

FRL. DOKTOR: Holen Sie nun Möbius, Sievers.

OBERPFLEGER: Zu Befehl, Boß.

Er geht zu Zimmer Nummer 1, öffnet die Türe.

OBERPFLEGER: Möbius, rauskommen!

Möbius erscheint. Wie verklärt.

MÖBIUS: Eine andächtige Nacht. Tiefblau und fromm. Die Nacht des mächtigen Königs. Sein weißer Schatten löst sich von der Wand. Seine Augen leuchten.

Schweigen.

FRL. DOKTOR: Möbius. Auf Anordnung des Staatsanwaltes darf ich nur in Anwesenheit eines Wärters mit Ihnen reden.

MÖBIUS: Verstehe, Fräulein Doktor.

FRL. DOKTOR: Was ich zu sagen habe, geht auch Ihre Kollegen an.

McArthur und Murillo sind zurückgekommen.

FRL. DOKTOR: McArthur und Murillo. Holt die beiden andern.

McArthur und Murillo öffnen die Türen Nummer 2 und 3.

MURILLO UND MC ARTHUR: Rauskommen!

Newton und Einstein kommen. Auch verklärt.

NEWTON: Eine geheimnisvolle Nacht. Unendlich und erhaben. Durch das Gitter meines Fensters funkeln Jupiter und Saturn, offenbaren die Gesetze des Alls.

EINSTEIN: Eine glückliche Nacht. Tröstlich und gut. Die Rätsel schweigen, die Fragen sind verstummt. Ich möchte geigen und nie mehr enden.

FRL. DOKTOR: Alec Jasper Kilton und Joseph Eisler, ich habe mit euch zu reden.

Die beiden starren sie verwundert an.

NEWTON: Sie – wissen?

Die beiden wollen ihre Revolver ziehen, werden aber von Murillo und McArthur entwaffnet.

FRL. DOKTOR: Ihr Gespräch, meine Herren, ist abgehört worden; ich hatte schon längst Verdacht geschöpft. Holt Kiltons und Eislers Geheimsender, McArthur und Murillo.

OBERPFLEGER: Die Hände hinter den Nacken, ihr drei!

Möbius, Einstein und Newton legen die Hände hinter den Nacken, McArthur und Murillo gehen in Zimmer 2 und 3.

NEWTON: Drollig!

Er lacht. Allein. Gespenstig.

EINSTEIN: Ich weiß nicht –

NEWTON: Ulkig!

Lacht wieder. Verstummt. McArthur und Murillo kommen mit den Geheimsendern zurück.

OBERPFLEGER: Hände runter!

Die Physiker gehorchen. Schweigen.

FRL. DOKTOR: Die Scheinwerfer, Sievers.

OBERPFLEGER: O.K., Boß.

Er hebt die Hand. Von außen tauchen Scheinwerfer die Physiker in ein blendendes Licht. Gleichzeitig hat Sievers innen das Licht ausgelöscht.

FRL. DOKTOR: Die Villa ist von Wärtern umstellt. Ein Fluchtversuch ist sinnlos.

Zu den Pflegern.

FRL. DOKTOR: Raus, ihr drei!

Die drei Pfleger verlassen den Raum, tragen die Waffen und Geräte hinaus. Schweigen.

FRL. DOKTOR: Nur ihr sollt mein Geheimnis wissen. Ihr allein von den Menschen. Weil es keine Rolle mehr spielt, wenn ihr es wißt.

Schweigen.

FRL. DOKTOR *feierlich:* Auch mir ist der goldene König Salomo erschienen.

Die drei starren sie verblüfft an.

MÖBIUS: Salomo?

FRL. DOKTOR: All die Jahre.

Newton lacht leise auf.

FRL. DOKTOR *unbeirrbar:* Zuerst in meinem Arbeitszimmer. An einem Sommerabend. Draußen schien noch die Sonne, und im Park hämmerte ein Specht, als auf einmal der goldene König heranschwebte. Wie ein gewaltiger Engel.

EINSTEIN: Sie ist wahnsinnig geworden.

FRL. DOKTOR: Sein Blick ruhte auf mir. Seine Lippen öffneten sich. Er begann mit seiner Magd zu reden. Er war von den Toten auferstanden, er wollte die Macht wieder übernehmen, die ihm einst hienieden gehörte, er hatte seine Weisheit enthüllt, damit in seinem Namen Möbius auf Erden herrsche.

EINSTEIN: Sie muß interniert werden. Sie gehört in ein Irrenhaus.

FRL. DOKTOR: Aber Möbius verriet ihn. Er versuchte zu verschweigen, was nicht verschwiegen werden konnte. Denn was ihm offenbart worden war, ist kein Geheimnis. Weil es denkbar ist. Alles Denkbare wird einmal gedacht. Jetzt oder in der Zukunft. Was Salomo gefunden hatte, kann einmal auch ein anderer finden, es sollte die Tat des goldenen Königs bleiben, das Mittel zu seiner heiligen Weltherrschaft, und so suchte er mich auf, seine unwürdige Dienerin.

EINSTEIN *eindringlich:* Sie sind verrückt. Hören Sie, Sie sind verrückt.

FRL. DOKTOR: Er befahl mir, Möbius abzusetzen und an seiner Stelle zu herrschen. Ich gehorchte dem Befehl. Ich war Ärztin und Möbius mein Patient. Ich konnte mit ihm tun, was ich wollte. Ich betäubte ihn, jahrelang, immer wieder, und photokopierte die Aufzeichnungen des goldenen Königs, bis ich auch die letzten Seiten besaß.

NEWTON: Sie sind übergeschnappt! Vollkommen! Begreifen Sie doch endlich! [*leise*] Wir alle sind übergeschnappt.

FRL. DOKTOR: Ich ging behutsam vor. Ich beutete zuerst nur wenige Erfindungen aus, das nötige Kapital anzusammeln. Dann gründete ich Riesenwerke, erstand eine Fabrik um die andere und baute einen mächtigen Trust auf. Ich werde das System aller möglichen Erfindungen auswerten, meine Herren.

MÖBIUS *eindringlich:* Fräulein Doktor Mathilde von Zahnd: Sie sind krank. Salomo ist nicht wirklich. Er ist mir nie erschienen.

FRL. DOKTOR: Sie lügen.

MÖBIUS: Ich habe ihn nur erfunden, um meine Entdeckungen geheimzuhalten.

FRL. DOKTOR: Sie verleugnen ihn.

MÖBIUS: Nehmen Sie Vernunft an. Sehen Sie doch ein, daß Sie verrückt sind.

FRL. DOKTOR: Ebensowenig wie Sie.

MÖBIUS: Dann muß ich der Welt die Wahrheit entgegenschreien. Sie beuteten mich all die Jahre aus. Schamlos. Sogar meine arme Frau ließen Sie noch zahlen.

FRL. DOKTOR: Sie sind machtlos, Möbius. Auch wenn Ihre Stimme in die Welt hinausdränge, würde man Ihnen nicht glauben. Denn für die Öffentlichkeit sind Sie nichts anderes als ein gefährlicher Verrückter. Durch Ihren Mord.

Die drei ahnen die Wahrheit.

MÖBIUS: Monika?

EINSTEIN: Irene?

NEWTON: Dorothea?

FRL. DOKTOR: Ich nahm nur eine Gelegenheit wahr. Das Wissen Salomos mußte gesichert und euer Verrat bestraft werden. Ich mußte euch unschädlich machen. Durch eure Morde. Ich hetzte die drei Krankenschwestern auf euch. Mit eurem Handeln konnte ich rechnen. Ihr waret bestimmbar wie Automaten und habt getötet wie Henker.

Möbius will sich auf sie stürzen, Einstein hält ihn zurück.

FRL. DOKTOR: Es ist sinnlos, Möbius, sich auf mich zu stürzen. So wie es sinnlos war, Manuskripte zu verbrennen, die ich schon besaß.

Möbius wendet sich ab.

FRL. DOKTOR: Was euch umgibt, sind nicht mehr die Mauern einer Anstalt. Dieses Haus ist die Schatzkammer meines Trusts.

Es umschließt drei Physiker, die allein außer mir die Wahrheit wissen. Was euch in Bann hält, sind keine Irrenwärter: Sievers ist der Chef meiner Werkpolizei. Ihr seid in euer eigenes Gefängnis geflüchtet. Salomo hat durch euch gedacht, durch euch gehandelt, und nun vernichtet er euch. Durch mich.

Schweigen.

FRL. DOKTOR: Ich aber übernehme seine Macht. Ich fürchte mich nicht. Meine Anstalt ist voll von verrückten Verwandten, mit Schmuck behängt und Orden. Ich bin die letzte Normale meiner Familie. Das Ende. Unfruchtbar, nur noch zur Nächstenliebe geeignet. Da erbarmte sich Salomo meiner. Er, der tausend Weiber besitzt, wählte mich aus. Nun werde ich mächtiger sein als meine Väter. Mein Trust wird herrschen, die Länder, die Kontinente erobern, das Sonnensystem ausbeuten, nach dem Andromedanebel fahren. Die Rechnung ist aufgegangen. Nicht zugunsten der Welt, aber zugunsten einer alten, buckligen Jungfrau.

Sie läutet mit einer kleinen Glocke. Von rechts kommt der Oberpfleger.

OBERPFLEGER: Boß?

FRL. DOKTOR: Gehen wir, Sievers. Der Verwaltungsrat wartet. Das Weltunternehmen startet, die Produktion rollt an.

Sie geht mit dem Oberpfleger nach rechts hinaus. Die drei Physiker sind allein. Stille. Alles ist ausgespielt. Schweigen.

NEWTON: Es ist aus.

Er setzt sich aufs Sofa.

EINSTEIN: Die Welt ist in die Hände einer verrückten Irrenärztin gefallen.

Er setzt sich zu Newton.

MÖBIUS: Was einmal gedacht wurde, kann nicht mehr zurückgenommen werden.

Möbius setzt sich auf den Sessel links vom Sofa. Schweigen. Sie starren vor sich hin. Dann reden sie ganz ruhig, selbstverständlich, stellen sich einfach dem Publikum vor.

NEWTON: Ich bin Newton. Sir Isaak Newton. Geboren am 4. Januar 1643 in Woolsthorpe bei Grantham. Ich bin Präsident der Royal-Society. Aber es braucht sich deshalb keiner zu erheben. Ich schrieb: Die mathematischen Grundlagen der Naturwissenschaft. Ich sagte: Hypotheses non fingo. In der experimentellen Optik, in der theoretischen Mechanik und in der höheren Mathematik sind meine Leistungen nicht unwichtig, aber die Frage nach dem Wesen der Schwerkraft mußte ich offenlassen. Ich schrieb auch theologische Bücher. Bemerkungen zum Propheten Daniel und zur Johannes-Apokalypse. Ich bin Newton. Sir Isaak Newton. Ich bin Präsident der Royal Society.

Er erhebt sich und geht auf sein Zimmer.

EINSTEIN: Ich bin Einstein. Professor Albert Einstein. Geboren am 14. März 1879 in Ulm. 1902 wurde ich Experte am Eidgenössischen Patentamt in Bern. Dort stellte ich meine spezielle Relativitätstheorie auf, die die Physik veränderte. Dann wurde ich Mitglied der Preußischen Akademie der Wissenschaften. Später wurde ich Emigrant. Weil ich ein Jude bin. Von mir stammt die Formel $E = mc^2$, der Schlüssel zur Umwandlung von Materie in Energie. Ich liebe die Menschen und liebe meine Geige, aber auf meine Empfehlung hin baute man die Atombombe. Ich bin Einstein. Professor Albert Einstein. Geboren am 14. März 1879 in Ulm.

Er erhebt sich und geht in sein Zimmer. Dann hört man ihn geigen. Kreisler. Liebesleid.

MÖBIUS: Ich bin Salomo. Ich bin der arme König Salomo. Einst war ich unermeßlich reich, weise und gottesfürchtig. Ob meiner Macht erzitterten die Gewaltigen. Ich war ein Fürst des Friedens und der Gerechtigkeit. Aber meine Weisheit zerstörte meine Gottesfurcht, und als ich Gott nicht mehr fürchtete, zerstörte meine Weisheit meinen Reichtum. Nun sind die Städte tot, über die ich regierte, mein Reich leer, das mir anvertraut worden war, eine blauschimmernde Wüste, und irgendwo um einen kleinen, gelben, namenlosen Stern kreist, sinnlos, immerzu, die radioaktive Erde. Ich bin Salomo, ich bin Salomo, ich bin der arme König Salomo.

Er geht auf sein Zimmer. Nun ist der Salon leer. Nur noch die Geige Einsteins ist zu hören.

ENDE

1

Ich gehe nicht von einer These, sondern von einer Geschichte aus.

2

Geht man von einer Geschichte aus, muß sie zu Ende gedacht werden.

3

Eine Geschichte ist dann zu Ende gedacht, wenn sie ihre schlimmst-möglichste Wendung genommen hat.

4

Die schlimmstmögliche Wendung ist nicht voraussehbar. Sie tritt durch Zufall ein.

5

Die Kunst des Dramatikers besteht darin, in einer Handlung den Zufall möglichst wirksam einzusetzen.

6

Träger einer dramatischen Handlung sind Menschen.

7

Der Zufall in einer dramatischen Handlung besteht darin, wann und wo wer zufällig wem begegnet.

8

Je planmäßiger die Menschen vorgehen, desto wirksamer vermag sie der Zufall zu treffen.

9

Planmäßig vorgehende Menschen wollen ein bestimmtes Ziel erreichen. Der Zufall trifft sie dann am schlimmsten, wenn sie durch ihn das Gegenteil ihres Ziels erreichen: Das, was sie befürchteten, was sie zu vermeiden suchten [z. B. Oedipus].

10

Eine solche Geschichte ist zwar grotesk, aber nicht absurd [sinnwidrig].

11

Sie ist paradox.

12

Ebensowenig wie die Logiker können die Dramatiker das Paradoxe vermeiden.

13

Ebensowenig wie die Logiker können die Physiker das Paradoxe vermeiden.

14

Ein Drama über die Physiker muß paradox sein.

15

Es kann nicht den Inhalt der Physik zum Ziele haben, sondern nur ihre Auswirkung.

16

Der Inhalt der Physik geht die Physiker an, die Auswirkung alle Menschen.

17

Was alle angeht, können nur alle lösen.

18

Jeder Versuch eines Einzelnen, für sich zu lösen, was alle angeht, muß scheitern.

19

Im Paradoxen erscheint die Wirklichkeit.

20

Wer dem Paradoxen gegenübersteht, setzt sich der Wirklichkeit aus.

21

Die Dramatik kann den Zuschauer überlisten, sich der Wirklichkeit auszusetzen, aber nicht zwingen, ihr standzuhalten oder sie gar zu bewältigen.

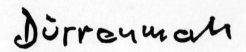

HERKULES UND DER STALL DES AUGIAS

EINE KOMÖDIE, 1963

PERSONEN

Herkules	Nationalheld
Dejaneira	seine Geliebte
Polybios	sein Sekretär
Augias	Präsident von Elis
Phyleus	sein Sohn
Iole	seine Tochter
Kambyses	sein Stallknecht
Lichas	ein Briefträger
Tantalos	Zirkusdirektor
Zehn Parlamentarier	
Zwei Bühnenarbeiter	

Pause nach dem neunten Bild

Für Lotti
zum 4. 9. 1962

Polybios tritt vor das Publikum.

POLYBIOS: Auf das leichte Befremden hin, das Sie, meine
Damen und Herren, angesichts unserer Bretter befallen mag,
die doch die Welt bedeuten sollten, gibt es nur eine Antwort:
Es geht dramaturgisch nicht anders. Wir versuchen eine Geschichte zu erzählen, die auf dem Theater sich bis jetzt noch
niemand zu erzählen getraute, liegen sich doch in ihr, wenn
ich mich so ausdrücken darf, das Reinlichkeitsbestreben und
das Kunstbedürfnis des Menschen in den Haaren. Wenn wir
das bedenkliche Unternehmen trotzdem wagen und nun vor
ihnen eine Welt aus Unrat auf die Bühne zaubern, so nur, weil
uns der Glaube beflügelt, die dramatische Kunst werde mit
jeder Schwierigkeit fertig; fast mit jeder, denn an anderen Taten unseres Nationalhelden wäre sie wohl gescheitert: So etwa
bei der Schilderung der beiden Schlangen, die sich ihm schon
in der Wiege um den Hals legten, ihn zu ersticken und die das
Kleinkind dann kurzerhand –
Er macht die Handbewegung des Erwürgens.
oder auch bei jener Szene, in welcher der gewaltige Säugling
so mächtig am Busen der Göttin Hera sog, daß die Göttermilch
über den ganzen Himmel hinschoß, ein kosmisches Geschehen,
dem wir unsere Milchstraße verdanken: Wo nähmen wir die
Schlangen, wo den Säugling, wo den Busen her? Zur Sache.
Die urweltliche Kuhfladenlandschaft, die Sie erblicken, dieser
sagenhafte Kompost – um einen mehr gärtnerischen Begriff zu
verwenden – ist kein geringerer als jener antike Dünger, der
sich im Lande Elis seit Jahrhunderten angesammelt hat, der
längst schon überbordete, jede Feßlung sprengte, einfach über-
lief, überquoll und so mag denn dies wenigstens ein gewisser
Trost sein: Bieten wir schon Mist, dann nur einen berühmten.
Dazu ist Ihnen die Direktion noch in einem anderen Punkt
freundlicherweise entgegengekommen: Für Szenen, die an-
derswo spielen, in reinlicheren Gegenden also, stellte sie dieses
Podium zur Verfügung, sogar mit einem Vorhang versehen,
bitte sehr:

Aus dem Mist rollt ein Podium nach vorne mit einem weißen Vorhang.

Die Kulissen lassen wir von oben herunterschweben, zum Beispiel diese Fassade einer Villa in Theben, wir werden sie bald benötigen

Die Fassade schwebt von oben bis zur halben Höhe der Bühne herab und entschwebt wieder nach oben.

oder wie hier den Vollmond, unseren natürlichen Satelliten.

Oben links wird der Vollmond sichtbar, versinkt wieder.

Keine Kunst ohne Romantik, keine Romantik ohne Liebe, keine Liebe ohne Vollmondnacht. Wir zeigen kein realistisches Stück, wir kommen mit keinem Lehrstück und lassen auch das absurde Theater zu Hause, wir bieten ein dichterisches Stück. Ist der Stoff auch nicht stubenrein, wahre Poesie verklärt alles. Andere Requisiten dagegen schleppen zwei Bühnenarbeiter herbei, wie jetzt hier eine erschöpfte Wildsau.

Zwei Bühnenarbeiter legen keuchend eine Wildsau aufs Podium, stellen den Vorhang schräg, so daß er eine Eiszacke bildet.

Auf diese Bestie nämlich können wir nicht verzichten. Daß die Bühnenarbeiter Stiefel tragen, entschuldigt das Gelände. Meine Damen und Herren. Es wäre soweit. Doch möchte ich die Handlung nicht beginnen, ohne mich vorgestellt zu haben. Ich bin Grieche. Ich heiße Polybios und stamme aus Samos. Ich bin der Privatsekretär unseres Nationalhelden. Aber auch die gedemütigtste, zusammengeschlagenste Kreatur – ich wähle bewußt diese Worte – wird einmal reden, einmal nach all den endlosen und – wenn ich den Verlauf der Geschichte grosso modo betrachte – doch wohl fruchtlosen Jahrhunderten, die seit meiner Zeit verflossen sind. Und so rede ich denn, enthülle ich denn. Auch wir sehnten uns nach einem Platz an der Sonne, auch wir hofften auf ein menschenwürdiges Dasein. Wo landeten wir? Der Zustand unserer Bühne sagt alles. Doch genug. Mein Meister kommt, hängt seinen Bogen an eine Eiszacke, nimmt auf dem Podium Platz.

Von rechts erscheint Herkules in der Löwenhaut, mit Bogen und Keule, setzt sich auf dem Podium neben die Wildsau.

Wir erzählen: Herkules und der Stall des Augias! Es ist dies die
fünfte Arbeit unseres Nationalhelden, wir fangen jedoch mit
dem Ende der vierten an: Im Schnee. 2911 Meter über dem
Meeresspiegel. Meine Damen und Herren, wir beginnen endgültig.

2. AUF DEM GLETSCHER DES OLYMPS

Herkules sitzt verschneit rechts neben der verschneiten Wildsau.
HERKULES: Kalt.
POLYBIOS: Kalt.
HERKULES: Dünne Luft.
POLYBIOS: Hochalpine Luft.
Polybios bläst in die Hände, schlägt die Arme an den Leib, geht am Fleck, alles um sich warm zu halten.
HERKULES: Setz dich. Dein Herumtanzen macht mich nervös.
POLYBIOS: Bitte.
Er besteigt das Podium und setzt sich links neben die Wildsau. Schweigen. Sie frieren.
HERKULES: Nordwind.
Polybios führt den rechten Zeigefinger in den Mund und hält ihn dann in die Höhe.
POLYBIOS: Nordwestwind.
HERKULES: Zum Glück habe ich meine Löwenhaut.
POLYBIOS: Ich bin leider ausgesprochen sommerlich gekleidet.
HERKULES: Der Nebel nimmt zu.
POLYBIOS: Man sieht keine zehn Schritte weit.
HERKULES: Schneien tut es auch wieder.
POLYBIOS: Ein Sturm zieht auf.
HERKULES: Griechen auf einem Gletscher haben etwas Hilfloses.
Donnern.
POLYBIOS: Eine Lawine.
HERKULES: Wir sind keine alpinistische Nation.
POLYBIOS: Um so stolzer dürfen wir sein, den Olymp als erste erklettert zu haben.
HERKULES: Das Wildschwein war zuerst oben.
Donnern.
POLYBIOS: Steinschlag.
HERKULES: Der halbe Gipfel rutscht nach unten.
POLYBIOS: Ist der Olymp eigentlich ein solider Berg?
HERKULES: Keine Ahnung.

Schweigen. Schneetreiben.

HERKULES: Polybios.

POLYBIOS: Verehrter Meister Herkules?

HERKULES: Hör auf mit den Zähnen zu klappern.

POLYBIOS: Bitte.

HERKULES: Ich beginne nachdenklich zu werden.

POLYBIOS: Das macht die Kälte.

HERKULES: Ich mühe mich ab. Ich erlege die Ungeheuer der Vorzeit, die Griechenlands Felder zerstampfen und knüpfe die Räuber an die Bäume, die seine Wege unsicher machen. Doch seit ich dich angestellt habe, ist zwar meine Korrespondenz in Ordnung, aber meine Geschäfte gehen zurück. Umgekehrt wäre mir lieber.

POLYBIOS: Zugegeben, verehrter Meister. Die drei ersten Arbeiten, die ich vermittelt habe, brachten wenig ein. Der Nemeiische Löwe, nach dessen Gewicht sich das Honorar richtete, erwies sich als ein Balkanzwergberglöwe, die Riesenschlange Hydra sackte in den Lernäischen Sümpfen ab und die Keryneiische Hindin sauste auf Nimmerwiedersehen davon. Aber der Erymanthische Eber – war das eine Hetzjagd – bis hier auf den Gipfel des Götterbergs, den vorher noch keines Menschen Auge sah!

HERKULES: Wir sehen auch nichts.

POLYBIOS: Dafür haben wir den fürchterlichen Eber endlich gestellt.

HERKULES: Schneien tut es immer noch.

POLYBIOS: Die Welt darf aufatmen.

HERKULES: Nützt uns nichts.

POLYBIOS: Nützt uns gewaltig. Der Erymanthische Eber liegt zwischen uns erschöpft im Schnee, und wo der Eber liegt, liegt das Honorar.

HERKULES: Zwischen uns liegt nicht der Erymanthische Eber, sondern irgendeine Bache erschöpft im Schnee.

Polybios schaut nach.

POLYBIOS: Tatsächlich. Eine Wildsau.

Schweigen.

POLYBIOS: Sie muß dem Eber nachgelaufen sein.

HERKULES: Wir ja auch.

POLYBIOS: Wir dürfen jetzt nur nicht den Kopf verlieren.

Donnern.

HERKULES: Wieder eine Lawine.

POLYBIOS: Wo die Sau ist, wird auch der Eber sein.

HERKULES: In der Gletscherspalte da vorne.

POLYBIOS: In der – Gletscherspalte?

HERKULES: Der Erymanthische Eber stürzte vor meinen Augen in den bodenlosen Abgrund.

POLYBIOS: Und damit das Honorar. Fünfzehntausend Drachmen liegen da unten.

HERKULES: Dreitausend mehr als ich an einem mittleren Raubritter verdiene.

Schweigen.

POLYBIOS: Könnte man den Eber nicht aus der Spalte ...

HERKULES: Zu tief.

Schweigen.

POLYBIOS: Wir müssen nachdenken.

HERKULES: Die Wildsau ist auch schon erfroren.

Schweigen.

POLYBIOS: Ich hab's.

HERKULES: Nun?

POLYBIOS: Ich kenne in Theben einen Tierpräparator – wenn der einige geschickte Manipulationen vornähme –

HERKULES: Wozu?

POLYBIOS: Die Sau in einen Eber zu verwandeln. Wildschwein ist Wildschwein.

Schweigen.

HERKULES: Es schneit nicht mehr.

POLYBIOS: Der Nebel lichtet sich.

HERKULES: Stehen wir auf.

Sie erheben sich und klopfen sich den Schnee ab.

HERKULES: Turnen wir.

Sie kniebeugen, schwingen die Arme.

HERKULES: Nun denke ich wieder klar.

POLYBIOS: Gott sei Dank.

366

HERKULES: Du willst mich zu einem Schwindler machen.

POLYBIOS *erschrocken:* Aber verehrter Meister ...

HERKULES: Ich soll eine Sau für einen Eber ausgeben.

POLYBIOS: Aber doch nur, weil wir sonst das Honorar verlieren! Bedenken Sie die fünfzehntausend Drachmen!

HERKULES: Ich pfeife auf die fünfzehntausend Drachmen!

POLYBIOS: Das können Sie sich unmöglich leisten, verehrter Meister, in Anbetracht Ihrer Schulden!

Schweigen. Herkules starrt Polybios fassungslos an.

HERKULES: Schweig!

POLYBIOS: Bitte.

HERKULES *donnernd:* Wir befinden uns auf dem Olymp!

Donnern.

POLYBIOS: Wieder eine Lawine.

HERKULES *brüllend:* Mir egal!

Donnern.

POLYBIOS: Noch eine.

Schweigen.

POLYBIOS: Wenn Sie weiterbrüllen, saust die andere Hälfte des Gipfels auch noch nach unten.

HERKULES *wütend:* Ich könnte dich hinunterschmettern! Ich habe keine Schulden!

POLYBIOS: Doch, verehrter Meister.

Herkules packt Polybios vorne an der Brust.

HERKULES: Du lügst!

POLYBIOS *in Todesangst:* Ich lüge nicht, verehrter Meister! Das wissen Sie genau! Überall haben Sie Schulden! Beim Bankier Eurystheus, beim Treuhandbüro Epaminondas, beim Architekten Aias, beim Schneider Leonidas! Ganz Theben sind Sie verschuldet, verehrter ...

Dunkelheit.

Gepolter.

Totenstille.

Polybios kommt hinter dem Podium hervorgehinkt, den Hintern reibend und den linken Arm eingeschient.

POLYBIOS *etwas keuchend:* Die Ausbrüche seines Zorns waren weltberühmt und sind es noch heute. Er schmetterte mich samt der Wildsau den Gletscher des Olymps hinunter bis in die Wälder am Fuße des Berges hinein und kam dann mit dem restlichen Gipfel selber nachgerasselt.

Er angelt sich einen Eiszapfen aus dem Genick.

Hier ein Eiszapfen.

Er wirft ihn ins Orchester.

Glücklicherweise donnerten die häusergroßen Felsblöcke noch gnädig an mir vorbei, aber Herkules fiel auf mich, landete so von uns dreien weitaus am sanftesten und blieb unverletzt, während ich zwischen Wildsau und Nationalheld zu liegen kam – lassen wir das. Wenn ich meinen Dienst nicht quittiere, so nur, weil es für einen Sekretär ohne Diplom – ich hatte sowohl in Athen als auch in Rhodos Pech im Examen – schwer ist, überhaupt eine Stelle zu finden und außerdem schuldet mir unser Nationalheld noch den Lohn von zwei Monaten. Doch werden auch die schlimmsten Ausbrüche seines Zorns durch den Ruf –

DEJANEIRA *hinter der Szene:* Herkules!

POLYBIOS: – besänftigt. Es ist Dejaneira, seine Geliebte, eine so außergewöhnliche Frau an Gestalt und Geist, daß von ihr nur Wundersames zu berichten ist.

Herkules steckt den Kopf zwischen dem Podiumsvorhang hervor.

HERKULES: Hörst du die Silberstimme, Polybios, diesen lockenden Glockenton? Ist sie nicht vollkommen? Ihr Leib, ihr Gang, die Anmut, mit der sie lacht, singt, Verse zitiert, tanzt, meinen Namen ruft?

Herkules verschwindet wieder hinter dem Vorhang.

POLYBIOS: Die beiden ergänzen sich vortrefflich. Herkules ist hünenhaft, robust und einfach, sie zierlich und mit einem unübertrefflichen Sinn für Nuancen begabt. Ihr zuliebe besteht er die ungeheuerlichen Abenteuer seines Berufs, und es ist seine

Leidenschaft, Griechenland für den Geist zu säubern, den er in ihr verkörpert sieht. Dejaneira dagegen ist manchmal etwas beunruhigt. Ich weiß, sagte sie einmal zu mir ...

Von rechts kommt Dejaneira mit einer großen Schale.

DEJANEIRA: Ich weiß, Herkules und ich gelten als das ideale Paar Griechenlands, und wir lieben einander auch wirklich. Doch ich fürchte mich, ihn zu heiraten, seit ich die Schale schwarzen Bluts besitze.

POLYBIOS: Eine Schale schwarzen Bluts?

Dejaneira setzt sich mit ihrer Schale auf den Podiumsrand.

DEJANEIRA: Als wir den Fluß Euenos erreichten, wollte mich der Kentaur Nessos rauben. Herkules schoß ihn mit einem vergifteten Pfeil nieder. Da riet mir der sterbende Kentaur, sein Blut in dieser Schale zu sammeln. Ich solle damit das Hemd meines Geliebten bestreichen und Herkules werde mir treu sein. Ich habe es noch nicht getan. Er haßt Hemden. Er ist ja meistens nackt, wenn er nicht gerade die Löwenhaut trägt. Jetzt sind wir frei. Aber einmal werden wir heiraten. Dann werde ich fürchten, ihn zu verlieren, und er wird ein Hemd tragen, weil er älter sein wird und oft frieren wird, und ich werde sein Hemd in das schwarze Blut des Kentauren tauchen.

Dejaneira geht mit ihrer Schale langsam wieder nach rechts hinaus.

POLYBIOS: Soweit Dejaneira. Was dagegen König Augias betrifft, dessen Ansinnen den Wendepunkt im Leben unseres Heldenpaares bringt, so möchte ich ihm nun persönlich das Wort übergeben: Auftritt Augias.

Polybios nach links ab.

Augias kommt in Stiefeln von links hinten, betrachtet kurz das Podium, tritt dann vors Publikum.

AUGIAS: Zuvor einige Angaben über unser Elis: Etwas unter dem achtunddreißigsten Breitengrad in Griechenland gelegen, auf der Höhe Siziliens also, genauer im westlichen Teil des Peloponnes, begrenzt im Norden und Süden durch die Flüsse Peneios und Alpheios, im Westen durch das Ionische Meer und im Osten durch Arkadien, durch einen im Gegensatz zur Überlieferung ziemlich ungemütlichen Landstrich. Boden: Gut gemistet. Darunter angeblich Molasse und noch tiefer Gneis. Klima: Von den häufigen typisch elischen Dauerregen abgesehen, anständig. Wie auch die Sitten. Die Winter manchmal leider etwas rauh, und ein warmer Fallwind von den Bergen her schläfert öfters ein. Daher das Sprichwort: Verschlafen wie ein Elier. Hauptstadt: Heißt wie das Land ebenfalls Elis. Groß- und Kleinviehbestand: Achthunderttausend Stück Rindvieh, sechshunderttausend Schweine. Rund gerechnet. Hühner: Mehrere Millionen. Die Eier –

Er kramt in den Taschen, holt endlich ein Ei hervor, zeigt es.

Die Eier sind besonders groß, nahr- und schmackhaft. Einwohner: Zweihunderttausend. Auch rund gerechnet. Religion: Temperiert dionysisch mit apollinisch-orthodoxen Urgemeinden. Politik: Liberal-patriarchalisch, zwischen dem athenischen Seebund, der spartanischen Hegemonie und dem persischen Weltreich lavierend. Über mich selbst möchte ich nicht viele Worte verlieren. Um die Wahrheit zu sagen, bin ich eigentlich gar kein König, sondern nur der Präsident von Elis, ja, um präzise zu sein, nur der reichste der Bauern, und, da es bei uns nur Bauern gibt, eben der, welcher am meisten zu sagen hat und das elische Parlament präsidiert. Privatleben: Verwitwet. Zwei Kinder. Darf ich vorstellen

Von links und rechts kommen Phyleus und Iole.

Phyleus verneigt sich linkisch, Iole macht einen Knicks, beide etwas vermistet.

Phyleus, mein Sohn, ein achtzehnjähriger Bengel, und Iole, mein Töchterchen. Vierzehn. So ihr beiden, tanzt wieder ab.

Die Kinder ab.

Das wäre das Persönliche. Was nun den sagenhaften Mist angeht, so ist er eben Gegenstand einer hitzigen Debatte im großen nationalen Rat – lassen wir deshalb das Podium zurückfahren, wir befinden uns im altehrwürdigen Rathaus der elischen Bauernrepublik.

Das Podium fährt zurück, verschwindet.

Augias ist etwas verlegen.

Das heißt, auch hier ist ein kleines Geständnis am Platz – da das Rathaus – Sie verstehen –, da das Rathaus schon längst unter – unter unseren agronomischen Abfallprodukten vergraben und versunken ist, tagt der große nationale Rat in meinem Stall – der Einfachheit halber.

In der Mitte der Bühne kommt ein Seil mit einer Kuhglocke herunter. Aus dem Mist tauchen, um Augias gruppiert, zehn Parlamentarier auf, nur bis zum Unterleib sichtbar, wie gewaltige vermistete Götzen.
Die Szene bedächtig.
Augias bimmelt mit der Kuhglocke. Zuerst geschieht lange überhaupt nichts.

ERSTER: Es stinkt in unserem Land, daß es nicht zum Aushalten ist.

ZWEITER: Der Mist steht so hoch, daß man überhaupt nur noch Mist sieht.

DRITTER: Letztes Jahr sah man noch die Hausdächer, nun sieht man auch die nimmer.

VIERTER: Wir sind total vermistet.

ALLE: Vermistet.

AUGIAS *mit der Glocke:* Ruhe!
Schweigen.

FÜNFTER: Wir sind aber vermistet.

SECHSTER: Bis zum Hals. Und drüber.

SIEBENTER: Verdreckt und verschissen.

ACHTER: Versunken und verstunken.

ALLE: Verstunken.

AUGIAS *mit der Glocke:* Ruhe!
Schweigen.

ERSTER: Mal baden möchte ich. Aber auch im Wasser ist Mist.

ZWEITER: Die Füß waschen.

DRITTER: Das Gesicht.

VIERTER: Es soll Länder geben, wo der Mist nicht so hoch ist.

DIE ANDERN: Bei uns ist er aber so hoch.

AUGIAS *mit der Glocke:* Ruhe!
Schweigen.

NEUNTER: Dafür sind wir gesund.

DIE ANDERN: Aber vermistet sind wir trotzdem.

ZEHNTER: Dafür gehen wir in die Tempel.

DIE ANDERN: Aber vermistet sind wir trotzdem.

NEUNTER: Dafür sind wir die älteste Demokratie Griechenlands.

DIE ANDERN: Aber vermistet sind wir trotzdem.

ZEHNTER: Das freiste Volk der Welt.

DIE ANDERN: Aber vermistet sind wir trotzdem.

NEUNTER: Wir sind die Urgriechen.

DIE ANDERN: Aber vermistet sind wir trotzdem.

AUGIAS *mit der Glocke:* Ruhe!

Schweigen.

ERSTER: Die Kultur sollte man einführen wie im übrigen Griechenland.

ZWEITER: Die Industrie, den Fremdenverkehr.

DRITTER: Die Sauberkeit.

VIERTER: Entweder misten wir jetzt aus, oder wir bleiben im Mist stecken.

ALLE: Stecken.

AUGIAS *mit der Glocke:* Ruhe!

Schweigen.

FÜNFTER: Es eilt.

SECHSTER: Schandbar.

SIEBENTER: Wir müssen Maßnahmen ergreifen.

ACHTER: Welche?

NEUNTER: Keine Ahnung.

ZEHNTER: Dann verstinken wir eben.

ALLE: Verstinken.

AUGIAS *mit der Glocke:* Ruhe!

Schweigen.

ERSTER: Gegen das Schicksal kann man nichts machen.

ALLE: Nichts.

Schweigen.

AUGIAS *mit der Glocke:* Männer von Elis!

DRITTER: Hört unseren Präsidenten Augias.

DIE ANDERN: Hören wir ihm zu.

AUGIAS: Ich habe eine Idee.

Schweigen.

ALLE: Eine Idee?

AUGIAS: Ganz plötzlich.

Schweigen.

VIERTER: Bin ich aber erschrocken.

Schweigen.

ALLE: Rede.

Schweigen.

AUGIAS: Männer von Elis. Ich denke, natürlich muß man ausmisten. Es ist wohl keiner unter uns, der nicht gegen den Mist ist, ja, unter den Griechen ist es der Elier, der am meisten gegen den Mist ist.

ALLE: Richtig.

AUGIAS: Doch ist es ein Unterschied, ob wir nur ein wenig oder ob wir radikal ausmisten. Wenn wir nur ein wenig ausmisten, steht der Mist übers Jahr wieder so hoch wie er jetzt steht, ja noch höher, bei der Menge, die wir produzieren. Wir müssen daher radikal ausmisten.

ALLE: Radikal.

FÜNFTER: Einfach ran an den Mist!

ALLE: Ran an den Mist!

AUGIAS: Ran an den Mist. Ein großes Wort. Wir sind eine Demokratie und stehen vor einer Gesamterneuerung des Staates. Die Aufgabe ist so gewaltig, daß ein Oberausmister gewählt werden muß, soll radikal ausgemistet werden. Wie leicht kommt jedoch die Freiheit in Gefahr, wenn wir dies tun. Der Mist ist dann fort, aber wir haben einen Oberausmister, und ob wir den dann auch fortbringen, kann man nicht wissen. Die Geschichte lehrt, daß gerade die Oberausmister bleiben. Doch droht uns eine noch größere Gefahr. Wenn wir jetzt ausmisten, haben wir keine Zeit, unsere Kühe zu besorgen, die Käse- und Butterherstellung, der Export wird zurückgehen, und der Verlust kommt uns teurer zu stehen als die ganze Ausmisterei.

NEUNTER UND ZEHNTER: Teurer.

DIE ANDERN: Die Ausmisterei sollen die Reichen bezahlen.

SECHSTER: Die produzieren den größten Mist!

NEUNTER UND ZEHNTER: Wir zahlen genug Steuern!

DIE ANDERN: Ausmisten! Einfach ausmisten!

AUGIAS: Elier! Ich komme jetzt zu meiner Idee. Beim letzten Fürstentag in Arkadien hörte ich von einem Herkules, den man den Säuberer Griechenlands nennt. Den brauchen wir. Säubern und Ausmisten ist das eine wie das andere. Ich will dem guten Mann mal schreiben. Wir bieten ihm ein anständiges Honorar, zahlen ihm die Spesen, und während wir unser Vieh besorgen, kann er sich an die Arbeit machen. So kommt uns das Ausmisten am billigsten.

ALLE: Am billigsten!

SIEBENTER: Jawohl. So wollen wir es machen.

ALLE: Jawohl.

Augias und die zehn Parlamentarier versinken wieder im Mist.

Von oben senkt sich die Fassade eines antiken Hauses auf das Po-
dium herab. Der Briefträger Lichas tritt von rechts auf.

LICHAS: Ich bin Lichas. Das Kadmosviertel in Theben ist mir
von Amts wegen zugewiesen, und ich habe unserem Nationalhelden Herkules, da er in der Kadmosstraße 34 wohnt, den
Brief des Augias zu überbringen. Ich bin folglich ein Briefträger. Aber was für ein Briefträger! Es gibt viele bedeutende
Könige, es gibt viele bedeutende Feldherren, viele bedeutende
Künstler, sogar viele Genies gibt es, alles in allem, aber es gibt
nur *einen* bedeutenden Briefträger: Mich. Ja, ich glaube kaum
nach den Sternen zu greifen, wenn ich mich als die eigentliche
Schlüsselfigur dieses Stückes bezeichne, obgleich ich nur einmal auftrete, nämlich jetzt, bin ich doch kein geringerer als
jener klassische Unglückswurm, der einige Jahre nach der
Augiasepisode – man wird mich aus postinternen Gründen auf
die Insel Euböa versetzt haben – Herkules das berüchtigte Paket
mit dem Nessoshemd bringen wird. Absender: Dejaneira. Be-
stimmungsort: Ein Landgasthof auf dem Vorgebirge Kenion.
Übrigens: Das Hemd selbst war blütenweiß, nichts deutete
darauf hin, daß es in das schwarze Blut des Kentauren getaucht
worden war, ich dachte Hemd ist Hemd und lieferte das Paket
ab. Doch ich führe Ihnen die Szene am besten vor.

Von oben fällt ihm ein Paket in die Hände.

Mittagszeit. Der Himmel silbern, regnerisch verhängt. Es ist
Januar und kalt. Relativ kalt.

Beleuchtungsänderung. Die Fassade wird durchsichtig und so ge-
spenstisch. Von rechts wird gleichzeitig der Grabhügel des Phyleus
hereingeschoben, ein Erdhaufen mit einem zerschmetterten Helm
gekrönt und mit einem blutdurchtränkten elischen Gewand mit
zerfetzten Hochzeitsbändern.

Ich gehe auf den Landgasthof zu, komme am Grabhügel des
Phyleus vorbei –

Er hebt den Helm vom Grabhügel, zeigt ihn dem Publikum.

Der Sohn des Augias ist Ihnen ja schon vorgestellt worden.
Der junge Mann hatte Herkules endlich gefunden, forderte

ihn zum Zweikampf auf, und darauf wurden seine Überreste zusammengeschaufelt.

Er setzt den Helm wieder auf den Grabhügel.

Ich erreiche die Haustüre, klingle.

Er zieht an der Türklingel, es ist jedoch kein Ton hörbar.

Iole öffnet die Türe, Iole, die Tochter des Augias, auch sie kennen Sie schon, Iole, unbeeindruckt vom Tode ihres Bruders, Iole, auf die Dejaneira eifersüchtig ist.

Iole öffnet die Türe.

In einem durchsichtigen Gewand, mit Schmuck behängt, Geschenke von Herkules natürlich, der eben mit der Eroberung der Stadt Oichalia das einzige Bombengeschäft seines Lebens abgeschlossen hatte, dabei schlich das Luder noch vor einigen Tagen zerlumpt und barfuß um das Haus. Ich sage: Post, gnädiges Fräulein, ein Paket für unseren Nationalhelden von seiner Gattin. Sie nimmt die Sendung entgegen und verschwindet.

Iole schließt die Türe wieder. Lichas setzt sich links neben die Türe aufs Podium.

Verschwindet. Haben Sie es gesehen? Sie sagte nichts, aber sie lächelte. Und dabei schaute sie mich mit ihren Rehaugen an. Sanft und unschuldig.

Er holt hinter der Hausfassade einen Krug Wein hervor.

Damit könnte ich mich davonmachen. Aber ich bleibe, leider. Nehme im Vorhof noch etwas Wein zu mir.

Er trinkt.

Höre drinnen im Landgasthof Iole übermütig lachen.

Man hört nichts.

Plötzlich verstummen.

Stille.

Und so kann mich Herkules ergreifen. Er steht mit einem Male in der Türe.

Die Türe wird aufgerissen, und die blutige Gestalt des Herkules erscheint.

HERKULES: Schaut her, schaut alle dies mein Schreckensbild!

LICHAS: Der Mann ist verloren. Das schwarze Nessosblut hat sich schon in seinen Leib gefressen, in Fetzen hängt sein Fleisch herunter.

Dunkelheit. Nur Lichas ist sichtbar, der nach vorne stürzt und ins Publikum starrt.

Und so ist es einigermaßen verständlich, daß er mich mit einem tollen Schwung in die Lüfte sendet. Verständlich, wenn auch ungerecht. Mein pfeilschneller Flug hat dagegen etwas Grandioses. Ganz Griechenland ist überblickbar, die Akropolis ein winziger Würfel, der Olymp ein überzuckerter Maulwurfshügel, und ich bin einen Moment lang außerordentlich stolz auf unser wunderschönes, posttechnisch so mühsam zu bewältigendes Vaterland – was jetzt aber kommt, der Aufprall aufs Festland – meine Damen und Herren, ich erspare Ihnen diese Szene besser. Was folgte, war eine postalische Handlung, die an mir vorgenommen wurde. Nun, auch diese Sendung kam an. In der Unterwelt. Kreis fünf. Abteilung Schwätzer. Ich muß sagen, etwas verwirrend. Kritik liegt mir fern. Aber ob da nicht ein Versehen des Oberhauptpostamtes –

Die Beleuchtung setzt wieder ein, die Fassade ist wie zuvor, der Grabhügel des Phyleus fährt nach rechts hinaus.

Doch gehen wir wieder zurück nach Theben, auch zeitlich, zurück vor das Haus unseres Nationalhelden in der Kadmosstraße 34. Übergeben wir den Brief des Augias. Diesen Brief.

Er hält einen Brief in die Höhe.

Eine wahre Hiobsbotschaft!

Er läßt den Brief sinken.

Meine Damen und Herren. Ich weiß, was Sie denken. Irrtum. Postgeheimnis bleibt Postgeheimnis, dieses Credo aller Postämter ist auch mein Credo. Nicht nur, daß ich die Briefe nachträglich wieder zuklebe, ich lese sie auch nicht als Privatmann, sondern aus streng postpsychologischen Gründen, pflegt doch unsere Post neben dem Sinn für das Schöne und Erhabene – ich erinnere nur an unsere thebanischen Sonderbriefmarken – auch das Gefühl für den schlichten Anstand, und da verlangt denn eben das Überbringen von Postsachen einen Takt, der die Kenntnis des Postinhalts logischerweise voraussetzt: Stellen Sie sich vor, ich bringe einen traurigen Brief und pfeife dabei einen Gassenhauer oder komme mit einer Freudenbotschaft, doch mit Trauermiene: Die Post hätte menschlich versagt. Doch nun über den Brief, den ich in Händen halte, kein Sterbenswörtchen mehr.

Er geht zur Haustüre und will klingeln, hält jedoch inne, wendet sich wieder dem Publikum zu.

Nur: Peinlich ist er. Nicht nur orthographisch. Denn es ist offensichtlich, daß diese Elier den Titel «Säuberer Griechenlands» allzu wörtlich nehmen und ein Ansinnen stellen, das Herkules tief beleidigen muß und nicht nur ihn, die ganze Nation wäre bestürzt, würde das Angebot bekannt. Ich erbleichte, als ich den Inhalt las. Und nicht nur ich, auch meine Frau wurde totenblaß und ebenso der Bäcker Antipoinos, der Metzger Likymnios, der Schreiner Myrmion, der Spengler Opheltes, der Weinhändler Krotos, der Wirt Oineus, der Polizist Triops, der Boxer Merops, der Priester Panopeus, die Vorstadthetäre Pyrene – außerordentlich preiswert und reinlich, singt, tanzt, rezitiert ausgezeichnet, besonders Klassiker, die Post kann sie wärmstens empfehlen, mittlerer Stadtgraben sechzehn – mit einem Wort, *jeder*, der den Brief las, entsetzte sich. Das unter uns. Ich bin Briefträger, habe die Geschicke der Welt auszutragen und nicht zu bejammern und die Post kommentarlos abzuliefern.

Er klingelt. Die Klingel ist diesmal hörbar.

Polybios erscheint.

LICHAS: Bitte.

Er überreicht Polybios den Brief.

POLYBIOS: Danke.

Er nimmt den Brief und verschwindet wieder.

LICHAS: Meine Damen und Herren, passen Sie auf. Nun geht im Hause des Herkules der Teufel los.

Nach links ab.

Stille.

Im Hause Riesengepolter, Klirren.

Dann ein Stöhnen.

Stille.

Dann stürzt wütend Herkules heraus.

HERKULES: Ich gehe zum Wirt Oineus! Saufen!

Rechts ab.

Stille.

Dann kommen von links die zwei Bühnenarbeiter mit Bahre, verschwinden im Haus.

Unmittelbar darauf kommen die beiden Bühnenarbeiter mit einer unkenntlichen Gestalt auf der Bahre wieder aus dem Haus und verschwinden links.

Wie sie abgehen, tritt von rechts Polybios auf. Er hat einen Verband mehr und geht mit einer Krücke.

POLYBIOS: Auf der Bahre war ich. Aber das Angebot des Augias muß angenommen werden. Ich will mein Geld haben und hätte der Nationalheld die Hölle mit meinen Knochen blank zu scheuern. Ich beschließe mit Dejaneira zu reden, denn eine neue Unterhaltung mit Herkules über dieses Thema wäre wohl mit Lebensgefahr verbunden.

Polybios bleibt rechts stehen.
Die Hausfassade entschwebt wieder nach oben. Auf dem Podium
Dejaneira in einem griechischen Interieur. Sie sitzt auf einem
griechischen Kanapee und bürstet die Löwenhaut. Im Hintergrund
schläft Herkules.

DEJANEIRA: Die Heftigkeit tut mir leid, Polybios, mit der
dich Herkules behandelte.

POLYBIOS: O bitte.

DEJANEIRA: Herkules schätzt dich. Seine Schale ist rauh,
aber sein Herz gut.

POLYBIOS: Das ist auch das wichtigste.

DEJANEIRA: Dein Bein schmerzt wohl noch?

POLYBIOS: Hauptsache, daß ich kein Fieber mehr habe.

DEJANEIRA: Und was führt dich zu mir?

POLYBIOS: Der Präsident von Elis schrieb einen Brief.

DEJANEIRA: Der drollige Bauer, der von Herkules verlangt,
er möge ihm das Land ausmisten? Ich mußte über diese Geschichte furchtbar lachen.

POLYBIOS: Ich hatte leider noch keine Gelegenheit dazu, Madame. Mein Bein.

DEJANEIRA: Natürlich, Polybios. Dein Bein.

Sie schweigt verlegen, bürstet weiter.

DEJANEIRA: Du meinst doch nicht etwa, wir hätten den Auftrag annehmen sollen?

POLYBIOS: Madame, in Anbetracht unserer Schulden ...

Sie starrt ihn verwundert an.

DEJANEIRA: Wir haben Schulden?

POLYBIOS: In der Tat, Madame.

DEJANEIRA: Viele?

POLYBIOS: Wir werden von den Gläubigern belagert, und
von den Betreibungen mag ich gar nicht erst reden. Wir
stehen vor dem Konkurs, Madame.

Schweigen. Trotziges Bürsten.

DEJANEIRA: Ich verkaufe meinen Schmuck.

POLYBIOS: Madame, Ihre Steine sind nicht mehr echt. Wir waren gezwungen, sie durch falsche zu ersetzen. Nichts in diesem Hause ist mehr echt.

DEJANEIRA: Nur die Löwenhaut.

Sie schüttelt sie. Eine wahre Staubwolke breitet sich aus.

Polybios hustet.

POLYBIOS: Sehr wohl, Madame.

Dejaneira bürstet weiter, hält dann inne.

DEJANEIRA: Wieviel bietet Augias?

POLYBIOS: Das auszurechnen ist kompliziert. Die Elier sind ein Bauernvolk. Fleißig, einfach, ohne Kultur. Sie vermögen nur bis drei zu zählen. Sie haben eine Pergamentrolle mit lauter Dreien beschrieben, die ich noch zusammenzähle. Doch sind es bis jetzt über dreihunderttausend Drachmen.

DEJANEIRA: Wären wir damit saniert?

POLYBIOS: Im großen und ganzen.

DEJANEIRA: Ich will mit Herkules reden.

POLYBIOS: Ich danke Ihnen, Madame.

Polybios humpelt erleichtert nach rechts.

POLYBIOS: Das wäre geschafft.

Polybios ab.

DEJANEIRA: Herkules!

Sie bürstet weiter.

DEJANEIRA: Herkules!

Im Hintergrund erhebt sich Herkules, offensichtlich verkatert.

HERKULES *zögernd:* Hallo.

DEJANEIRA *freundlich:* Hallo.

HERKULES *mutiger:* Spät?

DEJANEIRA: Es geht gegen Abend.

HERKULES *etwas erschrocken:* Gegen ...

Er faßt sich wieder.

HERKULES: Eben wach geworden.

DEJANEIRA: Setz dich.

HERKULES: Lieber nicht. Sonst schlafe ich wieder ein. Du bürstest?

DEJANEIRA: Ich bürste. Deine Löwenhaut sieht wieder einmal unbeschreiblich aus.

HERKULES: Ein unmögliches Kostüm. Und viel zu delikat für meinen Beruf.

DEJANEIRA: Unmöglich, mein Geliebter, ist vor allem dein Lebenswandel, seit du den Brief des Augias empfangen hast. Du mißhandelst deinen Sekretär, säufst in den Kaschemmen Thebens herum, vergewaltigst die Hetäre Euarete im öffentlichen Stadtpark und wankst erst heute morgen betrunken nach Hause. Mit zwei Mädchen.

Schweigen. Bürsten.

HERKULES *verwundert:* Mit zwei Mädchen?

DEJANEIRA: Halbverhungerte Dinger aus Makedonien. Ich ließ sie mit dem nächsten Schiff nach Hause spedieren.

Schweigen. Bürsten.

HERKULES: Ich habe gräßliche Kopfschmerzen.

DEJANEIRA: Kann ich mir denken.

HERKULES: Ich erinnere mich an nichts mehr.

DEJANEIRA: Die Polizei war hier.

HERKULES: Die Polizei?

DEJANEIRA: Polizeileutnant Diomedes.

HERKULES: Warum hat man mich nicht geweckt?

DEJANEIRA: Man versuchte es. Darauf mußte ich den Polizeileutnant persönlich empfangen. Als ich noch im Bade lag.

Schweigen. Bürsten.

HERKULES: Du willst doch nicht behaupten ...

DEJANEIRA: Doch.

HERKULES: Du hast diesen Diomedes im Bade ...

DEJANEIRA: Mein Badezimmer, mein Lieber, ist noch lange nicht ein öffentlicher Stadtpark.

HERKULES: Dieser Diomedes ist der berüchtigste Frauenjäger Griechenlands.

DEJANEIRA: Außer dir.

Schweigen. Bürsten.

HERKULES: Was wollte der Fant?

DEJANEIRA: Mich informieren.

HERKULES *grimmig:* Über die Hetäre Euarete. Kann ich mir

vorstellen. Das muß ihm das Luder persönlich erzählt haben, kein Mensch war im Stadtpark Zeuge – wenn die Geschichte überhaupt stimmt.

DEJANEIRA: Sie stimmt. Eine Gruppe von Stadtvätern wandelte vorbei. Aber deswegen ist Diomedes nicht gekommen. Du demolierst Banken.

HERKULES: Banken?

DEJANEIRA: Der thebanischen Nationalbank legtest du die Säulenreihe vor dem Eingang um, der dorischen Bank hängtest du die erzenen Türflügel aus und dem Bankhaus Eurystheus decktest du das Dach ab. Was hast du nur auf einmal gegen Banken?

HERKULES: Nichts! Aber ich habe es satt, immer nur Nützliches zu tun und für die Menschheit zu sorgen! Das ewige Roden, Sümpfe austrocknen und Ungeheuer erlegen, hängt mir zum Halse heraus, und diese vollgestopften, zufriedenen Bürger, die von meiner Nützlichkeit profitieren, kann ich nicht mehr sehen! Ich muß einfach hin und wieder rasen! Und im übrigen habe ich Schulden! Ich gehe wieder schlafen.

Dejaneira bürstet.

HERKULES: Dieser verfluchte Staub.

DEJANEIRA: Ich habe ein ernstes Wort mit dir zu reden.

HERKULES: Ein ernstes Wort? Aber schon den ganzen Morgen –

DEJANEIRA: Es ist spätnachmittags.

HERKULES: Aber schon den ganzen Morgen redest du ein ernstes Wort mit mir.

Dejaneira deutet aufs Kanapee.

HERKULES: Bitte.

Er setzt sich rechts aufs Kanapee neben Dejaneira.

DEJANEIRA: Herkules. Wir müssen das Angebot des Augias annehmen.

Schweigen.

HERKULES: Dejaneira! Ich habe meinen Sekretär Polybios die Treppe hinunter und zur Türe hinaus in den Hof geschmettert, wie er nur die leiseste Andeutung über dieses Thema machte.

DEJANEIRA: Nun, willst du mich auch irgendwohin schmettern?

HERKULES: Du kannst doch unmöglich von mir verlangen, daß ich misten gehe!

DEJANEIRA: Wir sind verschuldet!

HERKULES: Ich habe die schrecklichsten Ungeheuer erlegt, die Giganten besiegt, die Riesen Geryones und Antaios, das Himmelsgewölbe habe ich getragen, das Riesengewicht seiner Sterne. Und nun soll ich das Land eines Mannes ausmisten, der nur bis drei zählen kann und nicht einmal König ist, sondern nur Präsident? Niemals!

DEJANEIRA: Das Haus wird gepfändet.

HERKULES: Ganz Griechenland würde in ein Höllengelächter ausbrechen.

DEJANEIRA: Wir stehen vor dem Konkurs.

HERKULES: Ich weigere mich.

DEJANEIRA: Das kannst du dir nicht leisten. Das mußt du nun eben einsehen. Nicht das ist wichtig, was einer tut, sondern *wie* er es tut. Du bist ein Held, und so wirst du auch als ein Held ausmisten. Was du tust, wird nie lächerlich sein, weil du es tust.

Schweigen. Bürsten.

HERKULES: Dejaneira.

DEJANEIRA: Herkules?

HERKULES: Ich kann nicht. Ich kann nicht. Ich kann nicht.

Schweigen.

Sie legt die Bürste weg, erhebt sich.

DEJANEIRA: Dann nehme ich eine Woche Urlaub.

HERKULES: Urlaub?

Er blickt sie unsicher an.

HERKULES: Wozu?

DEJANEIRA: Um den Bankier Eurystheus zu besuchen und den Waffenhändler Thykidides, die beiden reichsten Männer Griechenlands und alle Könige, einen nach dem andern.

Schweigen.

HERKULES: Was suchst du bei diesen Knirpsen?

DEJANEIRA: *Du* sollst von nun an der reichste Grieche sein. Ich bin nicht umsonst die berühmteste Hetäre dieses Landes gewesen, bevor ich deine Geliebte wurde.

Er erhebt sich.

HERKULES: Ich bringe sie alle um.

DEJANEIRA: Das bringt dir nichts ein.

HERKULES: Das ist doch Wahnsinn.

DEJANEIRA: Wir haben Geld nötig.

HERKULES: Du bleibst.

DEJANEIRA: Ich gehe.

Sie mustern sich.

HERKULES: Ich gehe. Nach Elis. Ausmisten. Lieber Stallknecht als Zuhälter.

Das Podium mit Dejaneira und Herkules rollt nach hinten und verschwindet.

Auf der Bühne nichts als der sagenhafte Mist.

Aus dem Mist kommt mit einem gewaltigen Sprung Phyleus auf die Bühne.

PHYLEUS *atemlos:* Bürger von Elis! Verlaßt eure Ställe! Herkules kommt! Ich stand an der Mündung des Peneios und sah seine Barke mit dem roten geblähten Segel! Gewaltig und nackt watete er ans Land, seine Geliebte in den mächtigen Armen, gebettet in die Löwenhaut, ein Weib so schön, so wundersam, so anmutig, daß ich floh wie vor einer Göttin! Laßt eure Geschäfte liegen, eure Geräte stehn, kriecht ans Tageslicht, eilt, strömt zusammen, schmückt die Stadt: Er kommt, Herkules kommt!

Er verschwindet wieder im Mist.

Von links tauchen Augias und der große nationale Rat auf.

Eine unsichtbare Kapelle spielt die erste Strophe der Nationalhymne vor.

Von rechts kommen Herkules und Polybios [mit Krücke] in unbeschreiblichem Zustand. Sie tragen eine Sänfte, in welcher man Dejaneira ahnt.

Die Elier stimmen die Nationalhymne an.

ELIER:

O Elierland

O Vaterland

Du Kleinod am Peneiosstrand

Heldenhaft

Voller Kraft

Siehst uns hier

Für und für

Dir zum Pfand

Hand in Hand.

Die Elier hören allmählich auf zu singen, nur noch die Kapelle spielt die Hymne zu Ende.

Augias geht auf Herkules zu, verneigt sich feierlich.

Herkules verneigt sich ebenfalls.

AUGIAS: Herkules! Nationalheld! Endlich ist der große historische Augenblick gekommen. Endlich bist du da, im Lande der Freiheit, im Lande der Urgriechen. Du stehst als Retter ...

Er zischt.

verbeugen!

Der große nationale Rat verneigt sich.

als Retter vor uns, gibt es doch immer ...

Er sucht in seinen Taschen.

Verzeih, das Manuskript meiner Rede ist unauffindbar, dabei habe ich es doch noch eben beim Melken ... Macht nichts. Vergib auch unsere Nationalhymne. Sie mißglückte. Aber den Text weiß niemand so recht. Hand in Hand, dir zum Pfand oder umgekehrt, er ist wirklich unmöglich wie der Text anderer Nationalhymnen ja auch. Kurz: Sei herzlich willkommen in Elis.

HERKULES: Präsident Augias! Elier! Ich danke für den freundlichen Empfang. Ich bin mit den Meinen durch eine Hölle marschiert. Ich stampfte durch schauerliche Sümpfe, ich traversierte fürchterliche Pässe zwischen himmelragenden Massen, kletterte über riesenhafte Fladen, Millionen von gackernden Hühnern aufscheuchend, Mistkäfer im Bart und den Leib mit Fliegen bedeckt. Elier! Hört meinen feierlichen Schwur! Dieser Staat wird ausgemistet. Radikal und für alle Zeiten! Ich staue die Flüsse Alpheios und Peneios und schwemme den Mist in den Ozean, und wenn ich das ganze jonische Meer verpeste!

AUGIAS: Herkules von Theben. Deine Ansprache ist ein Strahl feurigen Lichts in die Finsternis unserer Welt. Komm nun mit mir, ich führe dich und die Deinen zur Festwiese, wo uns ein bescheidenes Mahl erwartet.

Alle nach links ab.

Die Kapelle setzt erneut mit der Nationalhymne ein.

8. MONDNACHT I

Aus dem Mist taucht wieder das Podium.
Auf dem Podium ein offenes Zelt, in welchem Dejaneira sitzt.
Links und rechts außen ebenfalls ein Zelt, Vollmond links oben.

DEJANEIRA: Endlich ist auch das Bankett zu Ende. Kaum daß ich meine Stimme zu erheben wage. Ich komme aus einem Lande, wo die Frauen nichts und die Hetären alles gelten, und bin in eine Gegend verschlagen worden, wo nicht einmal die Hetären etwas zu sagen haben. O siebentoriges Theben, o meine goldene Burg Kadmeia, wie konnte ich euch verlassen! Eine barbarische und düstere Welt umgibt mich. Ich bin ratlos und verzweifelt. Meine Seele ist voll schrecklicher Bilder. Ich denke an die grauenerregende Art, wie man in diesem Lande Unmengen von Schweinen und Ochsen und Tonnen von Bohnen verzehrt, ganze Fässer von Kornschnaps leert und dazu unendliche Festreden hält. Und erst die Begrüßungsküsserei! Ich konnte schließlich nur noch still vor mich hinweinen. Gewiß, das wäre überstanden. Ja, wir befinden uns nicht einmal mehr in Elis, sondern auf einem Felsen in der Nähe der Stadt, der wie eine Insel aus den Mistmeeren ragt, mit einer silbernen Quelle, worin wir uns säuberten. Es geht gegen Morgen. Der Mond ist im Sinken begriffen.

Der Mond sinkt gegen den Horizont.

Stille. Nur die Quelle murmelt. Herkules und Polybios schlafen in ihren Zelten, doch ich bin wach. Ich sitze auf der Löwenhaut meines Geliebten und starre in den Mond, der selbst Elis Mistgebirge in sanfte blaue Hügel verwandelt, als auf einmal ein Jüngling vor mir steht, unbeholfen und in hohen Stiefeln. Er blickt mich mit großen Augen verwundert an, senkt dann den Blick. Wie weißer Marmor glänzt mein Leib in der Mondnacht, so schön, so gewaltig, daß der junge Mann die Augen nicht wieder aufzuschlagen wagt.

Vor Dejaneira steht Phyleus.

DEJANEIRA: Wer bist du?
PHYLEUS: Ich –
DEJANEIRA: Kannst du nicht reden?

PHYLEUS: Ich bin Phyleus, der Sohn des Augias.

DEJANEIRA: Was willst du?

PHYLEUS: Ich – ich bin gekommen, Herkules zur Besichtigung des Mistes abzuholen. Ich bringe Stiefel mit.

Er stellt ein Paar Stiefel auf den Boden.

DEJANEIRA: Mitten in der Nacht?

PHYLEUS: Verzeih.

DEJANEIRA: Willst du mir nicht die Wahrheit sagen?

PHYLEUS: Ich kannte nichts anderes als Pferde, Ochsen, Kühe und Schweine, bevor ihr gekommen seid. Ich wuchs auf, wie jeder in Elis aufwächst. Roh, handfest, gut geprügelt und gut prügelnd. Doch nun habe ich Herkules gesehen und dich und es ist, als sähe ich zum ersten Male Menschen und als wäre ich nichts weiteres als ein zottiges Tier.

DEJANEIRA: Darum bist du hieher gekommen?

PHYLEUS: Ich mußte in eurer Nähe sein.

DEJANEIRA: Du bist noch jung.

PHYLEUS: Achtzehn.

DEJANEIRA: Willst du dich nicht zu mir setzen?

PHYLEUS: Du bist doch – ich meine, nie vorher sah ich eine unverhüllte Frau.

DEJANEIRA: Oh! Ich bedecke mich mit der Löwenhaut. Willst du nun kommen?

PHYLEUS: Wenn ich darf.

Er setzt sich furchtsam zu ihr.

DEJANEIRA: Ich bin müde, aber ich konnte nicht schlafen. Ich fürchtete mich vor diesem Land, vor diesen ungestümen Menschen, und wie der Mond sich mit einemmal neigte, ganz plötzlich, gegen die Hügel hin, war es, als greife etwas Unbekanntes nach mir, Herkules und mich zu töten. Da bist du gekommen. Ein junger Mensch mit einem warmen Leib und mit guten Augen. Ich will meinen Kopf in deinen Schoß legen und nicht mehr Angst haben, wenn der Mond nun versinkt.

Der Mond versinkt. Die Beleuchtung verändert sich. Morgen. Aus dem Zelt rechts steckt Herkules, aus dem Zelt links Polybios den Kopf heraus, treten vors Zelt.

HERKULES: Guten Morgen.

POLYBIOS: Guten Morgen.

Herkules turnt.

HERKULES: Es mistelt.

POLYBIOS: Dampft.

HERKULES: Die elischen Mistberge sind ganz nah.

POLYBIOS: Föhn.

HERKULES: Wie geht es deinem linken Arm?

POLYBIOS: Ich kann ihn schon bewegen.

HERKULES: Dem rechten Bein?

POLYBIOS: Schmerzt nicht mehr.

Herkules massiert sich das Genick.

HERKULES: Ich weiß nicht. Dieser elische Kornschnaps ...

POLYBIOS: Ich bereite das Frühstück. Bohnen, Speck und Rindfleisch. Das elische Nationalgericht.

HERKULES: Machen wir uns an die Arbeit.

Sie bemerken gleichzeitig Dejaneira und Phyleus. Schweigen.

HERKULES: Donnerwetter.

POLYBIOS: Ich bin bestürzt, verehrter Meister.

HERKULES: Wer ist –?

POLYBIOS: Keine Ahnung, verehrter Meister.

HERKULES: Wie kommt er –?

POLYBIOS: Soll ich Ihre Keule holen?

HERKULES: Unsinn, Polybios. Ich bin kein Menschenfresser. Weck ihn auf. Aber vorsichtig.

Polybios berührt Phyleus mit der Krücke.

POLYBIOS: He!

Phyleus fährt aus dem Schlafe auf.

PHYLEUS: Oh!

Er starrt Herkules und Polybios erschrocken an.

HERKULES *leise:* Verzeih, wenn wir stören.

PHYLEUS *verlegen:* Dejaneira bat mich ...

HERKULES *leise:* Nicht so laut, sonst wacht sie auf.

PHYLEUS *leise:* Dejaneira bat mich, ihr Haupt in meinen Schoß legen zu dürfen.

HERKULES: Offenbar.

Schweigen.

HERKULES: Wer bist du denn eigentlich?

PHYLEUS: Phyleus, der Sohn des Augias.

HERKULES: Erfreut.

Schweigen.

PHYLEUS *verlegen:* Ich bin gekommen, dich zu besuchen.

HERKULES: Offensichtlich.

PHYLEUS: Ich habe dir Stiefel mitgebracht.

Er weist auf die Stiefel hin.

HERKULES: Die braucht man auch bei diesem Terrain.

PHYLEUS: Ich dachte, du willst heute den elischen Mist besichtigen.

HERKULES: Der elische Mist muß nicht besichtigt, er muß beseitigt werden, mein Junge. Ich mache mich noch diesen Morgen an die Arbeit und staue die Flüsse.

PHYLEUS: Darfst du noch nicht.

HERKULES *stutzt:* Was darf ich noch nicht?

PHYLEUS: Die Flüsse stauen.

HERKULES: Weshalb?

PHYLEUS: Weil du noch nicht die Genehmigung des Wasseramtes bekommen hast.

HERKULES *zornig:* Des Wasseramtes?

PHYLEUS *leise:* Nicht so laut. Wegen Dejaneira.

Schweigen.

HERKULES *leise:* Wozu brauche ich eine Genehmigung des Wasseramtes?

PHYLEUS: Weil wir in Elis sind. Für alles braucht man in Elis eine Genehmigung.

Schweigen.

HERKULES: Gib die Stiefel her.

Er zieht die Stiefel an.

HERKULES: Polybios.

POLYBIOS: Verehrter Meister Herkules?

HERKULES: Wir gehen zu Augias.

Polybios erbleicht.

POLYBIOS: Verehrter Meister. Sie können über mich verfügen, ich bin Ihr Privatsekretär, einverstanden. Es gibt aber Grenzen des Menschenmöglichen. Ich habe mich mit Ihnen ohne zu zögern in die stinkenden Lernäischen Sümpfe zu der Riesenschlange Hydra vorgewagt, ich bin beinahe widerspruchslos auf den vereisten Gipfel des Olymps geklettert, doch in diesen Mist steige ich nicht ein zweites Mal hinunter.

Herkules hat die Stiefel angezogen.

HERKULES: Gehn wir.

Er geht nach rechts, Polybios humpelt ihm nach, Herkules bleibt noch einmal vor Phyleus stehen.

HERKULES: Bleib sitzen. Bewache den Schlaf dieser schönen Dame weiter.

Er geht nach rechts ab.

POLYBIOS: Junger Mann, sei froh, daß du noch lebst.

Er humpelt Herkules nach.

Von links hinten kommen die zwei Bühnenarbeiter mit der Bahre und eilen nach rechts vorne hinaus.

Dann treten Augias und sein Knecht Kambyses auf, beide mit umgebundenen Melkstühlen und mit Milchkesseln.

AUGIAS: Es ist mir eine besondere Ehre – mein Knecht Kambyses – es ist mir eine besondere Ehre, von meinen hundert Kühen die vier besten vorstellen zu dürfen – reich das Melkfett herüber, Kambyses.

Sie fetten sich beide die Hände ein.

Das Euter muß behutsam angefaßt werden. Melken ist eine kräftige, doch zarte Kunst. – Rechts außen Scheck, ein rotgescheckes wahres Prachtsexemplar von einem elischen Höhenfleckvieh. Zuverlässig und ausgiebig. Neben ihr Krone. Diese Kuh – Sie sehen, sie ist gedrungener, breiter, die Hörner sind stumpfer – leuchtet wie Gold in der Morgensonne, die durch die Ritzen des Stalles dringt und die warme Dunkelheit durchschneidet. – Gib Scheck und Krone noch etwas Heu, Kambyses, und den beiden andern auch.

Kambyses nimmt eine Heugabel und tut als gäbe er Heu.

Ich liebe es, im Stall zu arbeiten, in meinem Stall, und all den Plunder zu vergessen, mit dem sich ein Präsident herumschlagen muß. Die großen stillen Tiere beruhigen mich, besonders wenn ich vom Regieren komme wie jetzt – wir hatten eben eine stürmische Nachtsitzung – seien wir ehrlich, der schlimmste Mist wird auch bei uns nicht immer in den Ställen produziert – Krone war übrigens bereits vierzehnmal trächtig, eine wackere, geduldige Leistung – eben muht sie sanft – und betrachtet Sie, meine Damen und Herren, mit jenem königlichen Blick, der unserer einheimischen Niederungsrasse, unserem Urvieh, eigen ist. Aber ich muß Platz machen.

Die zwei Bühnenarbeiter tragen von rechts vorne eine unkenntliche Gestalt nach links hinten.

Verzeihen Sie. Ein Verunglückter wird ins Spital getragen. Das elische Terrain hat seine Tücken.

Er schaut der Bahre nach.

Polybios. Tut mir leid. Er sauste einen Düngersteilhang hinunter und schlug durch das Stalldach auf meinen besten Muni hinab. Doch kehren wir zu meinen Preiskühen zurück. Das ist Bleß, typisches graubraunes Höhenvieh vom oberen Peneios, fünfzehn Liter im Tag, der Bauch im unteren Teil und die innere Ohrmuschel weißschimmernd – brav, brav, meine Prächtige, werde dich schon melken – endlich Lady, meine makellose schwarze Schönheitskönigin, fünfmal preisgekrönt, zwanzig Liter im Tag – Sie, das leistet sie spielend! – der Stolz unserer elischen Milchwirtschaft. Doch genug geschwatzt, ich muß mich mit meinem Knecht an die Arbeit machen.

Sie setzen sich, Augias links, Kambyses rechts, tätscheln die nur in der Einbildungskraft des Publikums vorhandenen Kühe.

AUGIAS: Ruhig, Bleß.

KAMBYSES: Ruhig, Scheck.

Sie beginnen zu melken. Von rechts hinten kommt Herkules.

HERKULES: Augias, ich habe mit dir zu reden.

AUGIAS: Ruhig, Bleß.

KAMBYSES: Ruhig, Scheck.

HERKULES: Ein Scheißweg führt zu dir.

AUGIAS: Tut mir leid, daß dein Sekretär –

HERKULES: O bitte. Ich schmiß ihn selbst in deinen Stall hinab.

AUGIAS: Ach so.

HERKULES: Aus Wut, deinen Auftrag angenommen zu haben.

KAMBYSES: Ruhig, Scheck.

HERKULES: Ich zerstampfe dein Bauernparadies, ich schicke deine Mistrepublik zur Hölle.

AUGIAS: Ruhig, Bleß.

HERKULES: Ich tobe und du melkst!

KAMBYSES: Diese verdammten Fliegen.

AUGIAS: Setz dich.

HERKULES: Zwischen die Kühe?

AUGIAS: Sie tun dir nichts.

KAMBYSES: Binde einen Melkstuhl um.

Er wirft ihm einen Melkstuhl zu, den Herkules umbindet.

HERKULES: Auch das noch.

AUGIAS: Praktisch.

KAMBYSES: Bequem.

AUGIAS: Ruhig, Scheck.

KAMBYSES: Ruhig, Bleß.

Die beiden melken ruhig weiter. Herkules setzt sich in die Mitte der Bühne.

AUGIAS: Gute Milch.

KAMBYSES: Prima Milch.

Die beiden tauchen einen Finger in den Kübel, lecken ihn ab.

AUGIAS: Willst du auch versuchen?

HERKULES: Nein.

AUGIAS: Dann nicht.

HERKULES *empört:* Ich soll die Genehmigung des Wasseramtes abwarten, bevor ich ausmiste.

AUGIAS: Warum nicht.

HERKULES: Wohl wahnsinnig geworden. Keine hundert Mammut bringen mich hin.

Kambyses fischt etwas aus seinem Milchkessel und wirft es dann fort.

KAMBYSES: Ein Mistkäfer ist von der Decke in die Milch gefallen.

AUGIAS: Macht nichts.

KAMBYSES: Kommt immer wieder vor.

Die beiden melken weiter.

HERKULES: Ich hasse Ämter!

AUGIAS: Ich auch. Aber sie sind nun einmal da. Die Genehmigung des Wasseramtes bekommst du sicher ziemlich augenblicklich, so in zwei drei Wochen, nur mußt du dich nachher noch beim Fremdenamt melden.

HERKULES: Beim Fremdenamt!

KAMBYSES: Ruhig, Scheck.

AUGIAS: Und beim Arbeitsamt.

KAMBYSES: Auch beim Tiefbauamt.

HERKULES *dumpf:* Beim Tiefbauamt.

AUGIAS: Hast du dessen Bewilligung, meldest du dich beim Finanzamt.

HERKULES *wischt sich den Schweiß ab:* So vermistet ihr seid, Ämter habt ihr trotzdem.

AUGIAS: Gerade darum.

KAMBYSES: Ein Mistamt haben wir auch.

AUGIAS: Dort mußt du ebenfalls vorsprechen. Tut mir leid, ich hätte dir das alles gern ersparen wollen, aber so ist es letzte Nacht im großen nationalen Rat beschlossen worden.

HERKULES: Ich demolierte in Theben das Stadthaus, als mir das Steueramt Schwierigkeiten bereitete.

AUGIAS: Ruhig, Bleß.

HERKULES: Und jetzt bildet man sich ein, ich würde mich *hier* auf den Ämtern herumtreiben!

KAMBYSES: Ruhig Scheck.

AUGIAS: Wenn du unsere Gesetze achten willst, bleibt dir nichts anderes übrig.

HERKULES *trotzig: Ihr* habt mich aufgefordert, auszumisten, nicht ich habe euch gebeten.

AUGIAS: Aber du hast den Auftrag angenommen.

Schweigen.

Die beiden melken ruhig weiter.

HERKULES *müde:* Dieses Land bringt mich noch um den Verstand, diesen warmen Dampf über allen Dingen halte ich nicht mehr aus!

Augias erhebt sich würdig und steht nun Herkules gegenüber.

AUGIAS: Herkules. Auf meinen Rat hin bist du gerufen worden, weil ich wußte, daß die Elier aus eigener Kraft nie ausmisten, sondern stets nur davon reden würden. Und nun bist du da. Eine ungeheure Kraft, die unsere Heimat umzugestalten vermag. Aber damit ist auch mein Werk getan. Von nun an darf ich keinen Finger mehr für dich rühren. Die Elier haben ihre große Gelegenheit bekommen, ihren Staat in Ordnung zu bringen, sie müssen jetzt selber sehen, ob sie ihre Chance auszunützen verstehen. Ich bin kein Revolutionär. Ich bin der Präsident dieses Landes und habe mich an seine Gesetze zu halten. Ich bitte dich, es auch zu tun. Darum nimm den Kampf gegen die Ämter ebenso mutig auf, wie du ihn gegen die Ungeheuer aufzunehmen pflegst, demoliere sie nicht, überzeuge sie: Denn Du bist unser aller Prüfstein geworden. Geh nun, laß deine Wut fahren, unterziehe dich dessen, was hier als notwendig erachtet wird, auch wenn es gegen jegliche Vernunft zu sein scheint.

Nun erhebt sich auch Kambyses.

KAMBYSES: Ich bin Kambyses, der Knecht des Augias. Auch ich gebe dir einen Rat, Herkules von Theben: Miste jetzt aus, sonst wirst du nie ausmisten, den Kampf mit den elischen Ämtern hat noch jeder verloren. Staue die Flüsse Alpheios und Peneios noch heute und schwemme dieses verfluchte Elis ins Meer, auch auf die Gefahr hin, daß nichts bleibt als der nackte Fels: Es ist nicht schade darum.

Er setzt sich wieder, melkt weiter.

KAMBYSES: Ruhig, Krone.

AUGIAS: Verzeih. Aber ich muß weitermelken.

Setzt sich ebenfalls.

AUGIAS: Ruhig, Lady.

Schweigen.

Herkules schnallt den Melkstuhl ab.

HERKULES: Ich bin ein gutmütiger Mensch, Präsident Augias. Ich will die Gesetze dieses Landes achten und mich auf den Weg machen. Zum Wasseramt.

Er geht nach hinten ab.

Augias und Kambyses melken weiter.

AUGIAS: Ruhig, Lady.

KAMBYSES: Ruhig, Krone.

Auf dem Podium in ihrem offenen Zelt Dejaneira und Phyleus.
Links und rechts die beiden anderen Zelte.

DEJANEIRA:

Ungeheuer ist viel. Doch nichts
Ungeheurer als der Mensch
Denn der, über die Nacht
Des Meeres, wenn gegen den Winter wehet
Der Südwind, fähret er aus
In geflügelten, sausenden Häusern.

PHYLEUS: Schön, was du da sagst.

DEJANEIRA: Ein Gedicht des Sophokles.

PHYLEUS: Wir kennen keine Gedichte. Wir brauchen die
Sprache nur, um Vieh einzuhandeln.

DEJANEIRA:

Und der himmlischen erhabene Erde
Die unverderbliche, unermüdete
Reibet er auf; mit dem strebenden Pfluge
Von Jahr zu Jahr
treibt sein' Verkehr er, mit dem Rossegeschlecht
Und leichtträumender Vögel Welt
Bestrickt er und jagt sie;
Und wilder Tiere Zug,
Und des Pontos salzbelebte Natur
Mit gesponnenen Netzen
Der kundige Mann.

PHYLEUS: Ich verstehe diese Worte. Der Mensch soll über die
Erde herrschen.

DEJANEIRA: Dazu ist uns die Erde gegeben: Daß wir das
Feuer bändigen die Gewalt des Windes und des Meeres nutzen,
daß wir das Gestein zerbrechen und aus seinen Trümmern
Tempel und Häuser bauen Und du sollst einmal Theben sehen,
meine Heimat, die Stadt mit den sieben Toren und der goldenen Burg Kadmeia.

PHYLEUS *zögernd:* Du liebst deine Heimat?

DEJANEIRA: Ich liebe sie, weil sie vom Menschen erschaffen

ist. Ohne ihn wäre sie eine Steinwüste geblieben, denn die Erde ist blind und grausam ohne den Menschen. Nun hat er sie bewässert und die wilden Tiere getötet; nun ist sie grün, nun sind Olivenbäume und Eichen, Kornfelder und Weinberge. Alles bringt sie nun hervor, was der Mensch braucht: Die Erde hat seine Liebe erwidert.

PHYLEUS: Es ist schön, eine Heimat zu haben, die man lieben darf.

DEJANEIRA: Die Heimat darf man immer lieben.

PHYLEUS: Ich kann die meine nicht lieben. Wir beherrschen unser Land nicht mehr. Es beherrscht uns mit seiner braunen Wärme. Wir sind eingeschlafen in seinen Ställen.

DEJANEIRA: Herkules wird ausmisten.

PHYLEUS: Ich fürchte mich davor.

DEJANEIRA: Fürchten?

PHYLEUS: Weil wir es nicht verstehen, ohne Mist zu leben. Weil uns niemand die Möglichkeit des Menschen zeigen wird, sein Vermögen, große und schöne, wahre und kühne Dinge zu tun. Ich fürchte mich vor der Zukunft, Dejaneira.

Herkules kommt mit einem riesigen Kessel von hinten links.

HERKULES: Bohnen und Rindfleisch.

Phyleus erhebt sich verwirrt.

PHYLEUS: Ich muß gehen.

Er verneigt sich vor Dejaneira.

PHYLEUS: Verzeih. Es ist spät. Ich habe Vaters Kühe heimzutreiben.

Er verneigt sich auch vor Herkules, errötet und geht nach hinten rechts ab.

HERKULES: Was hat der Junge? Er scheint verwirrt.

DEJANEIRA: Es gibt Momente im Leben eines jeden Mannes, wo ihm Bohnen und Rindfleisch trivial vorkommen.

HERKULES: Verstehe ich nicht. Als ich dich zum ersten Male sah, aß ich nachher vor Begeisterung einen ganzen Ochsen auf.

Er schöpft aus dem Kessel zwei Teller voll.

DEJANEIRA: Schwierigkeiten?

HERKULES: Wie seit Monaten.

DEJANEIRA: Mit dem Tiefbauamt?

HERKULES: Auch. Und nun mit dem Familienamt. Es äußert sittliche Bedenken. Der Sohn des Augias besucht dich jeden Tag, und weil du dich überdies nicht überaus bekleidet zeigst –

DEJANEIRA: Wir sind hier unter uns.

HERKULES: Die Eichen rings um unsere Zelte sind Tag und Nacht dicht mit Eliern bestückt.

DEJANEIRA: Oh!

Sie bedeckt sich.

DEJANEIRA: Mahlzeit.

HERKULES: Mahlzeit.

Sie beginnen zu essen.

DEJANEIRA: Das elische Nationalgericht.

HERKULES: Auch wie seit Monaten.

DEJANEIRA: Sonst gab es doch noch Speck dazu.

HERKULES: Speck können wir uns nicht mehr leisten. Die Reisespesen sind aufgebraucht.

DEJANEIRA: Könnten wir nicht einen gewissen Vorschuß –

HERKULES: Das Finanzamt ist dagegen.

DEJANEIRA *seufzend:* Essen wir weiter.

HERKULES: Essen wir weiter.

Sie essen weiter.

DEJANEIRA: Herkules.

HERKULES: Dejaneira?

DEJANEIRA: Eigentlich sind wir jetzt noch ruinierter als in Theben.

HERKULES: Eigentlich.

Von rechts tritt Direktor Tantalos auf.

TANTALOS: Der Retter steht vor Ihnen, hochverehrter Maestro!

HERKULES *mißtrauisch:* Wer bist du?

TANTALOS: Minos Aiakos Rhadamanthys Tantalos aus Mykene, Direktor des elischen Nationalzirkus Tantalos.

HERKULES: Du wünschest?

TANTALOS: Maestro! Lassen Sie mich zuerst in den spontanen Jubelruf ausbrechen: Der erhabenste Augenblick meiner Künstlerlaufbahn ist gekommen: Der größte Held und der größte

401

Zirkusdirektor Griechenlands stehen sich Auge in Auge gegenüber!

HERKULES: Womit kann ich dienen?

TANTALOS: Ich gehe wohl in der Feststellung kaum fehl, daß sowohl das Zirkusleben als auch die Heldenverehrung den Tiefpunkt erreicht haben. Meine Abendkassen sind leer, und was Sie betrifft, hochverehrter Maestro, so berichtet ein Kollege aus Theben, daß man dort leider Ihr Haus versteigerte. Samt den Möbeln.

HERKULES: Mir neu.

DEJANEIRA *entsetzt*: Unser Haus in der Kadmosstraße?

TANTALOS: Was nun unser beiderseitiges Debakel angeht, hochverehrter Maestro, liegt der Grund einerseits darin, daß das Erlegen von Mammuts und Raubrittern nicht mehr aktuell ist, weil man die Mammuts für die zoologischen Gärten und die Raubritter für die Politik benötigt, andernseits in einer künstlerischen Stagnation, die in meiner Branche einfach nicht mehr zu übersehen ist. Wir wagen zu wenig, predige ich seit Jahr und Tag.

HERKULES: Und was willst du nun von mir?

TANTALOS: Ein Bündnis, hochverehrter Maestro.

HERKULES: Wie soll ich das verstehen?

TANTALOS: Sie sind ein heldisches, patriotisches Symbol und ich ein künstlerisches, artistisches. Sie sind die Kraft, ich bin der Geist. Hand in Hand mit Ihnen, hochverehrter Maestro, werde ich den elischen Nationalzirkus wieder kraftvoll auf die Beine stellen. Verbeugen Sie sich in meinem Zelt und stemmen Sie vielleicht noch einige Gewichte während der Abendvorstellung und einmal jede Woche am Sonntagnachmittag für fünfhundert Drachmen pro Verbeugung und pro Gewichtestemmen, und meine Kassen sind voll und das Haus in Theben wieder das Ihre. Hochverehrter Maestro, überlegen Sie mein Angebot, ich empfehle mich.

Direktor Tantalos nach rechts ab. Schweigen.

HERKULES: Hast du gehört, Dejaneira, was dieser unverschämte Kerl vorschlug?

DEJANEIRA: Gewiß.

HERKULES: Ich hätte ihn den Felsen hinunterschmettern sollen.

DEJANEIRA *leise:* Unser schönes Haus in Theben.

HERKULES: Ich lehne das Angebot selbstverständlich ab.

DEJANEIRA *seufzend:* Essen wir weiter.

HERKULES: Essen wir weiter.

Sie essen weiter.

HERKULES: Dejaneira.

DEJANEIRA: Herkules?

HERKULES: Willst du mich eigentlich noch heiraten?

Er schöpft sich einen neuen Teller voll.

DEJANEIRA: Ich weiß nicht – willst denn du mich überhaupt noch heiraten?

HERKULES: Nun, ich fürchte mich etwas davor. Ich bin doch vielleicht nicht sonderlich ein Mann für dich – mein Beruf ...

Er schöpft sich auch einen neuen Teller voll.

DEJANEIRA: Ich zögere ja auch ein wenig. Du bist ein Held, und ich liebe dich. Doch ich frage mich, ob ich für dich nicht nur ein Ideal bin, so wie du für mich ein Ideal bist.

HERKULES: Zwischen uns steht dein Geist, deine Schönheit und meine Taten und mein Ruhm, das willst du sagen, nicht wahr, Dejaneira?

DEJANEIRA: Ja, Herkules.

HERKULES: Siehst du, darum solltest du diesen reizenden Jungen heiraten, diesen Phyleus. Er liebt dich, er hat dich nötig und ihn kannst du lieben nicht als ein Ideal, sondern als einen unkomplizierten jungen Mann, der eine Frau wie dich braucht.

Schweigen.

Dejaneira ißt nicht mehr weiter.

DEJANEIRA *ängstlich:* Ich soll hier in Elis bleiben?

HERKULES: Liebst du ihn denn nicht, den Phyleus?

Er nimmt sich einen neuen Teller voll.

DEJANEIRA: Doch. Ich liebe ihn.

HERKULES: Es ist deine Bestimmung, zu bleiben, und die meine, zu gehen.

DEJANEIRA: Dieses Land ist so schrecklich.

HERKULES: Ich miste aus.

Schweigen.

DEJANEIRA: Glaubst du das wirklich noch?

HERKULES: Warum nicht?

DEJANEIRA: Jetzt, wie die Gläubiger dich ausplündern und wie dir ein Amt um das andere in den Rücken fällt?

HERKULES: Ich bin schon mit ganz anderen Schwierigkeiten fertig geworden.

DEJANEIRA: Ich sehe nie mehr Theben, nie mehr die Gärten, die goldene Burg Kadmeia, bleibe ich hier.

HERKULES: Laß fahren, was verloren ist. Errichte hier dein Theben, deine goldene Burg Kadmeia. Ich nehme es auf mich, Berge von Unrat wegzuwälzen, das ungefüge Handwerk zu tun, das nur ich tun kann, aber du gibst dem gesäuberten Land die Fülle, den Geist, die Schönheit, den Sinn. So sind wir denn beide für Elis notwendig, beide die Möglichkeit dieses Landes, daß es sich vermenschliche. Bleib bei Phyleus, Dejaneira, und meine schmutzigste Arbeit wird meine beste gewesen sein.

DEJANEIRA: Ich danke dir, mein Freund.

HERKULES: Ich werde dich nie vergessen.

DEJANEIRA: Ich werde dir zum Abschied die Schale schwarzen Bluts überreichen, die mir der Kentaur Nessos gab.

HERKULES: Ich werde sie zur Erde kehren und das Blut wird versickern.

Sie erhebt sich.

Er erhebt sich ebenfalls.

DEJANEIRA: Herkules, gute Nacht.

HERKULES: Gute Nacht, Dejaneira.

Dejaneira zieht sich ins Zelt zurück, das Herkules schließt.

Von links hinten kommt auf zwei Krücken und in Verbänden Polybios angehumpelt.

POLYBIOS *glücklich:* Da bin ich wieder, verehrter Meister.

HERKULES: Polybios!

POLYBIOS: Man hat mich zusammengeflickt.

HERKULES: Es freut mich, dich wieder heil zu sehen.

POLYBIOS: Heil ist etwas übertrieben, verehrter Meister. Machen Sie mal in einem elischen Spital eine Schädeltrepanation durch! Da sind Sie froh, daß Sie nachher überhaupt noch existieren.

HERKULES *verlegen:* Natürlich.

POLYBIOS: Und wie sie erst die Knochenbrüche behandeln, da vergeht Ihnen Hören und Sehen!

HERKULES: Kann ich mir denken.

POLYBIOS: Ein Glück, daß ich mit zwei Krücken jetzt wenigstens humpeln kann.

HERKULES: Willst du dich nicht setzen?

POLYBIOS: Bitte.

Er setzt sich mühsam zur Feuerstelle mit dem Kessel.

POLYBIOS *stolz:* Die Wirbelsäule ist auch noch nicht in Ordnung.

Herkules schöpft ihm einen Teller voll.

HERKULES: Es hat noch Bohnen und Rindfleisch.

POLYBIOS: Nur einen Happen.

Er beginnt im Essen zu stochern.

HERKULES: Es wird nie wieder vorkommen, Polybios, daß ich dich – ich meine, ich werde dich niemals mehr irgendwohin schmettern.

POLYBIOS: An einem Invaliden vergreift man sich weniger leicht.

Er ißt vorsichtig.

POLYBIOS: Ans Essen muß ich mich auch erst gewöhnen. Im Spital gab's nur Abfälle. Weil niemand zahlte.

HERKULES: Ich bin leider momentan finanziell ...

POLYBIOS: Verstehe.

HERKULES: Aber wenn das Honorar einmal kommt ...

POLYBIOS: Ich weiß nicht, verehrter Meister. Ich zählte im Spital das mit lauter Dreien geschriebene Honorar noch einmal zusammen. Zeit hatte ich schließlich dazu.

HERKULES: Nun?

POLYBIOS: Die Summe ist bei weitem nicht so bedeutend, wie wir zuerst angenommen hatten. Wir erwarteten dreihunderttausend Drachmen, es sind kaum dreißigtausend.

Schweigen.

Polybios legt den Teller weg.

POLYBIOS: Ich habe überhaupt das Gefühl, daß diese Elier nur auf drei zu zählen verstehen, um die Nichtelier besser täuschen zu können.

Er erhebt sich.

POLYBIOS: Ich gehe schlafen.

HERKULES *leise:* Dreißigtausend.

POLYBIOS: Glauben Sie mir, verehrter Meister. Die Elier sind das durchtriebenste Volk, das mir je vorgekommen ist. Die erledigen jeden. Nicht nur mich.

Er humpelt davon und verschwindet im Zelt links.

Szene wie vorher.
Herkules ist allein. Er räumt auf.
HERKULES: Dreißigtausend. Immerhin. Und überdies werde ich mich im elischen Nationalzirkus Tantalos verbeugen und einige Gewichte stemmen. Was ist schon daran.
Von links oben kommt der Vollmond herunter.
Herkules will in Dejaneiras Zelt, stutzt, geht zu seinem Zelt.
Herkules ergreift hinter seinem Zelt rechts Iole und zieht das Mädchen über die Bühne nach links vorne.
HERKULES: Was wolltest du in meinem Zelt?
IOLE: Ich wollte ...
HERKULES: Nun?
IOLE: Zu dir.
HERKULES: Wozu?
IOLE: Schon viele Mädchen sind in deinem Zelt gewesen. Und viele Frauen.
HERKULES: Ist das ein Grund, auch hinzugehen?
Iole schweigt.
HERKULES: Geh aus dem Schatten. Ins Mondlicht.
Iole zögert.
IOLE: Ich bin eine Elierin.
HERKULES: Das nehme ich an.
IOLE: Du wirst mich häßlich finden.
HERKULES: Los. Marsch.
Iole tritt ins Mondlicht.
Herkules schweigt.
IOLE: Bin ich sehr häßlich?
HERKULES: Wie alt bist du?
IOLE *zögert:* Vier ... – Sechzehn.
HERKULES: Wie heißest du?
Iole schweigt.
HERKULES: Wenn du nicht reden willst, bringe ich dich zu Augias. Der wird dir das Reden beibringen.
IOLE *leise:* Bitte nicht.
HERKULES: Also?

IOLE: Ich bin Iole, seine Tochter.

Schweigen.

IOLE: Erzählst du es meinem Vater?

HERKULES: Nein.

IOLE: Ich danke dir.

HERKULES: Aber du mußt mir gestehen, warum du in mein Zelt wolltest.

IOLE *leidenschaftlich:* Ich liebe dich. Ich hätte dich einmal umarmt im Dunkel des Zeltes, einmal in meinem Leben und dann hättest du nur mir gehört in meinen Träumen, nicht jeder.

Schweigen.

HERKULES: Geh nun.

Iole bleibt.

HERKULES: Gehorche.

IOLE: Nun werde ich unglücklich sein. Ein Leben lang.

HERKULES: Unsinn.

IOLE: Du hast mich als einzige verschmäht.

HERKULES: Iole, komm her.

Iole kommt zu ihm.

HERKULES: Näher. Setz dich zu mir.

Iole setzt sich neben ihn.

HERKULES: Du bist ein sehr schönes Mädchen, Iole.

IOLE *freudig:* Ich gefalle dir wirklich?

HERKULES: Wirklich.

IOLE: Sehr?

HERKULES: Ungemein.

IOLE: Dann schickst du mich nicht fort?

HERKULES: Gerade weil du mir so ungemein gefällst, schicke ich dich fort. Weißt du, wen du im Dunkel des Zeltes umarmt hättest und wen die andern Frauen und Mädchen von Elis umarmen, wenn sie in mein Zelt schleichen? Schau nach.

IOLE: Ich soll ...?

HERKULES: Geh.

Iole erhebt sich und macht einen Schritt, zögert, hält inne.

IOLE: Ich fürchte mich.

HERKULES: Man soll sich nicht fürchten, die Wahrheit zu erfahren. Geh. Schau nach.

Iole geht zum Zelt rechts, faßt es zaghaft an.

HERKULES: Öffne das Zelt weit, damit es der Vollmond erleuchte.

Iole öffnet das Zelt.

Schließt es wieder, tödlich erschrocken.

Schweigen. Iole atmet schwer.

HERKULES: Nun?

IOLE: Der Stallknecht Kambyses.

HERKULES: Den hättest du umarmt. Komm wieder her.

Iole geht langsam zu Herkules zurück.

HERKULES: Setz dich.

Iole setzt sich mechanisch.

IOLE: Du hast die Elierinnen betrogen.

HERKULES: Ich bin ihnen entgangen.

IOLE: So ist es nicht wahr, was man von dir erzählt, all diese Geschichten mit Frauen?

HERKULES: Man übertreibt. So erzählt man, ich hätte in einer Nacht fünfzig Töchter des Königs Thespios verführt.

IOLE *verständnislos:* Fünfzig?

HERKULES: Drei mal drei mal drei mal zwei weniger drei weniger eine.

IOLE: Das hast du nicht getan?

HERKULES: Ich bitte dich, wer hat schon so viele Töchter.

IOLE: Natürlich.

HERKULES: Siehst du.

IOLE: Ich danke dir, daß du mich gerettet hast.

HERKULES: Ich bin froh, daß es so gekommen ist.

IOLE: Die Elierinnen werden böse sein, wenn sie es erfahren.

HERKULES: Darum schweige.

IOLE: Ich sage es keinem Menschen.

HERKULES: Nun kennst du mein Geheimnis und ich das deine. Geh nun.

IOLE: Du tötest mich, wenn du mich fortschickst.

HERKULES: Das kommt dir jetzt nur so vor.

IOLE: Du nimmst mich ernst. Noch nie hat mich jemand ernst genommen.

HERKULES: Man muß vor allem die jungen Mädchen ernst nehmen.

IOLE: Ich werde nie einen andern Mann lieben können. Nie.

HERKULES: Weil du mich für einen Helden hältst?

IOLE: Du bist der größte aller Helden.

HERKULES: Held ist nur ein Wort, das erhabene Vorstellungen erweckt, die begeistern. In Wirklichkeit bin ich aber nicht ein Wort, Iole, sondern ein Mann, der aus Zufall eine Eigenschaft bekommen hat, die andere nicht in dem Übermaß besitzen: Ich bin stärker als die andern Menschen und darum, weil ich niemand zu fürchten brauche, gehöre ich auch nicht zu den Menschen. Ich bin ein Ungeheuer wie jene Saurier, die ich in den Sümpfen ausrotte. Ihre Zeit ist um, und auch die meine. Ich gehöre einer blutigen Welt, Iole, und übe ein blutiges Handwerk. Der Tod ist mein Begleiter, den ich mit meinen vergifteten Pfeilen sende, und ich habe viele getötet. Ich bin ein Mörder, vom Ruhm der Menschen übertüncht. Es gelingt mir nur selten, ein Mensch zu sein, wie jetzt, im milden Licht des Monds, da ich dich von mir schicke. Denn du sollst einmal einen richtigen Mann lieben, einen Mann, der ein wirklicher Held ist, der sich fürchtet, wie sich die Menschen fürchten und der seine Furcht überwindet, und du sollst einmal Söhne und Töchter haben, die den Frieden lieben und die all die Bestien, mit denen ich mich herumplage, nur noch für Kindermärchen halten: Dies allein ist menschenwürdig.

Schweigen.

HERKULES: Geh, Iole, geh zu deinem Vater.

Iole erhebt sich langsam.

IOLE: Lebe wohl, mein Herkules.

HERKULES: Geh zu den Menschen, Iole, geh.

Er erhebt sich, drohend, gewaltig.

HERKULES: Lauf! Verschwinde, aber schleunigst! Mit vierzehn Jahren in mein Zelt schleichen! So eine Göre! Ich sollte dich nach Hause prügeln!

Iole geht, zuerst zögernd, dann rennt sie nach hinten fort.

Auf der Bühne nichts als der sagenhafte Mist.
In der Mitte wieder das Seil mit der Kuhglocke. Aus dem Mist
tauchen aufs neue die zehn Parlamentarier mit Augias auf.

AUGIAS: Ruhe!

DER DRITTE: Der Mist ist wieder gestiegen.

DIE ANDERN: Gestiegen.

AUGIAS *mit der Glocke:* Ruhe!

   Schweigen.

AUGIAS: Pentheus vom Säuliboden hat das Wort.

PENTHEUS VOM SÄULIBODEN [DER ERSTE]: Meine Herren. Ich möchte anfangs betonen, daß ich nach wie vor von der absoluten Notwendigkeit des Ausmistens zutiefst überzeugt bin.

ZWEITER: Wer nicht ausmistet, schadet der Heimat.

AUGIAS *mit der Glocke:* Ruhe!

PENTHEUS VOM SÄULIBODEN: Doch ist es mir als Präsident des Kulturkomitees eine Pflicht, die Säuberungskommission des großen nationalen Rats darauf hinzuweisen, daß unter dem Mist immense Kunstschätze verborgen sind.

DIE ANDERN: Kunstschätze?

PENTHEUS VOM SÄULIBODEN: Ich nenne nur die spätarchaischen Fassaden und die farbigen Holzschnitzereien auf dem Augiasplatz, den Zeustempel im frühionischen Stil und die weltberühmten Fresken in der Turnhalle. Dieses Kulturgut nun, mistet man aus, könnte durch die Wasserfluten beschädigt, ja, wie zu befürchten ist, zerstört werden, und da unser Patriotismus ...

DIE ANDERN: Patriotismus?

PENTHEUS VOM SÄULIBODEN: weitgehend auf diesen kulturellen Gütern ruht, läuft auch er Gefahr, bei einer allgemeinen Ausmistung fortgeschwemmt zu werden.

DIE ANDERN: Fortgeschwemmt?

PENTHEUS VOM SÄULIBODEN: Nun könnte man einwenden, die ganzen Befürchtungen seien hinfällig, weil man die Kunstschätze ja gar nicht sehe, weil sie unter dem Mist begraben seien, doch muß ich gerade hier ausrufen: Es ist besser, daß diese kulturellen Güter, die ja unsere heiligsten Güter sind, zwar nicht sichtbar, aber eben doch noch vorhanden sind, als überhaupt nicht vorhanden.

DRITTER: Bilden wir eine Kommission.

AUGIAS *mit der Glocke:* Ruhe!

DIE ANDERN: Beschlossen schon, wir bilden eine Kommission.

AUGIAS *mit der Glocke:* Kadmos von Käsingen hat das Wort.

KADMOS VON KÄSINGEN [DER VIERTE]: Meine Herren vom Säuberungsausschuß. Als Vorsitzender des Heimatvereins möchte ich meinem Vorredner Pentheus vom Säuliboden insofern zustimmen, als auch ich die unter dem Mist verborgenen Kunstschätze als unsere heiligsten Güter betrachte. Doch der Ansicht, meine Herren, daß das Ausmisten unsere heiligsten Güter beschädigen könnte, kann ich nicht beitreten.

SIEBENTER: Wer das Ausmisten untergräbt, unterhöhlt die Nation!

AUGIAS *mit der Glocke:* Ruhe!

KADMOS VON KÄSINGEN: Was ich befürchte, ist vielmehr, daß unsere heiligsten Güter unter dem Mist gar nie vorhanden waren! ...

DIE ANDERN: Nie?

KADMOS VON KÄSINGEN: weil sie eben nur in unserem *Glauben* existieren.

DIE ANDERN: Glauben?

KADMOS VON KÄSINGEN: In diesem Falle, meine Herren, wäre das Ausmisten ein großes Unglück, ja, geradezu ein Verrat an unsern heiligsten Gütern.

DIE ANDERN: Verrat?

KADMOS VON KÄSINGEN: Die Hoffnung der Nation, sie unter dem Mist zu finden, zerrönne in Nichts ...

DIE ANDERN: Zerrönne?

KADMOS VON KÄSINGEN: Der ganze Stolz des Eliers auf seine Vergangenheit, seinen Patriotismus erwiese sich als eine Utopie. Da unsere heiligsten Güter jedoch für die Nation notwendig sind ...

DIE ANDERN: Notwendig!

KADMOS VON KÄSINGEN: Und da, misten wir nicht aus, die Frage, ob es sie gebe oder nicht, offen bleibt, was wieder, politisch nüchtern gesprochen, so viel ist, als wären unsere heiligsten Güter vorhanden, so komme ich zum Schluß, daß wir uns das Ausmisten, von dessen unbedingter Notwendigkeit ich, wie gesagt, mehr denn je zutiefst überzeugt bin, doch noch sehr überlegen müssen.

ZEHNTER: Bilden wir eine Gegenkommission.

AUGIAS *mit der Glocke:* Ruhe!

DIE ANDERN: Beschlossen schon, wir bilden eine Gegenkommission.

NEUNTER: Wer am Ausmisten zweifelt, zweifelt am Vaterland!

AUGIAS *mit der Glocke:* Sisyphos von Milchiwil hat das Wort.

SISYPHOS VON MILCHIWIL [DER ACHTE]: Meine Herren! Ich bin Volkswirtschafter. Ich fasse mich unpopulär aber sachlich. Als ob es darauf ankäme, ob nun Holzschnitzereien unter dem Mist verborgen seien oder nicht, als ob diese kulturellen Güter unsere heiligsten Güter wären!

ZWEITER: Unser heiligstes Gut ist unsere einheimische Stiefelindustrie!

SIEBENTER: Unser Vollfettexportkäse!

SISYPHOS VON MILCHIWIL: Unser heiligstes Gut, meine Herren, ist unsere Volkswirtschaft, und unsere Volkswirtschaft ist gesund!

DIE ANDERN: Gesund!

SISYPHOS VON MILCHIWIL: Nun ist es jedoch gerade vom volkswirtschaftlichen Standpunkte aus nicht völlig zu verschweigen, daß uns das Ausmisten vor ein Dilemma stellt.

DIE ANDERN: Dilemma?

SISYPHOS VON MILCHIWIL: Vor ein elisches Dilemma. Elis ist ein reiches Land. Um unsere Bilanz werden wir beneidet, unsere Währung ist hart. Warum? Weil unsere Volkswirtschaft auf einem soliden Sockel steht, und dieser solide Sockel ist der Mist! Nicht nur ganz Griechenland, auch Ägypten und Babylon düngen mit elischem Kompost ...

DIE ANDERN: Mit elischem Kompost!

SISYPHOS VON MILCHIWIL: Ein nationaler Triumph, auf den wir stolz sein dürfen, und diesen Triumph spülen wir ins Ionische Meer.

DIE ANDERN: Spülen!

SISYPHOS VON MILCHIWIL: Misten wir aus! Glauben Sie einem alten, erfahrenen Volkswirtschaftler, meine Herren, glauben Sie ihm, so sehr auch das Ausmisten zutiefst notwendig ist, so sehr öffnet es auch einen Abgrund, den wir durch keine noch so erfolgreiche Fremdenindustrie werden ausfüllen können!

DIE ANDERN: Ausfüllen!

FÜNFTER: Bilden wir eine Zwischenkommission.

AUGIAS *mit der Glocke:* Ruhe!

DIE ANDERN: Beschlossen schon, wir bilden eine Zwischenkommission.

AUGIAS *mit der Glocke:* Männer von Elis!

SECHSTER: Hört unseren Präsidenten Augias.

DIE ANDERN: Hören wir ihm zu.

AUGIAS: Elier. Das ist doch Stumpfsinn.

DIE ANDERN: Stumpfsinn?

AUGIAS: Bis jetzt schien sich alles zum Wohle, zum Heil des Landes zu wenden, ein freundlicher Stern über allem zu walten. Sogar die Ämter stimmten der Ausmistung schließlich zu, mit Ausnahme des Mistamtes – natürlich – des Familienamtes und des Schulamtes, die waren immer borniert. Aber nun kommt der große nationale Rat mit seinen ewigen Kommissionen. Ich appelliere an eure Vernunft.

DIE ANDERN: Vernunft!

AUGIAS: Wir haben auszumisten und keine Zeit zu verlieren.
Schweigen.

NEUNTER *erleuchtet:* Bilden wir eine Oberkommission.

AUGIAS *mit der Glocke:* Ruhe!

DIE ANDERN: Beschlossen schon, wir bilden eine Oberkommission.

SECHSTER: Setzen wir Kommissionen ein, um zu prüfen, ob der Mist, wenn er einmal nicht mehr ist, die Tiefe unserer Religion verhindert.

SIEBENTER: Den Viehstand dezimiert.

ACHTER: Das elische Weib zu Exzessen verleitet.

ZEHNTER: Die Reichen verarmt.

ERSTER: Den Wirtschaftsfrieden verwüstet.

ZWEITER: Die Dörfer verstädtert.

DRITTER: Das seelische Leben des Kindes verkümmert.

VIERTER: Weil das Urgemütliche des Mistes fehlt.

DIE ANDERN: Das Urgemütliche!

AUGIAS *mit der Glocke:* Ruhe!

FÜNFTER: Eine Kommission sollte untersuchen, ob das Wegspülen des Mistes unsere Armee nicht strategisch fortschwemmt.

SECHSTER: Unsere Obersten haben sie für den Mistkrieg ausgebildet.

DIE ANDERN: Unsere Obersten!

AUGIAS *mit der Glocke:* Ruhe!

SIEBENTER: Und endlich, meine Herren, fordere ich noch eine Kommission, um die Frage abzuklären, ob nicht das Ausmisten die Wähler geradezu in den Schoß der makedonischen Arbeiterpartei treibt!

ACHTER: Das wäre das Ende.

DIE ANDERN: Das Ende.

AUGIAS *mit der Glocke:* Ruhe!

Schweigen.

Augias wischt sich verzweifelt den Schweiß von der Stirne.

AUGIAS: Der Mist nimmt zu, wir kommen zu spät.

Die Zehn schütteln gemütlich die Köpfe.

DIE ZEHN:

Das kommen wir nie
In der elischen Politik
In der elischen Politik
Ist es nie zu spät, doch stets zu früh.

Schweigen.

NEUNTER: Donnerwetter. Haben wir wieder einmal ganze Arbeit geleistet.

Augias und der große nationale Rat versinken.
Auf der Bühne nichts als der sagenhafte Mist.

Zirkusmusik.
Hinter dem Podium ein Zirkusvorhang.
Rechts außen eine Loge.
Dejaneira kommt, setzt sich in die Loge.
Die zwei Bühnenarbeiter, die zehn Parlamentarier und Kambyses
tragen keuchend ein Riesengewicht auf die Bühne, legen es vor
das Podium.
Phyleus kommt in die Loge, tritt hinter Dejaneira.
PHYLEUS: Dejaneira.
DEJANEIRA: Phyleus?
PHYLEUS: Ich suchte dich überall, in ganz Elis, und nun finde
ich dich in einer erbärmlichen Zirkusloge bei einer schänd-
lichen, johlenden Menge.
DEJANEIRA: Herkules stemmt.
PHYLEUS: Schändlich. Der Mann, der unser Land ausmisten
könnte, diese einzige wirklich positive Kraft, muß im Zirkus
auftreten!
DEJANEIRA: Wir haben Geld nötig.
Von links tritt Direktor Tantalos auf in Stiefeln und mit einer
Peitsche.
TANTALOS: Meine Damen und Herren, mesdames et mes-
sieurs, ladies and gentlemen! Nach dem dressierten Gorilla,
nach dem schlittschuhlaufenden Mammut, nach der Nackt-
tänzerin Xanthippe und nach dem Trapezakt der Gebrüder
Kephalos, ist es mir ein ungemeines Vergnügen, Ihnen in einer
Sonderschau nicht nur die Sensation unseres Jahrhunderts, son-
dern auch unseres griechischen Jahrtausends vorstellen zu dür-
fen: Unseren verehrten Nationalhelden Herkules, von dessen
Taten die Welt mit unaussprechlicher Bewunderung erfüllt
ist.
Er knallt mit der Peitsche. Von rechts tritt Herkules auf in vollem
Heldenkostüm.
Sie sehen den Helden im bloßen Löwenfell. In der Rechten
hält er die fürchterliche Keule, die noch keiner unserer Olym-
piasieger je zu schwingen vermochte, und in der Linken den

weltberühmten Bogen, den nur er zu spannen versteht, um seine berüchtigten Pfeile zu entsenden.

Herkules verneigt sich.

Nun verneigt er sich, nun erblicken sie den Nacken, den so manche zarte Jungfrau, so manches liebende Weib umschlang, die Schultern, die das Himmelsgewölbe trugen, und jetzt, ladies and gentlemen, kommt der mystische Augenblick, der absolute Höhepunkt, der atemraubendste Kraftakt der Zirkusgeschichte: Herkules wird das astronomische Gewicht von tausend Tonnen stemmen. Tausend Tonnen, meine Damen und Herren, tausend Tonnen! Die Gewichte sind vom elischen Amt für Maß und Gewichte geprüft, die Zeugnisse können jederzeit auf der Direktion eingesehen werden.

Tusch.

Herkules bereitet sich vor.

PHYLEUS: Laß uns heiraten, Dejaneira. Mein Vater ist reich, und Herkules braucht nicht mehr einem Gewerbe nachzugehen, das ihn entwürdigt.

DEJANEIRA: Das ist lieb von dir.

PHYLEUS: Ich bin sicher, daß es doch noch zur Ausmistung kommt. Du wirst sehen. Der Präsident der Zwischenkommission für Säuberungsfragen steht weiterhin durchaus positiv dazu.

DEJANEIRA: Das ist lieb von ihm.

PHYLEUS: Und der Sohn des Vizepräsidenten der Oberkommission will noch einmal mit seinem Vater reden.

DEJANEIRA: Aber ja.

Herkules faßt an.

Trommelwirbel.

Herkules stemmt.

TANTALOS: Beachten Sie, ladies and gentlemen, das Muskelspiel des Helden, diese Symphonie der Kraft, erzittern Sie, erschauern Sie, eine einmalige Gelegenheit, männliche Schönheit in höchster Vollendung zu bewundern!

Herkules setzt ab.

Tausend Tonnen!! Meine Damen und Herren, da die Gewichte geprüft sind, bedeutet das neuer Weltrekord! Mesdames et

418

messieurs, ich habe die Ehre, zum Beschluß des Abends dem Nationalhelden zum ewigen Angedenken im Namen der Direktion des elischen Nationalzirkus Tantalos den goldenen Weltmeisterschaftslorbeer der Gewichtsstemmer zu überreichen. Ich bitte das Publikum, sich zu erheben, und die Kapelle, die elische Nationalhymne zu spielen. Knie nieder, Weltmeister!

Herkules kniet nieder und wird gekrönt.

PHYLEUS *leise:* Dejaneira! Du mußt dich erheben. Man spielt unsere Nationalhymne.

DEJANEIRA: Oh! Entschuldige!

Sie erhebt sich. Sie stehen Hand in Hand.

PHYLEUS: Glaube nur, Dejaneira, glaube fest daran, daß es uns gelingen wird, hier ein menschenwürdiges Land zu errichten, deine goldene Burg Kadmeia. Glaube immer daran. Bald bist du meine Frau.

DEJANEIRA: Ich liebe dich, Phyleus.

Die Nationalhymne ist zu Ende. Die beiden gehen rechts hinaus. Herkules setzt sich auf das Podium, auch Tantalos setzt sich.

TANTALOS: So, das wäre geschafft.

Er nimmt aus seinem Gewand eine Schnapsflasche, trinkt, versorgt sie wieder.

Flau. Das Publikum war ausgesprochen flau. Dabei kostete das Gewicht eine Heidensumme.

HERKULES *trocken:* Die Gage, bitte.

TANTALOS: Aber natürlich.

Er zieht die Brieftasche und gibt ihm Geld.

HERKULES *drohend:* Direktor Tantalos!

TANTALOS: Maestro?

HERKULES: Wir machten fünfhundert ab.

TANTALOS: Nun?

HERKULES: Das sind fünfzig.

TANTALOS: Die Abendkasse gähnte mir nur so entgegen, mein Lieber.

HERKULES: Aber der Zirkus war doch zum Bersten gefüllt mit Eliern!

TANTALOS: Freikarten, Maestro, Freikarten! Ohne Freikarten ist mit Ihnen das Zelt nicht zu füllen, und wer gekommen ist, kam, um den neuen Feuerfresser zu bewundern. Daß auch der eine Niete war, sind die wahren Tragödien, an denen die Welt zum Teufel geht. Zum Glück habe ich noch die Nackttänzerin. Deren Applaus sollten Sie mal erzielen, das Zelt wackelte! Verbeugen und etwas Gewichte stemmen allein genügt nicht. Das kann jeder. Der moderne Kulturmensch stellt Ansprüche. Doch wenn Sie sich entschließen wollen, gegen einige Berufsathleten anzutreten, bitte sehr, ich engagiere zwei, drei Dutzend, und dann besitze ich noch ein wunderschönes Nashorn in meiner Menagerie, einen Prachtsbullen, stemmen Sie mal so ein Biest in die Höhe! Siebenhundert Drachmen pro Abend, bei wahrer Kunst bin ich nicht lumpig. Und nun geben Sie mir schleunigst den vergoldeten Lorbeer zurück, Mann. Daß Sie den behalten dürfen, steht in keinem Vertrag.

HERKULES: Bitte.

Er übergibt Tantalos kleinlaut den Lorbeerkranz.

TANTALOS: Danke.

Der Direktor nach links ab.

Herkules schultert das Riesengewicht.

HERKULES: Hauptsache, daß heute abend die Oberkommission der Säuberungskommissionen zusammentritt.

Er geht mit dem Gewicht ebenfalls nach links ab.

Die Bühne beinahe leer. Nur der Mist hat sich behauptet, in welchem das Podium steht. Ohne Vorhang, ein nacktes Gerüst. Rechts ein zerfetztes Lumpenbündel: das zerlumpte Zelt des Herkules. Vor dem Podium nichts als die Feuerstelle mit dem Kessel, ferner die Schale Dejaneiras mit dem schwarzen Blut links außen.

Von hinten rechts kommt Polybios.

POLYBIOS: Ich weiß, meine Damen und Herren, Sie sind sprachlos. Ihr Griechenbild ist durch die elischen Zustände erschüttert. Und wirklich: Arg spielte uns eure heißgeliebte Antike mit. Der Mist blieb Sieger. Dampfend, stur und endgültig. Wie in anderen, geschichtlicheren Epochen manchmal ja auch. Er erreichte uns. Allmählich. Verschluckte den Felsen, begrub die Eichen, erstickte die silberne Quelle und wenn auch Herkules Dutzende von Berufsathleten zusammenschlug, später sogar mit einem Mammut rang und mit einem Gorilla boxte, der finanzielle Zusammenbruch des elischen Nationalzirkus Tantalos war nicht aufzuhalten. Wieder einmal ging ein ehrwürdiges Kunstinstitut flöten.

Er kauert sich mühsam und frierend an der Feuerstelle nieder, rührt im Kessel.

Bohnen sind auch keine mehr vorhanden, nur eine dünne Suppe – Direktor Tantalos flüchtete in Nacht und Nebel nach Syrakus, von einer Gage sah Herkules keinen blassen Schimmer. Das Ausmisten wurde immer illusorischer, die Kommissionen vermehrten sich ins Uferlose. Die allgemeine Pleite war vollständig.

Er probiert die Suppe mit der Kelle.

Scheußlich, diese Brühe – und damit ist der Tiefpunkt unserer Geschichte beinahe erreicht. Beinahe. Denn wenn ich mich überhaupt noch einmal präsentiere, so nicht um meine Wenigkeit in Erinnerung zu rufen. Unsinn. Im Reiche reiner Tragik hat ein Privatsekretär nichts zu suchen, die ist allein den Chefs vorbehalten. Meiner wird unsterblich, sein Versuch, diesen Planeten zu säubern, hat etwas Rührendes, Kindlich-Grandioses, während eure Chefs, mit ihren Versuchen ... Das Leben ist keine Dichtung!, meine Damen und Herren. Gerechtigkeit findet nicht statt; am wenigsten eine poetische; wer etwas bezweckt, erreicht das Gegenteil, wer sein Recht fordert, kommt um. Ich wollte nichts als meinen Lohn, um einer Handvoll Geldes willen hetzte ich Herkules durch den Himmel zur Hölle. Vergeblich. In seiner letzten Arbeit – seiner zwölften – wird er mich in den Nebelmeeren der Unterwelt stehen lassen. Am Styx. Er wird mich einfach vergessen. Nein. Nur der historischen Wahrheit zuliebe wende ich mich noch einmal an Sie, meine Damen und Herren, zum letztenmal, um – so unglaublich es auch scheinen mag – eine noch schauerlichere Wendung der Dinge anzukündigen.

Von links hinten kommt Herkules, stutzt.
HERKULES: Polybios.
POLYBIOS: Verehrter Meister Herkules?
HERKULES: Das Zelt Dejaneiras ist verschwunden. Und auch das deinige.
POLYBIOS: Die Pfändungsbeamten waren hier. Sie haben nur Ihr Zelt gelassen. Die Elierinnen verteidigten es wütend.
HERKULES: Und die Schale schwarzen Bluts.
POLYBIOS: Für die Gläubiger nutzloser Plunder.
HERKULES: Ich kann sie ausgießen. Dejaneira heiratet heute im Hause des Augias. Ihren Phyleus.
Herkules kauert sich ebenfalls an die Feuerstelle.
HERKULES: Kalt.
POLYBIOS: Kalt.
HERKULES: Wie auf dem Olymp.
POLYBIOS: Der elische Winter kommt bald.
HERKULES: Ich entdeckte eine Misthöhle. Dort können wir schlafen.
POLYBIOS: Zum Glück fand ich dieses Kalbfell. Wärmt.
HERKULES: Hat es noch einige Bohnen?
POLYBIOS: Nur laues Wasser mit einer Rübe drin.
HERKULES: Mahlzeit.
POLYBIOS: Mahlzeit.

422

Sie essen ihre Suppe.
Von rechts hinten kommt der Stallknecht Kambyses, kauert sich ebenfalls an die Feuerstelle.

KAMBYSES: Ich friere wie ein Hund.

HERKULES: Nordwind.

POLYBIOS: Darf ich dir auch einen Teller voll ...? Eine überaus köstliche Wassersuppe.

Er reicht ihm die Kelle hin.

HERKULES: Leider habe ich die einzige Rübe drin eben gegessen.

Kambyses kostet.

KAMBYSES: Bei euch zweien scheint wirklich das nackte Elend ausgebrochen zu sein.

HERKULES: Nur momentan.

POLYBIOS: Wir rappeln uns nämlich immer wieder hoch.

KAMBYSES: Ich komme, um Abschied zu nehmen.

Schweigen.

HERKULES *erschrocken:* Abschied?

KAMBYSES: Ich bin am Ende meiner Kraft.

HERKULES: Was soll das heißen?

KAMBYSES: Ich leistete Unmenschliches.

HERKULES: Du willst mich im Stich lassen?

KAMBYSES: Weil mich die Natur im Stich läßt.

HERKULES: Unmöglich, Kambyses. Ich habe ja noch nicht ausgemistet!

KAMBYSES: Wirst du nie. Weil der Mist vor allem in den Köpfen der Elier zu hoch steht. Die kannst du nicht mit den Flüssen Alpheios und Peneios ausspülen.

HERKULES: Ich bin verloren, wenn du gehst.

KAMBYSES: Leb wohl.

Er geht nach rechts hinten ab.

Schweigen.

HERKULES: Polybios.

POLYBIOS: Verehrter Meister Herkules?

HERKULES: Ich habe mich im eigenen Netz gefangen. Nun muß ich die Heldenrolle selber spielen, die mir die Öffentlichkeit vorschreibt. Ich schlafe heute nacht in meinem Zelt.

423

Schweigen.
Polybios erhebt sich.

POLYBIOS: Verehrter Meister. Es ist zwar purer Selbstmord, aber ich halte es für meine Pflicht, Sie über einen Brief zu informieren, der heute mittag eingetroffen ist.

HERKULES: Polybios. Briefe haben mir nie Gutes gebracht. Ich habe keine Nerven mehr. Ich garantiere für nichts.

POLYBIOS: Trotzdem. Der König von Stymphalien, hoch im Norden, bietet eine Summe, die beträchtlich zu sein scheint, doch noch genau zusammengezählt werden muß, da die Stymphalier anscheinend nur bis zwei zu zählen wissen, für den Fall, daß Sie sich, verehrter Meister, entschlössen, Stymphalien von Vögeln zu befreien, die einen besonders unangenehmen Kot von sich lassen, eine Arbeit, die zwar womöglich noch schmutziger ist als die nun nicht zustande gekommene in Elis, doch in Anbetracht ...

Er schweigt.

HERKULES: Rede weiter.

POLYBIOS: Lieber doch nicht.

Herkules erhebt sich, finster, drohend.

HERKULES: Ich kann mir denken, was du verlangst ...

POLYBIOS: Sie sind schon außer sich, verehrter Meister.

HERKULES: Ich beherrsche mich.

POLYBIOS: Ich kenne ihren Zorn.

HERKULES: Zittere nicht.

POLYBIOS: Ich zittere nicht, verehrter Meister. Sie zittern. Sie schmettern mich gleich durch die Lüfte. Nach Arkadien hinüber.

HERKULES *brüllt:* Ausgeschlossen!

POLYBIOS: Doch, doch.

Herkules ergreift ihn.

HERKULES: Ich gehe nicht nach Stymphalien!

POLYBIOS: Sehn Sie! Jetzt schmettern Sie schon.

Von links ist Dejaneira gekommen.

Sie trägt ein Brautkleid mit einem Schleier. Sie kauert sich ebenfalls zur Feuerstelle nieder.

DEJANEIRA: Mich friert.

424

Sie wärmt die Hände über dem Kessel.

DEJANEIRA: Mein Brautkleid ist leicht.

Schweigen.

HERKULES: Dejaneira.

DEJANEIRA: Mein Freund?

HERKULES: Phyleus?

DEJANEIRA: Ich konnte ihn nicht heiraten. Ich habe ihn vor dem Hausaltar verlassen.

Schweigen.

HERKULES: Du weißt, wie es um mich steht.

DEJANEIRA: Ich weiß.

HERKULES: Entscheide nun du.

DEJANEIRA: Wir gehen nach Stymphalien.

HERKULES: Dieses Land ist noch schmutziger als Elis.

DEJANEIRA: Ich werde bei dir sein.

HERKULES: Nun müssen wir beieinander bleiben.

DEJANEIRA: Wir gehören auch zusammen.

HERKULES: Nimm den Kessel, Polybios.

POLYBIOS: Jawohl, verehrter Meister.

HERKULES: Treten wir das Feuer aus.

Er tritt das Feuer aus.

DEJANEIRA: Packen wir zusammen, was uns noch geblieben ist.

POLYBIOS: Viel ist's ja nicht.

Er packt das Zelt in den Kessel.

DEJANEIRA: Brechen wir auf.

Sie setzt sich aufs Podium.

POLYBIOS: Nach Stymphalien.

Er setzt sich mit dem Kessel ebenfalls aufs Podium.

HERKULES: Machen wir uns an die Arbeit.

Er beginnt das Podium nach hinten zu schieben.

POLYBIOS: An die sechste Arbeit!

DEJANEIRA: Die Schale!

Herkules hält inne. Dejaneira steigt vom Podium, geht nach vorne links.

DEJANEIRA: Die Schale schwarzen Bluts.

Sie nimmt die Schale.

DEJANEIRA: Fast hätte ich sie vergessen.

Sie steigt wieder aufs Podium, setzt sich mit der Schale, und Herkules schiebt das Podium nach hinten fort.

Stille. Nur noch der gewaltige Mist ist sichtbar.

Von vorne links kommt Iole.

IOLE: Herkules! Mein Geliebter! Ich ziehe dir nach, wohin du auch gehst, was du auch tust, welche Arbeiten du auch vollbringst, und sei es bis ans Ende der Welt! Ich bleibe in deiner Nähe, unsichtbar, verborgen hinter einem Strauch oder hinter einem Felsen, und meine Stimme wirst du nur wie ein fernes Echo vernehmen und nicht ahnen, daß ich es bin, die dir ruft. Mein Geliebter! Herkules! Doch einmal, in einer Nacht, irgendwo, an einem Ort, den du noch nicht kennst und ich noch nicht weiß, aber den es gibt, wenn der Vollmond leuchtet und ich älter geworden bin und schöner, komme ich zu dir an dein Lager, und dann vermagst du mir nicht mehr zu widerstehen, dann bist du mir verfallen.

Iole geht langsam nach rechts hinten Herkules nach.

Von links vorne kommt Phyleus. Er trägt einen griechischen Helm, und in der Rechten hält er ein bloßes Schwert. An seinem Gewand sind noch die Hochzeitsbänder. Er bleibt finster mitten auf der Bühne stehen.

PHYLEUS: Dejaneira!

Stille.

Von links vorne kommt sein Vater Augias.

AUGIAS: Mein Sohn.

PHYLEUS *feindlich:* Sie haben uns verlassen, mein Vater. Der Felsen ist leer.

AUGIAS: Ich weiß.

PHYLEUS: Du hättest Herkules hindern sollen.

AUGIAS: Niemand kann Herkules hindern. Er ist die einmalige Möglichkeit, die kommt und geht.

PHYLEUS: Nun ist sie vertan, die einmalige Möglichkeit. Das ist dein Werk, Vater.

AUGIAS: Ich bin nur der Präsident des großen nationalen Rates, mein Sohn.

PHYLEUS: Du wolltest doch ausmisten.

AUGIAS: Das wollten wir alle.

PHYLEUS: Warum wurde dann nicht ausgemistet, Vater?

AUGIAS: Weil die Elier sich vor dem fürchten, was sie wollen und von dem sie wissen, daß es vernünftig ist, mein Sohn. Weil die Vernunft große Zeiträume braucht, sich durchzusetzen und weil Ausmisten nicht die Sache eines Geschlechtes, sondern die vieler Geschlechter ist.

PHYLEUS: Das Unglück ist geschehen, Vater. Dejaneira hat mich am Hausaltar verlassen. Mein Leben ist zerstört, mein Name verhöhnt. Nun muß ich hingehen, gegen Herkules zu kämpfen, gegen den einzigen Mann, den ich liebe und den ich jetzt hassen muß, weil nur sein Tod meine Schande rächt.

AUGIAS: Herkules wird *dich* töten, mein Sohn.

PHYLEUS: Ich glaube an meinen Sieg.

AUGIAS: Das glauben alle, die in den Kampf ziehen.

PHYLEUS: Die Welt wird erkennen, daß es *auch* eine elische Heldengröße gibt.

AUGIAS: Es ist sinnlos, in einen sinnlosen Tod zu rennen.

PHYLEUS: Hat das Leben in unserem Mist einen Sinn, Vater?

AUGIAS: So komm in meinen Garten. Er blüht im letzten Feuer des Herbstes.

PHYLEUS *verwundert:* Es gibt einen Garten in Elis?

AUGIAS: Du bist der erste, der ihn betreten darf. Du hast zwischen ihm und dem blutigen Erdhügel zu wählen, der sonst deinen entstellten Leichnam decken wird. Komm, mein Sohn!

Phyleus geht nach vorne rechts, starrt ins Publikum.
Augias tritt in die Mitte der Bühne.

PHYLEUS: Mein Vater?

AUGIAS: Mein Sohn?

PHYLEUS *finster:* Alles voll Blumen, Bäume voll Früchte.

AUGIAS: Greif den Boden.

PHYLEUS: Erde!

AUGIAS *hart:* Aus Mist ist Erde geworden. Gute Erde.

PHYLEUS: Ich verstehe dich nicht mehr, Vater.

AUGIAS: Ich bin Politiker, mein Sohn, kein Held, und die Politik schafft keine Wunder. Sie ist so schwach wie die Menschen selbst, ein Bild nur ihrer Zerbrechlichkeit und immer wieder zum Scheitern bestimmt. Sie schafft nie das Gute, wenn wir selbst nicht das Gute tun. Und so tat ich denn das Gute. Ich verwandelte Mist in Humus. Es ist eine schwere Zeit, in der man so wenig für die Welt zu tun vermag, aber dieses Wenige sollen wir wenigstens tun: Das Eigene. Die Gnade, daß unsere Welt sich erhelle, kannst du nicht erzwingen, doch die Voraussetzung kannst du schaffen, daß die Gnade – wenn sie kommt – in dir einen reinen Spiegel finde für ihr Licht. So sei denn dieser Garten dein. Schlage ihn nicht aus. Sei nun wie er: Verwandelte Ungestalt. Trage du nun Früchte. Wage jetzt zu leben und hier zu leben, mitten in diesem gestaltlosen, wüsten Land, nicht als ein Zufriedener, sondern als ein Unzufriedener, der seine Unzufriedenheit weitergibt und so mit der Zeit die Dinge ändert: Die Heldentat, die ich dir nun auferlegen, Sohn, die Herkulesarbeit, die ich auf deine Schultern wälzen möchte.

Phyleus steht unbeweglich. Dann wendet er sich dem Vater zu. Geht zu ihm, bleibt neben ihm stehen, den Rücken gegen das Publikum.

PHYLEUS: Lebe wohl!

Er geht mit gezücktem Schwert nach hinten, Herkules nach.

16. CHOR DER PARLAMENTARIER

So geht denn alles zu Grunde
Politiker Helden und Land
Die Knochen fressen die Hunde
Das Blut versickert im Sand

Die Reichen Faulen und Satten
Sie haben die Chance vertan
Es sinken nieder die Schatten
Das große Sterben fängt an

Der Schutt in Herzen und Gassen
Er säubert von selber sich nie
Was heute ihr unterlassen
Verschlingt euch schon in der Früh

Drum hurt euch nicht durch die Zeiten
Und tut, was ihr tun müßt, noch bald
Sonst wird der Tag euch entgleiten
Die Nacht ist dunkel und kalt

FRIEDRICH DÜRRENMATT

Romane	Das Versprechen
	Grieche sucht Griechin
Erzählungen	Die Stadt. Frühe Prosa
	Die Panne
	Der Sturz
Dramen	Ein Engel kommt nach Babylon
	Der Besuch der alten Dame
	Romulus der Große
	Es steht geschrieben
	Der Blinde
	Frank V.
	Die Physiker
	Herkules und der Stall des Augias
	Der Meteor
	Die Wiedertäufer
	König Johann
	Play Strindberg
	Titus Andronicus
	Die Ehe des Herrn Mississippi, Bühnen-
	fassung und Drehbuch
	Komödien I. Sammelband
	Komödien II und frühe Stücke. Sammelband
	Komödien III
Hörspiele	Nächtliches Gespräch
	Das Unternehmen der Wega
	Der Prozeß um des Esels Schatten
	Abendstunde im Spätherbst
	Stranitzky und der Nationalheld
	Herkules und der Stall des Augias
	Der Doppelgänger
	Die Panne
	Gesammelte Hörspiele
	Theater-Schriften und Reden I und II
	Theaterprobleme. Essay
	Friedrich Schiller. Rede
	Monstervortrag über Gerechtigkeit
	und Recht
	Sätze aus Amerika
	Friedrich Dürrenmatt, Stationen seines
	Werkes. Monographie
	[Herausgegeben von E. Brock-Sulzer]

VERLAG DER ARCHE

WERNER BERGENGRUEN

Romane	Herzog Karl der Kühne
	Der Großtyrann und das Gericht
	Der Starost
	Am Himmel wie auf Erden
	Pelageja
	Das Feuerzeichen
	Der letzte Rittmeister
	Die Rittmeisterin
	Der dritte Kranz
	Der goldene Griffel
Novellensammlungen	Das Buch Rodenstein
	Der Tod von Reval
	Sternenstand
	Die Flamme im Säulenholz
	Badekur des Herzens
	Zorn, Zeit und Ewigkeit
Einzelne Novellen	Die drei Falken
	Jungfräulichkeit
	Die Hände am Mast
	Der Teufel im Winterpalais
	Das Tempelchen
	Erlebnis auf einer Insel
	Die Sterntaler
	Der Pfauenstrauch
	Das Netz
	Die Kunst, sich zu vereinigen
	Die Heiraten von Parma
	Bärengeschichten
Lyrik	Die Rose von Jericho
	Die verborgene Frucht
	Dies irae
	Lombardische Elegie
	Zauber- und Segenssprüche
	Mit tausend Ranken
	Glückwunschgabe
	Zur heiligen Nacht
	Die heile Welt
	Figur und Schatten

VERLAG DER ARCHE

FRIEDRICH DÜRRENMATT

Romane	Das Versprechen
	Grieche sucht Griechin
Erzählungen	Die Stadt. Frühe Prosa
	Die Panne
	Der Sturz
Dramen	Ein Engel kommt nach Babylon
	Der Besuch der alten Dame
	Romulus der Große
	Es steht geschrieben
	Der Blinde
	Frank V.
	Die Physiker
	Herkules und der Stall des Augias
	Der Meteor
	Die Wiedertäufer
	König Johann
	Play Strindberg
	Titus Andronicus
	Die Ehe des Herrn Mississippi, Bühnen-fassung und Drehbuch
	Komödien I. Sammelband
	Komödien II und frühe Stücke. Sammelband
	Komödien III
Hörspiele	Nächtliches Gespräch
	Das Unternehmen der Wega
	Der Prozeß um des Esels Schatten
	Abendstunde im Spätherbst
	Stranitzky und der Nationalheld
	Herkules und der Stall des Augias
	Der Doppelgänger
	Die Panne
	Gesammelte Hörspiele
	Theater-Schriften und Reden I und II
	Theaterprobleme. Essay
	Friedrich Schiller. Rede
	Monstervortrag über Gerechtigkeit und Recht
	Sätze aus Amerika
	Friedrich Dürrenmatt, Stationen seines Werkes. Monographie
	[Herausgegeben von E. Brock-Sulzer]

VERLAG DER ARCHE

WERNER BERGENGRUEN

Romane	Herzog Karl der Kühne
	Der Großtyrann und das Gericht
	Der Starost
	Am Himmel wie auf Erden
	Pelageja
	Das Feuerzeichen
	Der letzte Rittmeister
	Die Rittmeisterin
	Der dritte Kranz
	Der goldene Griffel
Novellensammlungen	Das Buch Rodenstein
	Der Tod von Reval
	Sternenstand
	Die Flamme im Säulenholz
	Badekur des Herzens
	Zorn, Zeit und Ewigkeit
Einzelne Novellen	Die drei Falken
	Jungfräulichkeit
	Die Hände am Mast
	Der Teufel im Winterpalais
	Das Tempelchen
	Erlebnis auf einer Insel
	Die Sterntaler
	Der Pfauenstrauch
	Das Netz
	Die Kunst, sich zu vereinigen
	Die Heiraten von Parma
	Bärengeschichten
Lyrik	Die Rose von Jericho
	Die verborgene Frucht
	Dies irae
	Lombardische Elegie
	Zauber- und Segenssprüche
	Mit tausend Ranken
	Glückwunschgabe
	Zur heiligen Nacht
	Die heile Welt
	Figur und Schatten

VERLAG DER ARCHE